KB167447

1-400

Minumsa
World Classics
Catalogue

민음사 세계문학전집

민음사 세계문학전집 2022 도서 목록

펴낸날   2022년 1월 28일
발행인   박근섭, 박상준
펴낸곳   (주)민음사

출판등록 1966. 5. 19. (제16-490호)
서울특별시 강남구 신사동 506 도산대로 1길 62 (06027)
대표전화 515-2000 팩시밀리 515-2007
www.minumsa.com

ⓒ (주)민음사, 2022. Printed in Seoul, Korea

비매품

1~400 도서 목록을 펴내며

오랫동안 수많은 사람들이 찾아 읽는 고전에는 시간과 공간을 초월하는 지식과 지혜가 담겨 있습니다. 특히 위대한 작가들의 문학 작품은 우리의 정신과 내면을 고양하고 우리의 삶을 다채롭고 풍요롭게 합니다. 민음사 세계문학전집은 시대의 흐름을 선도하는 젊은 감각과 열린 사고로 거장들의 경이로운 문학 세계를 책 속에 담아내려 노력해 왔습니다. 고대 그리스 시대부터 현대까지, 유럽과 중남미를 아울러 아시아까지 시대와 장소를 가로지르며, 셰익스피어부터 올가 토카르추크에 이르는 뛰어난 작가들의 문학 작품을 선정해 우리의 독자에게 소개하고 있습니다. 1998년 오비디우스의 『변신 이야기』를 첫 책으로 선보인 민음사 세계문학전집이 2022년 김수영의 『시여, 침을 뱉어라』를 400번째 책으로 출간하게 되었습니다. 앞으로도 민음사 세계문학전집은 우리가 미처 발견하지 못한 세계의 아름다운 고전과 우리 시대 새로운 거장들의 작품을 쉼 없이 소개하며 독자와 함께하고자 합니다.

민음사

민음사 | 세계문학전집

전자책   오디오 북

1·2 변신 이야기

Metamorphoses Ovidius

● 서울대 권장도서 100선

오비디우스 이윤기 옮김

서양 인문학의 첫걸음, 그리스 로마 신화의 최고 전범
바이블과 함께 서양 문화의 두 축을 이루는 천지 창조에 관한 대서사시

『변신 이야기』는 그 내용의 방대함은 물론 수려한 문체로 그리스 로마 신화의 최고 전범으로 평가되는 작품이다. 서양 중세 문화는 기독교와 오비디우스의 『변신 이야기』라는 두 축을 중심으로 형성되었다고도 할 수 있다. 그만큼 이 책은 아직 기독교에 물들지 않은 서양 고대의 인식 체계를 고스란히 보존하고 있다. 한편 시대를 뛰어넘어 수많은 작가와 시인과 화가들의 상상력을 자극하는 예술 창조의 원천이 되기도 했다. 이 책에 담긴 세계에 대한 풍부한 모티프들과 시적 상상력들은 서양 인문학에 접근하려는 사람들에게 가장 기본적인 지식을 제공할 것이다. 나아가 하늘이 열리던 아득한 때와 사람에 살게 된 시대 사이에 가로놓인 긴긴 세월을 일시에 뛰어넘는 신화적 경험도 가능하게 할 것이다.

▶ 진정한 시인의 모범. ─ **셰익스피어**
▶ 정통 라틴어로 사랑을 노래한 마지막 애가 시인. ─ **쿠인틸리아누스**

3 햄릿

Hamlet William Shakespeare

- 《뉴스위크》 선정 100대 명저
- 서울대 권장도서 100선

윌리엄 셰익스피어 최종철 옮김

영국 최고의 극작가 셰익스피어가 낳은 문제적 인간 햄릿
존재할 것이냐 말 것이냐, 그 간극에서 존재의 비극을 탐색한 극문학의 정수

서구 문학사에서 한 획을 그었다고 해도 과언이 아닐 정도로 문제적인 인물로 평가받아 온 '햄릿'. 흔히 "죽느냐 사느냐."로 번역되는 그의 독백은 하나의 식상한 속어가 돼 버렸지만 민음사의 『햄릿』은 그동안 무비판적으로 수용되었던 번역을 지양하고 더 깊이 있는 작품 해석에 기반을 둔 최종철 교수의 번역판을 내놓았다. 이 책에서 "To be, or not to be."가 "존재할 것이냐 말 것이냐."로 번역된 것은 이 비극이 단순한 복수극이 아니라, 복수라는 행위가 인간의 존재와 도덕성에 미치는 영향 및 그 행위의 본질을 추구하는 극이라는 해석을 바탕으로 가능하게 된 것이다. 그동안 무시되었던 르네상스 시대의 극문학으로서 『햄릿』의 의의를 최대한 살린 행별 구성 또한 이 책의 특징이다.

▶ 인간의 꿈에 관한 최고의 비극. — **빅토르 위고**

▶ 같은 주제를 다룬 어떤 희곡보다 뛰어나다. — **찰스 디킨스**

"윌리엄 셰익스피어"의 다른 책들

윌리엄 셰익스피어
William Shakespeare

영국의 국민 시인이며 가장 훌륭한 극작가로 인정받고 있는 셰익스피어는 1564년 잉글랜드 스트랫퍼드어폰에이번에서 비교적 부유한 상인의 아들로 태어났다. 엘리자베스 여왕 치하의 런던에서 극작가로 명성을 떨쳤으며, 1616년 고향에서 사망하기까지 38편의 극작품을 발표하였다. 그의 희곡들은 현재까지도 가장 많이 공연되고 있는 '세계 문학의 고전'인 동시에 현대성이 풍부한 작품으로, 전 세계 사람들을 사로잡고 있다. 특히 '4대 비극'인 『햄릿』, 『오셀로』, 『리어 왕』, 『맥베스』는 '세계 문학의 절정'이다. 『햄릿』은 복수라는 행위가 인간의 존재와 도덕성에 미치는 영향 및 그 행위의 본질을 추구하며, 『오셀로』는 악마적인 역할을 즐기는 인물 '이아고'를 통해 실재와 겉모습 사이의 간극을 중요한 주제로 다루고 있다. 가장 마지막에 쓰인 『맥베스』는 정치적 욕망과 왕위 찬탈을 다루고 있지만 그 과정에서 고통받는 인간의 양심과 영혼의 붕괴에 보다 초점을 맞춘다. 맥베스는 악인이면서도 공포뿐만 아니라 공감을 자아내어 독자로 하여금 인간성의 고귀함을 느끼게 한다.

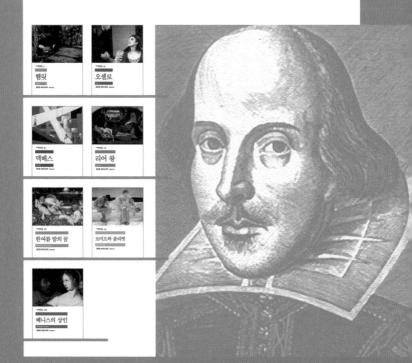

4 변신·시골의사

Die Verwandlung·Ein Landarzt Franz Kafka

● 서울대 권장도서 100선

프란츠 카프카 전영애 옮김

20세기 실존주의 문학의 선구자 카프카, 현대 문학의 신화가 된 불멸의 단편들
불확실한 세계 속에 갇힌 소시민의 불안과 절망

「변신」의 외판 사원 그레고르 잠자는 어느 날 아침 자신이 흉측한 해충으로 변해 버린 것을 발견한다. 그는 평소 열심히 일하며 가족의 생계를 책임져 왔지만, 이제 가족과 직장 상사는 침대에서 꼼짝 못 하는 그에게 등을 돌린다. 프란츠 카프카는 20세기 문학의 한 특징적 징후를 대표하는 작가다. 카프카는 모든 것이 불확실한 현대인의 삶, 출구를 찾을 수 없는 삶 속에서 인간에게 주어진 불안한 의식과 구원을 향한 꿈 등을 군더더기 없이 명료하고 단순한 언어로 형상화했다. 이 단편 선집에는 '카프카적'인 중단편 소설 32편이 실려 있다. 특히 가장 널리 알려진 대표작 「변신」을 비롯하여 「판결」, 「시골의사」, 「굴」 등 카프카 문학의 정수를 엿볼 수 있는 작품들을 만날 수 있다.

▶ 카프카는 몽상가였고, 그의 작품들은 꿈처럼 형상화되어 있다. ─ 토마스 만
▶ 「변신」을 읽고 이렇게도 쓸 수 있다는 것을 깨달았다. ─ 가브리엘 가르시아 마르케스

프란츠 카프카
Franz Kafka

1883년 7월 3일 프라하에서 태어났다. 프라하의 독일계 대학에서 독문학을 배우다가 법학으로 전공을 바꾸었다. 법학 박사 학위를 받고 법률 실무를 익혔으며 1908년부터 1922년까지 근로자 사고 보험국에서 근무했다. 1912년 첫 번째 책인 『관찰』을 출간하였다. 1915년 「변신」 출간. 이후 「유형지에서」, 「성」, 「굴」 등의 작품을 집필하였다. 1917년 폐결핵 진단을 받았다. 펠리체 바우어와 두 번 약혼하고 파혼. 율리에 보리체크와 약혼 후 파혼. 기혼녀인 밀레나와 교류. 1923년 발트 해변에서 19세의 도라 디아만트를 만나 베를린에서 짧은 기간 동거하였다. 1924년 도라로 하여금 「굴」을 제외하고 그 무렵에 쓴 작품을 모두 불태우게 하였고, 빈 근교의 요양원에 머무르다가 6월 3일 41세로 눈을 감았다. 이후 프라하에 묻혔고 나머지 작품을 없애달라는 유언에도 불구하고 평생 친구인 막스 브로트가 카프카의 작품들을 출판하였다.

5 동물농장

Animal Farm George Orwell

● 《타임》 선정 현대 100대 영문 소설
● 《뉴스위크》 선정 100대 명저
● BBC 선정 꼭 읽어야 할 책

조지 오웰 도정일 옮김

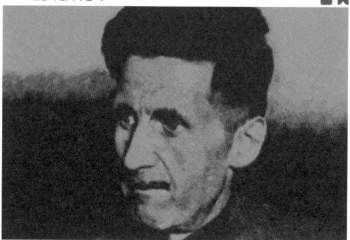

'동물농장'은 지금도 있고 미래의 세계에도 있을 것이다
대표작 「동물농장」과 에세이 「자유와 행복」, 「나는 왜 쓰는가」 수록

「동물농장」이 영국에서 출판된 것은 일본의 항복으로 2차 세계 대전이 끝난 1945년
8월 17일이다. 「동물농장」은 '인간'에게 착취당하던 '동물'들이 인간을 내쫓고 '동물
농장'을 세운다는 이야기이다. 이를 통해 인간이 누구이고 동물이 누구인지, 동물
들 중에서도 동물 공화국을 지배하게 되는 똑똑한 돼지들이 누구를 가리키는지, 독
재자 나폴레옹은 누구이며, 그와 경쟁하다 쫓겨나는 스노볼은 또 누구인지 등을
내세우고 있다. 이처럼 우화로서의 「동물농장」은 소비에트 체제라는, 한 시대의 권
력 형식만을 재현 대상으로 하는 역사적 정치 풍자를 넘어 '독재 일반'에 대한 우의
적 정치 풍자를 담고 있다.

▶ 「동물농장」은 인간 정치 사회의 권력 현실을 부패시키는 근본적 위험과 모순에 대한
  항구한 알레고리이다. — 도정일, 「작품 해설」에서

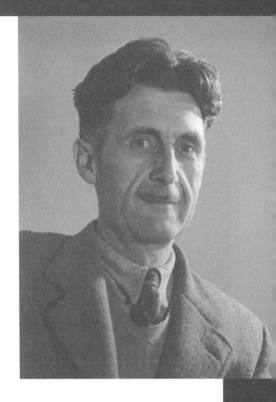

조지 오웰
George Orwell

1903년 6월 25일 인도에서 태어났다. 8세 때 영국에 귀국하여 이튼 학교를 졸업했으나, 대학 진학을 포기하고 1922년부터 5년간 버마에서 대영 제국 경찰로 근무했다. 파리와 런던에서 밑바닥 생활을 경험했다. 1933년 첫 소설 『파리와 런던의 밑바닥에서』를 발표했다. 스페인 내전 참전 경험을 바탕으로 1938년 『카탈로니아 찬가』를 출간했다. 1945년 소련의 스탈린 체제를 예리하게 희화화한 『동물농장』을 발표하여 작가로서의 명성을 얻었다. 1949년 인간의 존엄성과 자유를 박탈하는 전체주의를 비판한 『1984』를 출간했다. 1950년 47세의 나이로 세상을 떠났다.

6 허클베리 핀의 모험

Adventures of Huckleberry Finn Mark Twain

● 《뉴스위크》 선정 100대 명저
● 서울대 권장도서 100선

마크 트웨인 김욱동 옮김

**폭력과 편견을 넘어 자연과 호흡하는 모험을 그린 성장 소설
동심 어린 반어와 해학으로 인종 문제를 비판한 고전**

마크 트웨인의 대표작 『허클베리 핀의 모험』은 성인이 되기 위해 반드시 읽어야 하는 일종의 통과 의례 같은 작품으로, 세계 문학사에서 가장 폭넓은 독자층을 가지고 있다. 교육과 문명을 거부하는 주인공을 통해 인습에 도전하고, 미국 사회의 가장 예민한 문제인 인종 차별을 과감히 풍자하며, 모든 인간은 평등하고 자유로워야 한다는, 당시로서는 혁명적인 생각을 유쾌하게 전파한다. 1996년 미국 랜덤하우스 출판사에서 출판된 '유일 완전판'을 원본으로 삼아 번역했으며, 네 가지 에피소드, 어휘나 표현, 구어체 문장 등이 새로 수록되거나 변경되어 국내 번역본 중 독자들이 믿고 읽을 만한 유일한 완역본이다.

▶ 마크 트웨인은 미국 문학의 아버지이다. — **윌리엄 포크너**
▶ 미국의 모든 현대 문학은 『허클베리 핀의 모험』이라는 책 한 권에서 비롯되었다.
　— **어니스트 헤밍웨이**

"마크 트웨인"의 다른 책들

7 암흑의 핵심

Heart of Darkness Joseph Conrad

● 《뉴스위크》 선정 100대 명저　　　　　　**조지프 콘래드** 이상옥 옮김

문명과 야만, 인간 본성의 그늘과 제국주의의 위선을 파헤친 대작
프랜시스 코폴라 감독의 영화 「지옥의 묵시록」의 원작 소설

어려서부터 아프리카 탐험을 꿈꾸던 말로는 친지의 도움으로 무역 회사 증기선의
선장이 되어 아프리카 교역소에서 일하는 커츠를 만나기 위해 아프리카로 향한다.
말로는 도중에 원주민들에게 공격을 당하는데, 이는 야욕에 눈이 멀어 유럽으로
돌아가지 않으려는 커츠가 벌인 일이다. 헨리 제임스와 함께 20세기 영국 소설의
개척자라 불리는 조지프 콘래드의 『암흑의 핵심』은 인간 경험의 한계와 제국주의의
악몽 같은 진실을 탐구하는 문제적 소설이다. 주인공 말로의 탐험은 문명과 야만,
제국주의를 정당화하는 식민주의와 인종주의의 진실과 마주하는 탐험이라 할 수
있으며, 커츠가 원주민들 위에 군림하는 모습에서 콘래드는 인간 본성과 서구의 문
명화에 대해 근본적인 의문을 제기한다.

▶ 조지프 콘래드의 책은 통찰의 순간들로 가득하다. — **버지니아 울프**
▶ 이 책은 서구 제국주의를 예리하게 비판한 점에서 주목받는다.
　　　—**김성곤**(서울대 영어영문학과 명예교수), 『문학과 영화』에서

"조지프 콘래드"의 다른 책들

8 토니오 크뢰거·트리스탄·베니스에서의 죽음

Tonio Kröger · Tristan · Der Tod in Venedig Thomas Mann

● 노벨 문학상 수상 작가

토마스 만 안삼환 외 옮김

시민적 세계와 예술적 세계 사이의 긴장과 조화, 정신적 성장의 과정
독일 문학을 대표하는 작가의 창작 세계 전반을 아우르는 대표 단편선

이 책에 실린 토마스 만의 단편 소설들은 경건한 시민적 세계와 관능적, 예술적 세계 사이 긴장의 자장에서 나온 산물이다. 토마스 만은 이 두 세계 사이에서 항상 갈등을 느끼며 어느 하나도 온전한 자기 고유의 세계로 사랑할 수 없다고 여겼다. "나는 두 세계 사이에 서 있습니다. 그래서 그 어느 세계에도 안주할 수 없습니다. 그 결과 약간 견디기가 어렵지요. 당신들 예술가들은 나를 시민이라 부르고, 또 시민들은 나를 체포하고 싶은 충동을 느끼게 됩니다." 토니오 크뢰거의 이 말에서 초기 토마스 만의 이상적 예술가상이 분명히 드러난다. 그것은 "인간적인 것, 생동하는 것, 일상적인 것에 대한 시민적 사랑"을 간직하고 있는 예술가의 모습이다.

▶ 토마스 만은 언제나 가장 중요한 창작의 닻을 진실의 토양에 내리기 위해 고심한다.
　 ─《뉴욕 타임스》
▶ 우리는 책에서 우리 자신 말고는 어떤 것도 찾지 못한다. 흥미롭게도 그것은 우리에게
　 대단한 기쁨을 주고, 우리는 책을 쓴 작가가 천재라고 말한다. ─ **토마스 만**

"토마스 만"의 다른 책들

56·57_부덴브로크가의 사람들 홍성광 옮김 **244·245_파우스트 박사** 임홍배, 박병덕 옮김

9 문학이란 무엇인가

Qu'est-ce que la littérature? Jean-Paul Sartre

장폴 사르트르 정명환 옮김

문학의 본질에 대한 놀라운 통찰력
명료하고 경쾌하게 진술한 사르트르의 문제작

『문학이란 무엇인가』는 실존주의라는 용어와 더불어 세계적 명성을 누렸던 20세기
의 대표적 지성 사르트르가 자신의 문학론을 개진한 중요한 저서이다. 그러나 이
책의 유명세와는 달리 지금까지 이 책은 국내에 제대로 소개되지 못했다. 『문학이
란 무엇인가』는 국내 프랑스 문학계의 태두 정명환 교수가 십수 년간 번역과 해석의
작업에 매달린 결과물이다. 정명환 교수는 이전에 출간된 책들에서 대부분 빠져 있
는 원전의 4부 「1947년 작가들의 상황」까지 포함해 원전을 완역했을 뿐만 아니라
500개에 이르는 상세한 각주를 곳곳에 달아 작품의 이해를 돕고 있다.

▶ 『문학이란 무엇인가』는 독자와 작품, 작가와 체제와의 관계 등을 비롯해서 문학에 관련된
　모든 쟁점들이 도전적, 논쟁적으로 해부되어 있다. 정명환 교수가 한 자도 소홀함이 없이
　공들여 번역하고 소상한 주석을 붙인 우리말 번역본은 번역서가 있어야 할 방식의 전범을
　보여 주고 있다. ─ 유종호

"장폴 사르트르"의 다른 책들

10 한국단편문학선 1

김동인 외 이남호 엮음

한국 문학의 정수, 우리 작가의 빼어난 단편 소설 19편
일제 강점기의 고난과 해방 직후의 비극을 견디며 성장한 한국의 단편 소설

한국의 현대 단편 소설은 1920년대 초, 김동인으로부터 시작된다고 볼 수 있다. 그후 십여 년 동안 많은 작가들이 다양하고 수준 높은 작품들을 발표하며, 1930년대 한국 소설 문학은 이미 성숙한 모습을 보여 준다. 일제 강점기 말기의 가혹한 상황과 해방 직후의 비극적 역사로 인해 한국 문학 발전이 주춤한 적이 있기는 하지만, 한국 소설 문학은 세대를 이어 가며 꾸준히 발전해 왔고 많은 수작들을 쌓아 왔다. 이 책에는 김동인의 「감자」, 현진건의 「운수 좋은 날」, 나도향의 「물레방아」, 김유정의 「동백꽃」, 채만식의 「맹 순사」, 이상의 「날개」, 이효석의 「모밀꽃 필 무렵」, 염상섭의 「두 파산」 등 한국 근대 문학을 대표는 19편의 단편 소설이 실려 있다.

▶ 문학이 현실의 반영이라고 하지만, 여기에 실린 한국 단편 소설들은 지난 시대의 삶을 재생해 주고 있다. 그러면서도 거기에 머무르지 않고 삶의 보편적 문제들에 대한 깊은 통찰을 담고 있다. — 이남호, 「엮은이의 말」에서

11·12 인간의 굴레에서

Of Human Bondage William Somerset Maugham

서머싯 몸 송무 옮김

교양 소설과 대중 소설을 아우르며 20세기에 가장 널리 읽힌 책
고뇌를 짊어진 한 젊은이가 인생과 사회에 눈떠 가는 과정

교양 소설로서의 『인간의 굴레에서』가 가진 독특한 점은 특출한 사람보다 보통 사람을 이야기의 주인공으로 삼은 점이다. 몸은 예술가는 마땅히 보통 사람을 다루어야 한다고 했다. 유별난 사람들은 유별나기 때문에 특수하고 일관된 정신과 세계밖에 보여 주지 못하지만 보통 사람들의 세계는 기이하고 다양할 뿐만 아니라 모순에 가득 차서 이야깃거리가 풍부하다는 것이다. 몸은 스물네 살 때 설익은 필력으로 자신을 괴롭히는 유년의 기억을 다루려고 하였으나, 그 글은 출판에 실패하고 말았다. 뒤에 『인간의 굴레에서』를 통해 그는 더 원숙해진 생각과 필체로 자신의 문제를 다루었고, 그가 가진 마음의 상처들과 세상에 눈떠 가는 한 젊은이의 성장 과정을 섬세하게 드러냈다.

▶ 보통 사람의 세계에 대한 몸의 애정이 대중으로 하여금 그의 이야기를 읽게 만들고 있는지 모른다. ─ 송무, 「작품 해설」에서

13 이반 데니소비치, 수용소의 하루

Один День Ивана Денисовича Александр Солженицын

● 노벨 문학상 수상 작가

알렉산드르 솔제니친 이영의 옮김

한 개인의 비극적 운명을 통해 지배 권력의 허상을 적나라하게 폭로한 소설
노벨 문학상 수상 작가 솔제니친의 대표작

솔제니친이 직접 경험했던 노동 수용소 생활의 하루 일상을 세련되고 절제된 필치로 묘사한 작품이다. 작가는 이 작품에서, 평범하고 가련한 이반 데니소비치라는 인물을 통해 지배 권력에 의해 죄 없이 고통당하는 힘없는 약자에 대한 숭고한 애정을 보여 주고 있다. 솔제니친은 이 작품에서 결코 가볍게 넘길 수 없는 다양한 인간의 삶을 그리고 있다. 이 인간 군상들은 수용소 내부의 부패하고 모순된 소집단 속에서 살아가는 인간들의 모습이지만, 스탈린 시대의 사회 축소판으로서 더욱더 폭넓은 의미로 확장되며 부패한 정치권력과 사회적 생활상, 모순되고 획일적이고 비인도적인 사회 제도, 종교 문제, 인간 본성의 문제까지도 우리에게 시사하고 있다.

▶ 솔제니친은 이 작품에서 약자들을 대변해 진실을 밝히는 것이 작가의 소명이고 그러한 예술이야말로 예술의 궁극적 목적임을 역설하고 있다. — **이영의, 「작품 해설」에서**

"알렉산드르 솔제니친"의 다른 책들

337·338_암 병동 이영의 옮김

14 너새니얼 호손 단편선

Nathaniel Hawthorne Nathaniel Hawthorne

너새니얼 호손 천승걸 옮김

인간의 본성과 운명에 관한 근원적인 성찰
미국 낭만주의 소설가 호손의 대표 단편 12편

호손은 19세기 초 미국 소설의 든든한 초석을 세우는 데 크게 기여한 미국 낭만주의 소설의 대표적 작가다. 살아남기 위해 치명적인 비밀을 안고 전쟁터에서 돌아온 남자의 죄의식에 관한 이야기(「로저 맬빈의 매장」), 마을 사람들이 악마에 씌었다는 생각에 아무도 믿을 수 없게 된 남자의 이야기(「젊은 굿맨 브라운」) 등 이성적으로는 설명하기 어려운 몽환적이고 어두운 이 단편들은 호손의 놀라운 상상력이 낳은 산물인 동시에 식민지 시대의 잔재나 청교도적인 삶과 초자연주의의 충돌이 빚어 낸 당시의 혼란한 시대상을 고스란히 보여 주는 지표이다. 호손의 단편들은 영국 소설을 답습하던 미국 소설계에 상징적 수법, 알레고리, 환상적 묘사 등을 처음 도입한 매우 독창적이고 현대적인 작품들로 평가받는다.

▶ 순수함, 자연스러움, 가식 없는 공상, 이것이 호손의 글이 갖는 진짜 매력이다.
　—**헨리 제임스**
▶ 호손은 어두운 내면적 삶, 무의식의 세계, 인간 본성에 내재한 신비스러운 죄와 악의 문제 등 이른바 인간 정신의 '검은 힘'을 집요하게 탐험한다. —**천승걸, 「작품 해설」**에서

15 나의 미카엘

עמוס עזו *מיכאל שלי*

아모스 오즈 최창모 옮김

평범한 남녀의 사랑 이야기를 통해 꿈꾸는 이상과 현실의 조화
고독과 절망에서 비롯되는 현대인의 결핍을 포착한 아름다운 서정시

1950년대 이스라엘. 히브리 대학교의 지질학자 미카엘은 계단을 내려오다가 미끄러진 한나의 팔을 잡아 주면서 그녀를 만나 사랑에 빠지고 결혼한다. 그러나 행복한 신혼 생활을 꿈꾸던 한나는 결혼 생활에 만족하면서도 그와 그 주변으로부터 이유 모를 결핍증을 앓는다. 한나가 가지고 있던 남성다움의 환상이 미카엘과의 삶이라는 현실 속에서 자꾸만 축소되어 간다. 아모스 오즈는 이 소설의 주인공들이 "별을 보다 실족하는 이상주의자들"이라고 말한다. 단조로운 일상과 닿을 수 없는 이상 사이에서 고통을 겪는 주인공의 모습은 분열되고 불안한 이스라엘의 현실과도 닮아 있다. 꿈과 현실 사이에서 균형을 잡지 못하면 꿈이 현실을 좀먹게 되고, 삶은 기나긴 고통을 견디며 시간을 보내는 것에 지나지 않게 된다.

▶ 심오하면서도 아름다움을 갖춘 『나의 미카엘』은 감동적인 러브 스토리이자 아름다운
　서정시로서 나의 마음에 깊은 울림을 주었다. ─ **아서 밀러**

▶ 아모스 오즈는 뛰어난 상상력으로 이스라엘에서의 삶을 잘 표현하는 작가다.
　─ **카프카 문학상 국제 심사위원단**

16·17 중국신화전설

中國神話傳說 袁珂

위앤커 전인초, 김선자 옮김

가장 권위 있는 중국 신화학자 위앤커의 대작
동양적 상상력의 원천, 중국신화전설의 서사적 집대성

온갖 기괴한 신과 동물, 불의의 권력에 대항하는 반항적인 영웅들, 불꽃 튀는 신들의 전쟁, 애틋한 사랑 이야기 등이 현란하게 펼쳐지는 이 책 속에서 독자들은 동양에도 이처럼 완벽한 구성을 갖춘 이야기가 존재한다는 사실에 충격을 느낄 것이다. 개벽편, 황염편, 요순편, 예우편, 하은편, 주진편 등 6부로 나누어 세상의 시작, 반호와 반고, 복희와 여와의 남매혼, 세상의 중심과 불의 기원, 여와의 인류 창조, 서방 천제 소호, 남방 천제 염제, 황제와 치우의 전쟁 등 천지개벽부터 진시황 통일에 이르기까지 고대 중국의 설화와 전설 들을 발굴해 중국 신화 본래의 모습으로 엮었다. 단편적으로 남아 있던 중국 신화와 설화 자료를 한데 모아 체계화하고 문학적으로 서술했다는 데 큰 의의가 있다.

▶ 신화는 이미 굳어 버린 화석이 아니라 지금도 여전히 싱싱하게 살아서 사람들에게 무한한 용기를 불어넣어 주는 상상력의 원천이다. ─ **전인초, 김선자,「작품 해설」에서**

18 고리오 영감

Le Père Goriot Honoré de Balzac

오노레 드 발자크 박영근 옮김

인간 군상의 비루함과 속물근성을 적나라하게 드러낸 소설
놀라운 통찰력으로 역사의 방향을 미리 제시한 가장 발자크다운 작품

20대 초반의 법학도인 외젠 드 라스티냐크는 파리에서의 성공을 꿈꾸지만 재력도 수완도 부족하다. 라스티냐크는 하숙집 옆방에 사는 고리오 영감이 왕년에 큰돈을 벌었고 귀족 부인들의 아버지라는 사실을 알고 자신의 출세 수단으로 삼으려 한다. 발자크의 대작 「인간 희극」은 약 90편의 소설들로 이루어져 있으며 프랑스 전역을 배경으로 2000여 명의 등장인물을 다룬다. 『고리오 영감』은 「인간 희극」의 중심에 위치하는 작품이다. 다양한 자본주의적 인물군의 관계망 속에서 부르주아 노인의 점진적 쇠락과 귀족 청년의 상승 욕구를 대비해 19세기 프랑스 사회의 벽화를 완성했다. 이 작품은 허구의 세계에 생기를 불어넣고 움직임을 부여하여, 실제의 세계로 변화시켜 내는 근대적 기획의 첫 시도이자 완성이다.

▶ 발자크는 가장 위대한 마술가이자 분석적 견자(見者)이다. ─ **폴 부르제**
▶ 그는 무한히 넘쳐흐르는 상상력의 소유자요, 셰익스피어 이후로 가장 창조력이 풍부한 작가다. ─ **호프만슈탈**

19 파리대왕

Lord of the Flies William Golding

● 노벨 문학상 수상 작가 ● 《타임》 선정 현대 100대 영문 소설
● 《뉴스위크》 선정 100대 명저 ● BBC 선정 꼭 읽어야 할 책
● 부커 상 수상 작가

윌리엄 골딩 유종호 옮김

어린 소년의 모험담을 통해
인간 본성의 결함에서 사회 결함의 근원을 찾아내는 작품

핵전쟁이 일어난 가운데 비행기로 후송되던 한 무리의 영국 소년들이 태평양 어느 무인도에 불시착한다. 대여섯에서 열두 살에 이르는 이 소년들은 열두 살 랠프의 지휘 아래 생존 방법을 찾고 구조를 위해 봉화를 올린다. 그러던 중 불을 관리하던 잭과 랠프 사이에 의견 대립이 생겨 소년들은 두 패로 나뉜다. 1983년 노벨 문학상 수상자 골딩의 첫 장편 소설 『파리대왕』은 1954년, 골딩의 나이 43세 때 출간되었다. 그때까지 장편 세 편을 따로 써 두었지만 발표는 하지 않았다. 남들이 쓴 것과 비슷하다고 느꼈기 때문이라고 한다. 핵분열의 엄청난 파괴력을 알게 된 인류가 과연 영속적인 평화를 누릴 수 있을까 하는 회의를 품고 있던 냉전 시대에 큰 충격을 안겨 준 작품으로, 윌리엄 골딩의 출세작이다.

▶ 사실적인 설화 예술의 명쾌함과 현대의 인간 조건을 신비스럽게 조명하여 다양성과 보편성을 보여 주었다. — 스웨덴 한림원 노벨상 선정 이유
▶ 일반적인 불안의 풍토 속에서 구상된 이 모험담과 우화와 알레고리의 차원을 지닌 작품이 발휘한 호소력은 가히 폭발적이었다. — 유종호, 「작품 해설」에서

"윌리엄 골딩"의 다른 책들

20 한국단편문학선 2

김동리 외 이남호 엮음

1950, 1960년대 암울한 시대의 초상을 수준 높은 문학으로 승화
전후 세대를 대표하는 작가 11명의 고뇌와 열정이 담긴 수작

한국의 현대 단편 소설은 1920년대 초, 김동인으로부터 시작된다고 볼 수 있다. 그 후 십여 년 동안 많은 작가들이 다양하고 수준 높은 작품들을 발표하며, 1930년대 한국 소설 문학은 이미 성숙한 모습을 보여 준다. 일제 강점기 말기의 가혹한 상황과 해방 직후의 비극적 역사로 인해 한국 문학 발전이 주춤한 적이 있기는 하지만, 한국 소설 문학은 세대를 이어 가며 꾸준히 발전해 왔고 많은 수작들을 쌓아 왔다. 이 책에는 김동리의 「황토기」, 황순원의 「소나기」, 오영수의 「갯마을」, 손창섭의 「혈서」, 박경리의 「불신시대」, 강신재의 「젊은 느티나무」, 선우휘의 「반역」 등 한국 현대 문학을 대표는 13편의 단편 소설이 실려 있다.

▶ 문학이 현실의 반영이라고 하지만, 여기에 실린 한국 단편 소설들은 지난 시대의 삶을 재생해 주고 있다. 그러면서도 거기에 머무르지 않고 삶의 보편적 문제들에 대한 깊은 통찰을 담고 있다. — 이남호, 「엮은이의 말」에서

21·22 파우스트

Faust Johann Wolfgang von Goethe

● 서울대 권장도서 100선

요한 볼프강 폰 괴테 정서웅 옮김

세계적인 대문호 괴테가 60여 년에 걸쳐 집필한 필생의 대작
불변의 진리와 영원한 쾌락을 얻기 위해 악마와 거래한 인간 파우스트

괴테가 약 60년에 걸쳐 집필한 「파우스트」는 1부와 2부로 나뉘어 있고 시행의 수는 모두 1만 2111행에 이르는 대작이다. 「파우스트」는 따로 수식이 필요하지 않은 명작으로 남아 세계 문학사에서 중요한 의의를 지니며 오늘날까지 빛을 발하고 있다. 강렬한 인식욕을 가지고 인간 존재의 근원을 탐구하는 파우스트의 이야기는 다채로운 테마들이 내포된 웅장한 교향악이다. 그 안에는 학문, 사랑, 이상적 아름다움, 존재의 근원을 향한 열정 등이 변화무쌍하고 다재다기한 방법으로 그려져 있다. 1권에는 「파우스트」의 명장면을 생생하게 전해 주는 다양한 삽화들을 실었고, 2권에는 19세기 말부터 20세기 중반까지 파우스트와 메피스토펠레스를 연기했던 명배우들의 사진을 담았다.

▶ 위대한 괴테는 그가 쓴 불멸의 명작 「파우스트」에서 엄청난 불행과 모든 구원의 체념에서 비롯된 의지의 부정에 대해 뚜렷하고 명백하게 서술했다. — **쇼펜하우어**

▶ 이 작품을 통해 우리는 방황을 거쳐 자기실현에 이르는 인간성의 승리를 기쁜 마음으로 확인하게 된다. — 정서웅, 「작품 해설」에서

23·24 빌헬름 마이스터의 수업시대

Wilhelm Meisters Lehrjahre Johann Wolfgang von Goethe

요한 볼프강 폰 괴테 안삼환 옮김

세계적인 대문호 괴테가 경험한 세계 전체가 녹아 있는 소설
다양한 인간관계와 예술적 경험을 통해 자아를 완성하는 청년의 이야기

주인공 빌헬름은 유년 시절부터 연극의 온갖 형태와 경로를 거쳐 오면서 결국 자아 형성의 길에 도달하게 된다. 시민 계급 출신인 주인공 빌헬름이 여배우 마리아네와의 사랑과 도피, 감성적인 여성 필리네, 이국적인 외모와 신비로운 침묵의 소유자 미뇽을 거쳐 귀족 신분의 나탈리에와 결혼하는 과정은 주인공의 교양 과정인 동시에 독자의 교양 과정이기도 하다. 따라서 여러 여성 편력을 다룬 연애 소설로 한정하기보다는 그 모든 과정을 통해 한 자아가 세계로 나아가, 연극을 통하든 다른 길을 거치든, 세계와 교감하고 마침내 세계와 조화를 이루는 일종의 자아 형성의 과정을 다룬 교양 소설이자 시대 소설이자 인식 소설로 이해해야 할 것이다.

▶ 성장하기 위해 방황하는 자는 완성의 길로 인도된다. —**프리츠 마르티니**

▶ 『빌헬름 마이스터의 수업시대』의 테마는 이상적 삶을 영위하는 개인이 구체적인 사회 현실과 화해해 가는 과정에 있다. —**죄르지 루카치**

25 젊은 베르테르의 슬픔

Die Leiden des jungen Werthers Johann Wolfgang von Goethe

요한 볼프강 폰 괴테 박찬기 옮김

질풍노도의 시대를 이끈 청년 괴테의 대표작
청춘의 열병, 이룰 수 없는 사랑의 상징이 된 이름

괴테는 25세 되던 해 봄, 이미 약혼자가 있었던 샤로테 부프를 사랑하게 되었다. 그녀를 향한 이룰 수 없는 사랑에 절망한 나머지 괴테는 도망치다시피 귀향했다. 그 후 그의 친구 예루살렘이 남편이 있는 부인에게 연정을 품다가 자살했다는 소식을 들었다. 괴테는 예루살렘의 이야기와 자신의 체험을 엮어 불과 14주 만에『젊은 베르테르의 슬픔』을 완성했다. '질풍노도의 시대'를 이끈 청년 괴테의 대표작이자 세계적으로 가장 많은 독자를 가지게 된 이 작품은 사랑의 열병을 앓는 전 세계 젊은 이들의 영혼을 울렸다. 젊은 날의 생생한 사랑의 체험에서 나오는 생명감과 순수한 열정이 이토록 섬세하고 아름답게 묘사된 예는 다시 찾아볼 수 없을 것이다.

▶ 베르테르는 독보적인 천재성을 빼고 난 괴테 그 자신이다. — **토마스 만**
▶ 사람들은 내가 카인의 저주를 받고 있다고 말한다.
　　—『**젊은 베르테르의 슬픔**』집필 당시 괴테의 고백

26 이피게니에·스텔라

Iphigenie·Stella Johann Wolfgang von Goethe

요한 볼프강 폰 괴테 박찬기 외 옮김

괴테의 이탈리아 기행이 낳은 고전주의 문학의 백미 「이피게니에」
일부일처제에 의문을 던진 괴테의 멜로드라마 「스텔라」

이 희곡집에는 괴테의 재치와 유머가 가득 담긴 「연인의 변덕」과 「피장파장」, 젊은
베르테르의 슬픔처럼 청년 시절의 연애 체험에서 쓰인 「스텔라」, 독일 고전주의 드
라마의 백미로 꼽히는 「이피게니에」, 그리고 괴테가 200년 후의 독일을 역사적, 정
치적으로 예견한 작품이라고 해석되는 「에피메니데스」까지 다섯 작품이 실려 있다.
풍자극, 목인극, 소극, 고전적 비극 등 괴테 희곡의 다양한 면모들이 한자리에 모여
그의 광대한 문학 세계를 펼쳐 보인다. 이 가운데 「이피게니에」를 제외한 네 작품은
국내 초역이며, 이 책에는 괴테가 직접 그린 그림들의 화보를 실어 화가로서의 괴테
를 만날 수 있게 편집했다.

▶ 이 작품 속에 감추어진 진실한 말마디들의 심오한 뜻은 앞으로도 무한히 되풀이해서
　새롭게 음미되어야 한다. ─박찬기, 「작품 해설」에서

요한 볼프강 폰 괴테
Johann Wolfgang von Goethe

1749년 프랑크푸르트암마인에서 황실 고문관인 아버지와 시장의 딸인 어머니 사이에서 태어났다. 8세 때 조부모에게 신년시를 써 보낼 정도로 문학적 천재성이 엿보였다. 18세 때 첫 희곡 「연인의 변덕」을 썼고, 1772년 약혼자가 있는 샤로테와의 이루지 못한 사랑을 소재로 삼은 『젊은 베르테르의 슬픔』으로 일약 유명해졌다. 1773년 『파우스트』의 집필을 시작하였으며, 1775년에 희곡 「스텔라」를, 1778년에 「에그몬트」를 집필하였으며, 1779년에 「이피게니에」를 완성하였다. 1782년에 『빌헬름 마이스터의 수업시대』를 쓰기 시작하였으며, 1786년 이탈리아를 여행하였다. 1788년에 실러를 처음으로 만났으며, 후에 정식 부인이 된 평민 출신의 크리스티아네 불피우스를 만났다. 1808년에 『파우스트』 1부가 출간되었고, 나폴레옹과 두 차례 회견하였다. 1821년에 『빌헬름 마이스터의 편력시대』를 출간하였으며, 1829년 『이탈리아 기행』 전편을 완결하였다. 1831년에 『파우스트』 2부를 완성하였으며, 이듬해인 1832년 83세로 생을 마쳤다.

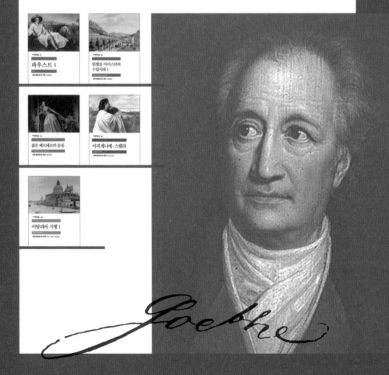

27 다섯째 아이

The Fifth Child Doris Lessing

● 노벨 문학상 수상 작가

도리스 레싱 정덕애 옮김

도리스 레싱이 예언하는 섬뜩한 인류의 미래
호러 기법으로 그린 가족 이데올로기의 허상과 세기말 '인간'에 대한 근원적 물음

도리스 레싱의 서술 기법이나 소설 형식은 사회주의적 사실주의, 성장 소설, 모더니스트적 수법, 우화, 설화, 로맨스, 공상 과학 소설 등을 망라한다. 그녀의 관심사 또한 신비주의, 정신 분석학, 마르크스주의, 실존주의, 사회 생물학 등 20세기의 주요한 지적 문제들을 모두 포함한다. 아주 정상적인 두 남녀가 만나 사랑을 하고 가정을 꾸민다. 문란한 혼전 성관계, 이혼, 혼외정사, 산아 제한, 마약 같은 것들을 거부하며 그들은 전통적 의미의 행복한 가정을 건설해 나간다. 그러나 그들의 '다섯째 아이'는 그들의 '이상적인' 가정을 파괴해 간다. 레싱은 이상한 유전자의 지배를 받는 비정상적인 아이가 태어남으로써 일어나는 일상의 변화를 간결하고 긴박한 문체로 그려 나간다.

▶ 머리가 쭈뼛해지는 이야기. 숨 막히게 재미있는 책들이 그러하듯 왜곡과 충격으로 가득하다. —《타임》
▶ 모성과 사회 붕괴의 악몽에 관한 무서운 이야기. —《뉴욕 타임스》

28 삶의 한가운데

Mitte des Lebens Luise Rinser

루이제 린저 박찬일 옮김

전후 독일의 가장 뛰어난 산문 작가로 평가받는 루이제 린저
세계 젊은이들에게 '니나 신드롬'을 일으킨, 모험과 격정에 관한 소설

의사 슈타인은 여느 평범한 중년 남성들처럼 무료한 일상을 보낸다. 그러던 그 앞에
자신과는 정반대 기질을 지닌 니나 부슈만이 나타난다. 광기와 절망으로 가득 찬
이 어린 소녀와 만나면서, 무의미하던 슈타인의 일상은 한순간 삶의 정점까지 내던
져진다. 그 후 슈타인은 니나가 아직 어린 소녀이던 때부터 성숙한 여인으로 성장하
기까지 십팔 년 동안 그녀의 인생을 곁에서 지켜본다. 전 세계 젊은이들이 '니나 부
슈만'에게 열광한 이유는, 루이제 린저가 '니나'를 통해 전후 독일의 암담하고 절망
적인 상황에서도 참된 삶을 추구하는 여성의 한 전형을 성공적으로 보여 주었기 때
문이다. 루이제 린저는 『삶의 한가운데』를 통해 2차 세계 대전 이후 침체되어 있던
독일 문단에 새로운 활력을 불어넣었다.

▶ 루이제 린저는 시대 악에 용감하게 맞서 싸운 작가다. — **토마스 만**
▶ 고통과 격정에 헌신하지 못하는 사람은 죽을 수도 없다. 죽는다는 것은 마지막 헌신이기
 때문이다. — **루이제 린저**

29 농담

La Plaisanterie Milan Kundera

밀란 쿤데라 방미경 옮김

체코 출신의 세계적인 문제 작가 밀란 쿤데라의 첫 작품
역사의 실수에 관한 비극적 농담

루드비크는 대학 시절 여자 친구의 주의를 끌려고 엽서에 악의 없는 농담 한마디를 적어 보낸다. 하지만 낙관주의적인 사회주의 사회 건설에 경도돼 있던 당시 대학과 사회는 루드비크를 트로츠키주의자로 규정하고, 그는 자신이 속해 있던 사회에서 축출된다. 그는 오스트라바 지역 군부대에 배속되어 석탄 캐는 일을 한다. 『농담』은 쿤데라 문학의 사상적 근원을 보여 주는 대표작이다. 쿤데라는 사랑, 우정, 증오, 복수 등 사소하고도 사적인 삶에서 시작된 운명이 결국 어떻게 그 모습을 바꾸는지, 우리 의지와는 달리 인생이 결국 어디로 흘러가는지, 정치적, 사회적 이념 같은 절대 신념이 인간 개인의 삶을 어떤 방식으로 철저하게 파괴할 수 있는지 『농담』을 통해 분명하게 이야기한다.

▶ 밀란 쿤데라는 명백히 세계적으로 가장 훌륭한 예술가다. 그는 한 국가의 행위보다 더 중요한 한 인간 영혼의 선(과 악)을 열정과 유머와 애정을 지니고 이야기한다.
— 살만 루슈디
▶ 우리 시대 어떤 작가도 필적할 수 없는 기교. — 어빙 하우

밀란 쿤데라
Milan Kundera

1929년 체코에서 태어났다. 1975년 프랑스로 이주하여 현재 파리에서 거주하며 집필 활동을 하고 있다. 주요 소설 작품으로는 『농담』(1965), 『우스 꽝스러운 사랑들』(1968), 『생은 다른 곳에』(1970), 『이별의 왈츠』(1971), 『웃음과 망각의 책』(1978), 『참을 수 없는 존재의 가벼움』(1982), 『불멸』(1988), 『느림』(1995), 『정체성』(1997), 『향수』(2000) 등이 있고, 에세이집 『소설의 기법』(1986), 『배반된 유언들』(1993)이 있다.

30 야성의 부름

The Call of the Wild Jack London

잭 런던 권택영 옮김

20세기 초 전환기적 근대정신을 가장 적극적으로 표현한 작가 잭 런던
오직 살아남기 위해 혹독한 대자연 앞에 맨몸으로 맞섰던 늑대개 이야기

가난한 집안 형편 때문에 십 대 때부터 온갖 일을 다 해야 했던 잭 런던은 1897년 클론다이크 골드러시에 합류했던 경험을 토대로 『야성의 부름』을 썼다. 그는 알래스카에서 황금을 캐는 데는 실패했지만, 거기서 발견한 야성의 위대함을 녹여 낸 소설로 단번에 유명 작가가 되었다. 이 소설은 늑대개 벅이 인간과 자연에 맞서 '대장'으로 성장해 가는 과정을 '개'의 시점으로 다룬 모험담이다. 벅은 적자생존의 법칙만이 유효한 알래스카 대자연에서 살아남기 위해 안간힘을 쓴다. 그가 적응하고자 애쓰는 세계는 고도로 발달한 자본주의 사회, 서로를 이기고 집어삼키기 위해 온갖 수단을 동원하는 현대 사회와 묘하게 닮았다.

▶ 잭 런던은 동시대 인기 작가들을 뛰어넘는 가장 위대한 작품을 남겼다. ─**헨리 루이 맹켄**

민음사 세계문학전집

31 아메리칸

The American Henry James

헨리 제임스 최경도 옮김

에드거 앨런 포, 허먼 멜빌과 함께 가장 위대한 19세기 미국 작가
미국과 유럽의 문화와 관습의 차이를 통해 자아를 발견하는 미국인의 오디세이

크로스토퍼 뉴먼은 자본주의적 미국 사회에서 사업으로 부를 축적해 유럽으로 여행을 하게 된다. 미국인답게 근면과 노력만이 성공의 길이라고 믿는 뉴먼은 유럽 사회의 실상을 파악하지 못한 채 성공에 대한 보상으로 유럽에서 아름다운 여인을 만나 아내로 삼으려 한다. 그러나 그를 하나의 인격체로 보지 않고 그저 물질적으로 성공한 미국인으로 취급하는 유럽 귀족 집안에서 뉴먼은 시련을 겪는다. 『아메리칸』이 이야기하는 신구 문화의 대비라는 주제는 오늘날까지 대서양 양편의 세계를 규정하는 강력한 메타포다. 미국적 특질을 대표하는 주인공이 구대륙의 중심지 파리에서 겪는 일련의 체험을 통해 신구 세계 관습의 차이가 선명히 표출된다.

▶ 헨리 제임스는 동시대 작가 중 가장 지적인 인물이다. ─ T. S. 엘리엇
▶ 오늘날 헨리 제임스는 영미 문학을 대표하는 작가로 확고한 위치를 점유하고 있다.
　　─**최경도, 「작품 해설」에서**

"헨리 제임스"의 다른 책들

32·33 양철북

Die Blechtrommel Günter Grass

● 노벨 문학상 수상 작가
● 서울대 권장도서 100선

귄터 그라스 장희창 옮김

전후 독일 문학계의 선구 귄터 그라스의 대표작
강렬한 언어와 암시적인 이미지, 반어와 역설, 풍자로 가득한 서사

『양철북』은 정신 병원에 수감된 난쟁이 오스카 마체라트가 과거를 회상하는 형식으로 전개된다. 정신 병원을 무대로 한 현재 시점과 오스카가 북을 두들기면서 회상하는 1899~1954년의 독일 역사가 이중적으로 교차하며 뒤섞인다. 『양철북』은 전후 독일 소설 중 가장 광대한 서사적 교양 소설로, 주인공 오스카의 시선을 통해 단치히를 중심으로 벌어진 여러 사건과 시대의 흐름에 따른 사회 변천사를 상세히 묘사한다. 귄터 그라스는 성장이 멈춘 불구자 오스카를 화자로 삼아 나치를 악마적 형상으로 부각하고 이에 맞서 소시민적 삶에 내재하는 작은 진실들의 가치를 인정하는 데 초점을 맞춘다. 전후 독일 문학의 위대한 성과로 꼽히는 이 작품은 우리 시대 비판적 휴머니즘과 실천적 글쓰기의 전범으로 평가받고 있다.

▶ 『양철북』을 통해 인간들이 떨쳐 버리고 싶었던 거짓말, 희생자와 패자 같은 잊힌 역사의 얼굴을 블랙 유머가 가득한 동화로 잘 그려 냈다. ― **스웨덴 한림원 노벨상 선정 이유**

▶ 귄터 그라스의 글쓰기는 약자들의 보호막이 되고, 자유라는 가치를 열정적으로 옹호하는 미학을 추구하며, 현대 민주주의 체제의 버팀목이 되고자 한다. ― 《**르몽드**》

귄터 그라스
Günter Grass

1927년 폴란드의 자유시 단치히에서 태어났다. 2차 세계 대전 중에 그는 당시 독일 청소년들이 의무적으로 가입해야 했던 히틀러 청소년단에 들어갔고, 공군 보조병, 전차병 등으로 참전했다가 미군 포로 수용소에 수감되기도 했다. 종전 후에는 생계를 위해 농사일을 하였고, 1953년에는 베를린 조형 예술 대학에서 조각을 공부했다. 1954년 서정시 대회에서 입상해 전후 청년 문학의 대표적 집단인 '47그룹'에 가입했다. 같은 해 무용수 안나 슈바르츠와 결혼했고, 1958년 첫 작품 『양철북』 초고를 47그룹 모임에서 낭독해 그해 47그룹 문학상을 받았다. 1961년에는 『고양이와 쥐』, 1963년에는 『개들의 시절』을 발표함으로써 『양철북』의 맥을 잇는 '단치히 3부작'을 완성했다. 그 이후 장편 『넙치』(1977), 『텔크테에서의 만남』(1979), 『무당개구리 울음』(1992) 등의 대작들을 발표해 세계적인 주목을 받았으며 1999년 스웨덴 한림원은 그라스를 20세기의 마지막 수상 작가로 선정했다. 한평생 시인, 소설가, 극작가, 조각가, 판화가로서 왕성한 활동을 한 그는 2015년 87세를 일기로 세상을 떠났다.

34·35 백년의 고독

Cien Años de Soledad Gabriel García Márquez

- 노벨 문학상 수상 작가
- 《뉴스위크》 선정 100대 명저
- BBC 선정 꼭 읽어야 할 책 ● 서울대 권장도서

가브리엘 가르시아 마르케스 조구호 옮김

'마술적 사실주의의 창시자' 가브리엘 가르시아 마르케스의 대표작
라틴 아메리카의 비극적 역사와 인간 조건에 대한 통찰을 유머에 녹여 내다

사촌인 우르술라와 호세 아르카디오는 근친상간으로 인해 돼지 꼬리가 달린 자식
이 태어날 것이라는 예언에 따라, 고향을 떠나 마콘도라는 고립된 도시를 세운다.
마콘도의 고립은 오래 지속되지 않고, 시장의 등장, 내전, 철도 건설, 외국인 바나나
공장 건설 등의 사건을 통해 외부 세계와 접촉한다. 마르케스는 라틴 아메리카 대
륙이 겪어야 했던 역사의 '리얼리티'와 원시 토착 신화의 마술 같은 '상상력'을 결합
해 새로운 소설 미학을 일구어 냈다. 서서히 쇠락해 가는 부엔디아 가문의 운명을
블랙 유머와 풍자, 패러디의 거침없는 용광로 속에서 그려 낸 이 작품은 소설의 덕
목이 무엇보다 '재미'에 있음을 확인시켜 준다.

▶ 책꽂이에 가르시아 마르케스의 『백년의 고독』을 꽂아 놓고 어떻게 소설의 죽음을 말할 수
  있단 말인가? — 밀란 쿤데라
▶ 가르시아 마르케스는 빈곤한 계층과 약자들의 편에 서서 서구의 경제적 착취와 국내의
  압제에 강력하게 대항하고 있다. — 스웨덴 한림원 노벨상 선정 이유

"가브리엘 가르시아 마르케스"의 다른 책들

97·98_콜레라 시대의 사랑 송병선 옮김 **170_썩은 잎** 송병선 옮김 **358_아무도 대령에게**
편지하지 않다 송병선 옮김 **377_족장의 가을** 송병선 옮김

가브리엘 가르시아 마르케스

Gabriel García Márquez

1927년 콜롬비아의 아라카타카에서 태어나 외조부의 손에서 자라났다. 스무 살에 콜롬비아 대학교에서 법률 공부를 시작하나 정치적 혼란 속에서 대학을 중퇴하고 자유파 신문인 《엘 에스펙타도르》에서 기자 생활을 시작한다. 1954년 특파원으로 로마에 파견된 그는 본국의 정치적 부패와 혼란을 비판하는 칼럼을 쓴 것을 계기로 파리, 뉴욕, 바르셀로나, 멕시코 등지로 떠돌며 유배 아닌 유배 생활을 하게 된다. 『낙엽』, 『아무도 대령에게 편지하지 않다』, 『불행한 시간』, 『백년의 고독』 등을 발표하며 때로는 저항적이고 때로는 풍자적인 작품들을 선보이던 중 1982년 노벨 문학상을 수상한다. 세계의 문인들은 그에게 '마술적 리얼리즘의 창시자'라는 헌사를 바쳤다. 이후 발표한 『콜레라 시대의 사랑』(1985)은 다시 한번 작품성과 대중성을 동시에 인정받는 계기가 되었다. 그 외 작품으로 『예고된 죽음의 연대기』, 『미로 속의 장군』, 『사랑과 다른 악마들』이 있으며, 자서전 『이야기하기 위해 살다』를 발표하며 다시금 전 세계 언론의 주목을 받았다.

36 마담 보바리

Madame Bovary Gustave Flaubert

- 《뉴스위크》 선정 100대 명저
- 서울대 권장도서 100선

귀스타브 플로베르 김화영 옮김

사실주의 소설의 시작과 동시에 그 완결을 이룩한 작품
카프카에게는 바이블, 누보로망 작가들에게는 교과서가 된 소설

샤를 보바리는 루앙 근처의 작은 마을 용빌에서 개업한 시골 의사로, 나이 많은 과부와 결혼했다가 그녀가 죽은 뒤 엠마 루오라는 처녀와 재혼한다. 낭만적인 결혼 생활을 꿈꾸다 따분한 남편과 권태로운 시골 생활에 질려 버린 엠마는 외도를 저지르기 시작한다. 통속적인 소재와 그에 따른 법정 소송으로 더욱 유명해진 『마담 보바리』는 '보바리즘'이라는 신조어까지 탄생시켰다. 플로베르는 이 '보바리즘'을 통해 현실 자체를 변질시키고 외면하게 만드는 낭만주의적 몽상의 본질을 유감없이 해부하고자 했다. 『마담 보바리』는 1857년 보들레르의 『악의 꽃』과 함께 '현대(modern)'를 열어젖혔고, 이후 모든 문예 사조, 사실주의와 자연주의, 아방가르드와 구조주의에 이르는 예술의 도저한 흐름의 씨앗이 되었다.

▶ 먼저 플로베르의 꿈과 환상이 있은 후에, 말라르메와 조이스, 카프카와 보르헤스가 가능했다. ─ 미셸 푸코

▶ 나는 『마담 보바리』를 좋아하지 않는다. 플로베르 역시 좋아하지 않는다. 그러나 『마담 보바리』는 정녕 위대한 작품이라고 생각한다. ─ 장폴 사르트르

"귀스타브 플로베르"의 다른 책들

322·323 감정 교육 지영화 옮김

37 거미여인의 키스

El Beso de La Mujer Araña Manuel Puig

마누엘 푸익 송병선 옮김

비좁고 음습한 감방 안에서 만난 동성애자와 정치범, 그들만의 멜로드라마
성(性)적인 억압과 편견, 사랑과 자유에 관한 매혹적인 문제작

『거미여인의 키스』는 부에노스아이레스의 비야 데보토 형무소에 수감된 정치범 발
렌틴과 동성애자 몰리나가 나누는 대화로 이루어진 소설이다. 어느 날 발렌틴이 심
한 복통을 일으켜 구토와 설사를 하자 몰리나는 거리낌 없이 뒤처리를 하며 발렌
틴을 따뜻하게 간호한다. 이로 인해 두 사람 사이의 벽은 조금씩 허물어진다. 『거미
여인의 키스』는 소설뿐 아니라 영화, 뮤지컬, 연극 등 장르를 불문하고 대성공을 거
두었다. 마누엘 푸익은 이 소설에서 상반된 두 인물이 화합하는 과정을 통해 대중
문화와 고급 예술의 경계를 무너뜨리려 했고, 독창적이고도 도발적인 방식으로 성
(性), 정치, 억압과 폭력 등 사회 문제에 정면으로 대항했다.

▶ 마누엘 푸익은 보르헤스와 마르케스에 필적할 만한 재능을 갖고 있다. —《워싱턴 포스트》
▶ 마누엘 푸익은 매혹적인 언어의 그물망과 생동하는 대화를 통해 뛰어난 구성력을 보여 줄
　뿐만 아니라 인물들을 생생하게 그려 냄으로써 독자들이 소설에 푹 빠져들게 만든다.
　　—《뉴욕 타임스》

38 달과 6펜스

The Moon and Sixpence William Somerset Maugham

서머싯 몸 송무 옮김

예술에 사로잡힌 한 영혼의 악마적 개성과 광기 어린 예술 편력
폴 고갱의 신화가 서머싯 몸의 붓끝에서 다시 살아난다

『달과 6펜스』는 서머싯 몸을 전 세계에 타전한 결정적 작품이다. 예술에 사로잡힌 한 영혼의 광기 어린 예술 편력을 그리고 있는 이 작품은 1차 세계 대전이 끝난 이듬해인 1919년에 출판되어 대단한 인기를 끌었다. 이 책에서는 예술을 위해 예사로운 인정이라든가 정상적 인간성을 기꺼이 내팽개치는 찰스 스트릭랜드의 괴팍한 편력을 악마에 가깝게 묘사하고 있다. 이미 알려진 대로 『달과 6펜스』는 유명한 프랑스 화가 폴 고갱의 생애를 모델로 하고 있다. 몸은 고갱의 생애가 지닌 낭만적 요소를 최대한 부각하며 강렬하고 극적인 이야기를 창조해 낸다. 책 제목처럼 고갱은 '6펜스'로 대변되는 천박한 문명(이기적인 세속)을 거부하고 풍부한 상상력과 광적 열정을 상징하는 '달'의 세계로 투신했다.

▶ 빈틈없는 구성, 강렬하고 흥미진진한 이야기, 명쾌하고 간결한 문체가 고루 돋보이는 위대한 작품이다. 《뉴욕 타임스》

▶ 가까운 현실 문제를 떠나 모든 이에게 내재되어 있는 보편적인 욕망, 즉 억압적인 현실을 벗어나 본마음이 요구하는 대로 자유롭게 살고 싶은 욕망을 자극하는 강렬한 작품.
— 송무, 「작품 해설」에서

39 폴란드의 풍차

Le Moulin de Pologne Jean Giono

장 지오노 박인철 옮김

앙드레 말로가 '20세기 프랑스 문학을 대표하는 작가'로 꼽은 장 지오노
가문의 몰락을 통해 그리는 인간의 유한성과 죽음의 양면성

코스트는 사고로 아내와 두 아들을 연달아 잃고 비극적 운명을 피해 영지인 '폴란드의 풍차'에 정착한다. 그리고 두 딸을 가문의 저주에서 구하고자 평범한 형제에게 시집보낸다. 그러나 결혼한 자매가 낳은 아들딸들이 다시 사고로 죽으며 저주는 대물림된다. 『폴란드의 풍차』는 장 지오노의 전후 문학 세계를 담고 있는 후기 대표작이다. 전기 작품들이 소박한 환경 보호론적 이상주의를 대변한다면 후기 작품들은 인간의 한계를 초월하는 숙명적인 힘과 맞선 인간의 모험을 통해 숭고한 정신성을 추구하고 있다. 종래의 사적 이미지나 은유를 버리고 갖가지 사건들을 긴박하고 밀도 있게 펼쳐 놓으며, 주요 인물을 자연이 아니라 사회적 관계에 놓고 인간과 세계의 조화가 아닌 인간과 운명의 관계를 전면에 부각한다.

▶ 프로방스 지방에서 새롭게 태어난 베르길리우스. — **앙드레 지드**

40·41 독일어 시간

Deutschstunde Siegfried Lenz

지그프리트 렌츠 정서웅 옮김

의무와 복종에 대한 맹목성이 한 인간과 사회를 파멸로 이끄는 과정을 그린 소설
억압적인 사회와 무비판적인 맹종에 대한 생생한 경고

히틀러 집권 말기, 화가 난젠은 예술 세계가 퇴폐적이라는 이유로 창작을 금지당한
다. 난젠은 경멸스럽게 보이는 것을 '불멸의 것'으로 만듦으로써 위대한 예술이 품고
있는, 속된 세상에 대한 복수심을 보여 주려 한다. 『독일어 시간』은 독일 표현주의
를 대표하는 화가 에밀 놀데를 모델로 하여 권력과 예술의 갈등을 통해 표현의 자
유와 예술 작품의 사회적 통제에 대해 이야기한다. 인간의 무비판적인 맹목성이 어
디까지 타락할 수 있는가를 보여 주는 자화상이자 '편협성의 오만'에 대한 충고이기
도 하다. 의무감과 복종심, 개인의 자유가 상충하면서 한 인간을 점진적인 파멸로
이끄는 과정을 통해 전체주의를 강하게 비판한 전후 독일 문학의 대표작이다.

▶ 신랄할 정도로 재치 있고 절망적이며 열정적인 이 소설은 당대 독일에서 나온, 가장
　시사하는 바가 큰 작품 중 하나다. ─《라이브러리 저널》
▶ 독보적이고 진지하며 중요한 소설. ─《더 네이션》

42 말테의 수기

라이너 마리아 릴케 문현미 옮김

상상과 단편적 기억만으로 삶의 본질과 인간 실존을 탁월하게 형상화한 작품
삶과 사랑과 고독에 대한 성찰이 담긴 일기체 소설

1902년 릴케는 「로댕 연구」를 써 달라는 청탁을 받고 파리에 첫발을 디뎠다. 그러나 파리에 도착하자마자 이 대도시의 빈곤과 침체에 아연했다. 이곳에서 그는 무의미한 것, 타락과 암흑, 그리고 만연해 있는 악을 관찰하고 체험했기 때문이다. 이러한 체험과 고독한 하숙 생활을 바탕으로 릴케는 탁월한 일기체 소설인 『말테의 수기』를 썼다. 『말테의 수기』는 개개인의 고유한 삶이나 죽음은 아랑곳없고 질보다 양이 판치는 대도시의 양상에 대한 공포스러운 경험에서 우러나온 절망의 기록이다. 이 안에는 어찌할 바를 모르고 빈곤과 죽음과 공포의 주위를 끊임없이 맴도는 인간상이 그려져 있다.

▶ 말테는 나의 정신적 위기에서 태어난 인물이다. — **라이너 마리아 릴케**
▶ 현대 문명의 초창기, 걷잡을 수 없는 소용돌이 속에서 허우적거리며 문학적인 자아를 찾으려는 한 문학 소년의 몸부림이 잘 그려져 있다. — **문현미, 「작품 해설」에서**

43 고도를 기다리며

En Attendant Godot Samuel Beckett

● 노벨 문학상 수상 작가
● 서울대 권장도서 100선

사뮈엘 베케트 오증자 옮김

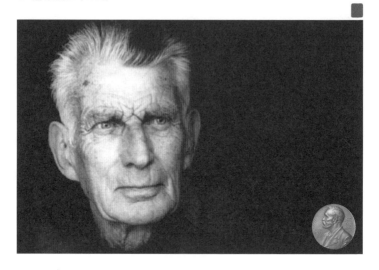

전통적인 사실주의극에 반기를 든 전후 부조리극의 고전
'고도'는 구원이자 자유이며, 빵이자 희망이다

어느 한적한 시골길, 앙상한 나무 한 그루만 서 있는 언덕 밑에서 블라디미르와 에
스트라공이라는 두 방랑자가 '고도'라는 인물이 나타나기를 기다린다. 계속되는 기
다림에 지쳐 갈 때 두 사람 앞에 나타난 것은 고도가 아니라 고도의 전갈을 알리는
소년이다. 「고도를 기다리며」는 20세기 후반 서구 연극사의 방향을 돌려놓은 부조
리극의 대표작이다. 작품에 깔린 허무주의적이고 비극적인 세계 인식은 인생의 부
조리를 인식하고 삶의 의미를 찾으려 했던 전후 실존주의 문학 흐름의 반영이다.
"이 작품에서 신을 찾지 말라."라고 한 베케트의 말처럼 「고도를 기다리며」는 그 해
석이 독자 개개인에게 달렸으며 그렇기에 여전히 활발하게 연구되고 널리 사랑받는
작품으로 남아 있다.

▶ 영국 연극계 선정, 20세기 최고의 희곡. —《인디펜던트》
▶ '고도'라는 이름은, 작가와 더불어 세계적인 신화가 되었다. 베케트에게 있어 '기다림'이란
   공연한 짓이 아니라 본능적인 삶의 방식이다. —《뉴욕 타임스》

사뮈엘 베케트

Samuel Beckett

1906년 아일랜드 더블린 근교의 폭스로크에서 부유한 신교도 집안의 차남으로 태어났다. 어릴 때부터 학업은 물론 스포츠에도 뛰어난 재능을 보였다. 1923년 트리니티 칼리지에 입학해 프랑스어와 이탈리아어를 전공했으며, 1931년 「프루스트론(論)」을 발표하고 대학 강단에 섰으나, 건강이 악화되고 부친이 사망한 후로는 여행과 집필에만 전념했다. 1937년부터는 파리에 거주하면서 2차 세계 대전 중 레지스탕스에 참여했으며 전쟁이 끝날 때까지 나치를 피해 은거하면서 다수의 작품을 집필했다. 1952년에 희곡 「고도를 기다리며」를 발표해 널리 이름을 알렸고, 이 작품으로 '반연극(反演劇)'의 선구자가 되었다. 소설 3부작 『몰로이』(1951), 『말론 죽다』(1951), 『이름 붙일 수 없는 것』(1953)은 앙티로망의 선구적 작품으로도 유명하다. 건강이 악화되어 튀니지에서 요양하던 중 노벨 문학상을 수상했으나, 수상식 참가를 비롯해 일체의 인터뷰를 거부했다. 부인이 사망한 지 오 개월 뒤인 1989년 12월에 세상을 떠났다. 뛰어난 언어 구사력으로 프랑스어와 영어, 두 가지 언어로 작품을 집필했으며 헤럴드 핀터, 에드워드 올비 등 많은 극작가들에게 지대한 영향을 주었다. 부조리극 작가로 세계적인 명성을 얻었지만, 말년에는 자신의 작품들은 "침묵과 무(無) 위에 남긴 불필요한 오점"이라고 말하기도 했다.

44 데미안

Demian Hermann Hesse

● 노벨 문학상 수상 작가

헤르만 헤세 전영애 옮김

독일 문학의 거장 헤르만 헤세가 그린 '자신에게 이르는 길'

"태어나려는 자는 하나의 세계를 깨뜨려야 한다."

따스한 가정에서 착하게 살아가던 싱클레어 앞에 어느 날 신비한 소년 데미안이 나타나 성서 속 카인과 아벨 이야기로 선악의 진실을 하나씩 가르치기 시작한다. 내면의 선악 사이에서 고뇌하던 싱클레어는 유혹을 이기지 못하고 거리로 나가 금지된 쾌락을 추구하기도 하지만 베아트리체를 만나면서 어두운 내면을 이겨 낸다. 『데미안』은 주인공 싱클레어와 데미안의 우정을 바탕으로, 성장 과정에서 겪는 시련과 그 극복, 깨달음을 통해 완전한 자아에 이르는 과정을 성찰한다. 이 작품은 헤세 자신에게도 재출발을 의미했으며, 소년기의 심리, 엄격한 구도성, 문명 비판, 만물의 근원으로서의 어머니라는 관념 등 헤세의 전기, 후기 작품 특징이 고루 나타나 있다.

▶ 1차 세계 대전 직후에 『데미안』이 불러일으킨 반향은 잊을 수 없다. 『데미안』은 섬뜩하리만큼 정확하게 시대의 신경을 건드린 작품이다. ─ **토마스 만**

헤르만 헤세
Hermann Hesse

1877년 독일 남부의 작은 도시 칼브에서 선교사의 아들로 태어났다. 어린 시절 시인이 되고자 수도원 학교에서 도망친 뒤 시계 공장과 서점에서 수습 사원으로 일했으며, 열다섯 살 때 자살을 기도해 정신 병원에 입원하는 등 질풍노도의 청소년기를 보냈다. 20대 초부터 작품 활동을 시작하여 『페터 카멘친트』, 『수레바퀴 아래서』 등을 발표했고, 서른세 살이 되는 해 인도 여행을 감행하여 이 경험을 바탕으로 『인도에서』를 썼다. 스위스 베른으로 이주한 뒤 1914년 1차 세계 대전이 발발하자 군 입대를 자원하나, 부적격 판정을 받고 '독일 포로 구호 기구'에서 일하며 전쟁 포로들과 억류자들을 위한 잡지를 발행했다. 이후 정치적 논문, 경고문, 호소문 등 전쟁의 비인간성을 고발하는 글들을 발표하는 한편, 이상 사회의 실현을 꿈꾸며 다양한 소재의 동화를 집필했다. 계속해서 『크눌프』, 『데미안』, 『싯다르타』, 『황야의 이리』, 『나르치스와 골드문트』, 『동방순례』, 『유리알 유희』 등 세계 독자들을 매료하는 작품들을 발표하여 1946년 노벨 문학상을 수상했다. 1962년 8월 제2의 고향인 스위스의 몬타뇰라에서 영면했다.

45 젊은 예술가의 초상

A Portrait of the Artist as a Young Man James Joyce

● 서울대 권장도서 100선

제임스 조이스 이상옥 옮김

순수와 타락을 넘어 초월의 길로 가는 예술가의 성장을 그린 자전적 교양 소설
현대 소설의 발전에 지대한 영향을 끼친 실험적 기법들과 '감수성의 혁명'

자아가 강하고 감수성이 섬세한 스티븐 더덜러스는 학교생활에 제대로 적응하지
못하고 예술가적인 반항심을 키운다. 더블린 사창가에서 창녀 품에 안긴 후 고뇌
끝에 참회를 위해 신앙생활에 몰두하기도 하지만, 자신이 앞으로 걸어갈 길은 신앙
의 세계가 아니라 감각, 유혹, 욕망이 존재하는 세속임을 직감한다.『젊은 예술가의
초상』은 한 예술가의 유년기부터 청년기까지의 성장 과정을 그린 교양 소설이자 제
임스 조이스 자신을 모델로 한 자전적 소설이다. 주인공이 자아를 탐색하고 예술가
로 성장해 가는 과정을 통해 예술가 제임스 조이스의 삶과 고뇌를 엿볼 수 있으며,
현실과 꿈, 자아 발견을 위해 고민하는 모든 독자들의 공감을 불러일으킨다.

▶ 조이스는 삶을 보다 면밀하게 살피는 한편, 소설가들이 일반적으로 존중해 온 인습을
  버리고 자신에게 흥미와 감동을 주는 것들을 더욱 진지하게, 더욱 정확하게 보존하려고
  한다. —**버지니아 울프**
▶ 조이스가 보여 주는 상황에 대한 분명한 진단은 언제나 값진 법이다. —**에즈라 파운드**

"제임스 조이스"의 다른 책들

46 카탈로니아 찬가

Homage to Catalonia George Orwell

조지 오웰 정영목 옮김

조지 오웰을 20세기 가장 영향력 있는 목소리의 주인공으로 만든 역작
스페인 내전과 1936년의 카탈로니아를 생생히 기록한 전쟁 소설의 고전

스페인 내전은 헤밍웨이, 앙드레 말로 등 전 세계 지식인들을 불러 모았으며, 2차 세계 대전의 발판을 마련한 사건이다. 이 역사적 현장에 조지 오웰 역시 민병대로 참전하여 프랑코의 파시즘에 대항해 싸웠다. 그러나 공화파가 분열되고 오웰이 속한 통일노동자당(POUM)이 트로츠키주의로 몰리자, 오웰은 생사의 갈림길에서 겨우 빠져나와 프랑스로 탈출했다. 그리고 영국으로 돌아와 완성한 작품이 바로『카탈로니아 찬가』이다. 이 작품은 정의와 평등을 위해 투쟁하는 양심의 기록이며, 또한 혁명의 약속과 권력의 배반, 좌절과 환멸을 그린 작품이다. 현대를 살아가는 우리에게는 결코 잊힐 수 없는 소설이다.

▶ 『카탈로니아 찬가』는 조지 오웰의 소설 가운데 가장 위대하다. — 에이브럼 놈 촘스키
▶ 스페인 내전의 풍문과 의혹, 배반을 그린, 타의 추종을 불허하는 소설. — 앤서니 비버

"조지 오웰"의 다른 책들

5_동물농장 도정일 옮김 77_1984 정회성 옮김

47 호밀밭의 파수꾼

The Catcher in the Rye J. D. Salinger

● 《뉴스위크》 선정 100대 명저
● BBC 선정 꼭 읽어야 할 책

J. D. 샐린저 공경희 옮김

The Catcher in the Rye

J. D. Salinger

전 세계의 청소년과 대학생을 사로잡고 있는 미국 현대 문학 최고의 문제작
사이먼 앤드 가펑클의 「I Am a Rock」, 영화 「컨스피러시」에 소재를 제공한 작품

샐린저를 단번에 세계적인 작가로 만들어 준 『호밀밭의 파수꾼』은 거침없는 언어와 사회성 짙은 소재로 출간 즉시 엄청난 논쟁을 일으키면서 베스트셀러가 되었다. 주인공 홀든 콜필드는 성탄절 휴가 직전에 명문 사립 고등학교에서 네 번째로 퇴학을 당한다. 홀든은 위선적인 어른들의 세계에 염증을 느끼고 속물적인 중산층의 삶에 반감을 가지며 퇴학 통지가 부모님에게 전달되기까지 사흘간 뉴욕에 가 있기로 결심한다. 그는 백혈병으로 죽은 남동생 앨리와 여동생 피비처럼 순수한 아이들의 세계를 지켜 주는 사람, '호밀밭의 파수꾼'이 되기를 꿈꾸지만 현실은 녹록지 않다. 홀든이 뉴욕에서 홀로 지내며 집에 돌아오기까지 경험하는 며칠간의 일들을 독백 형식으로 담은 소설이다.

▶ 현대 문학의 최고봉. —**윌리엄 포크너**
▶ 문제 많은 시대, 문제 많은 세계에서 문학이 이보다 더 높은 것을 성취할 수는 없다.
  —**헤르만 헤세**

민음사 세계문학전집

제롬 데이비드 샐린저
Jerome David Salinger

1919년 미국 뉴욕시에서 부유한 유대계 아버지와 스코틀랜드계 아일랜드인 어머니 사이에 태어났다. 펜실베이니아에서 밸리포지 육군사관학교를 졸업하고, 뉴욕 대학교와 컬럼비아 대학교 등에서 창작 수업을 받았다. 2차 세계 대전 중에는 보병으로 소집되어 노르망디 상륙 작전에도 참가했다. 단 한 편의 소설 『호밀밭의 파수꾼』(1951)으로 세계적인 명성을 얻었으며 이 작품은 현재에도 매년 30만 부가 팔리고 있다. 후에 엘리아 카잔 감독이 이 작품을 영화화하고자 했으나 샐린저는 "홀든이 싫어할까 봐 두렵다."라는 이유로 허락하지 않았다. 또한 이 작품은 존 레논 살해범 마크 채프먼이 탐독한 소설로 세계의 주목을 받았다. 살해 순간 그의 손에 『호밀밭의 파수꾼』이 들려 있었으며, 그는 살해 동기가 거짓과 가식에 대한 콜필드의 절규 때문이라고 밝혔다. 또한 그린데이, 오프스프링, 빌리 조엘 등 수많은 뮤지션들을 콜필드 신드롬에 빠지게 했다. 영화 「파인딩 포레스트」는 언론에 공개되는 것을 극도로 기피하며 은둔 생활을 했던 샐린저를 모델로 한 것이다. 2010년 자택에서 노환으로 세상을 떠났다.

48·49 파르마의 수도원

La Chartreuse de Parme Stendhal

● 서울대 권장도서 100선

스탕달 원윤수, 임미경 옮김

'소수의 행복한 사람들에게' 바치는 자유롭고 열정적인 삶에 대한 찬가

앙드레 지드가 '프랑스 문학의 최고봉'으로 꼽은 스탕달 벨리슴의 정수

밀라노 대귀족의 차남 파브리스는 나폴레옹을 숭배하며 가출해 전장에서 군인들을 쫓아다니다가 위험에 빠지거나, 떠돌이 극단 여배우와 연애를 하다가 독살될 위기에 처하는 등 파란만장하게 살아간다. 그를 주인공으로 하여 펼쳐지는 이야기는 나폴레옹의 워털루 전투, 이탈리아의 법정 음모, 아름다운 로맨스가 함께 어우러져 있다. 19세기 프랑스를 대표하는 소설이자 스탕달의 마지막 작품으로, 출간 당시는 물론 지금까지 '세계 문학의 걸작'으로 평가된다. 스탕달은 16세기 교황 바오로 3세의 비화를 나폴레옹 시대 이탈리아로 가져와 작품 안에 생생하게 펼쳐 놓았다. 세속적 성공과 무관한 행복을 추구하는 인물을 통해 진정한 삶의 의미를 성찰하는 『파르마의 수도원』에는 작가의 행복론인 벨리슴이 잘 녹아 있다.

▶ 같은 소설가로서 시샘이 날 정도로 탁월한 인물을 창조해 냈다. 모든 면에서 완벽함이 돋보인다. — **오노레 드 발자크**

▶ 볼테르적인 아이러니와 프랑스적인 재치가 넘치는 작품. — **마르셀 프루스트**

50 수레바퀴 아래서

Unterm Rad Hermann Hesse

● 노벨 문학상 수상 작가

헤르만 헤세 김이섭 옮김

고루하고 위선적인 권위에 희생된 순수한 소년의 비극
개인의 창의성과 자유로운 의지를 짓밟는 제도와 교육에 대한 비판

독일의 작은 시골 마을 슈발츠발트에 사는 한스 기벤라트는 유달리 총명한 소년으로 아버지를 비롯한 어른들의 기대 속에 마울브론 신학교에 입학한다. 내성적이고 여린 한스는 강압적인 신학교 생활에 적응하지 못하고, 친한 친구의 퇴학으로 괴로워하다가 신경 쇠약이 심해져 고향으로 돌아온다. 『수레바퀴 아래서』는 고루한 전통과 권위에 맞선 어린 소년의 저항을 통해 무거운 수레바퀴처럼 인간을 억누르는 기성 사회에 비판을 가한다. 한스 기벤라트는 어린 시절 엄격한 신학교의 규율에 적응하지 못하고 학교에서 달아나는 등 질풍노도의 청소년기를 보낸 헤세의 분신일 뿐 아니라 오늘을 사는 우리 젊은이들의 자화상이기도 하다. 이 작품은 누구나 겪는 기성 사회, 권위와의 갈등을 그려 내고 있다.

▶ 우리는 수레바퀴 아래 깔린 달팽이가 아니다. 어쩌면 우리는 수레를 끌고 앞으로 나아가야 할 운명을 짊어진 수레바퀴 그 자체인지도 모른다. ─김이섭, 「작품 해설」에서

"헤르만 헤세"의 다른 책들

44_데미안 전영애 옮김 **58_싯다르타** 박병덕 옮김 **66_나르치스와 골드문트** 임홍배 옮김 **67_황야의 이리** 김누리 옮김 **111_크눌프** 이노은 옮김 **230_클링조어의 마지막 여름** 황승환 옮김 **273·274_유리알 유희** 이영임 옮김

51·52 내 이름은 빨강

Benim Adim Kirmizi Orhan Pamuk

● 노벨 문학상 수상 작가

오르한 파묵 이난아 옮김

오스만 튀르크 제국을 무대로 펼쳐지는 음모와 배반, 목숨을 건 사랑

2003년 이탈리아 그린차네 카보우르 상, 인터내셔널 임팩 더블린 문학상 수상

『내 이름은 빨강』은 마지막 순간까지 살인자가 누구인지 짐작할 수 없을 만큼 치밀하게 짜인 일종의 추리 소설이자 세 남자의 운명을 바꾼 매혹적인 여인 세큐레와의 목숨을 건 사랑 이야기이기도 하다. 능수능란한 이야기꾼 오르한 파묵은 16세기 말 오스만 튀르크 제국의 수도 이스탄불을 배경으로 주인공들뿐 아니라 등장하는 모든 사물이 저마다 독창적인 목소리를 들려주는 걸작을 탄생시켰다. 다양한 창작 기법과 모티프가 집약되어 유례없는 독창성과 작품성을 획득함은 물론, 이야기의 재미까지 두루 갖춘 이 작품은 노벨 문학상 수상 작가의 대표작으로 꼽기에 부족함이 없다.

▶ 현기증이 일 정도로 아름답고, 경이로울 정도로 다채로운 문학의 진수.
　　―《프랑크푸르터 알게마이네 차이퉁》
▶ 오스만 제국 예술가들의 치열한 삶과 사랑을 놀라울 만큼 생생하게 재현해 낸 이 시대의 고전. ―《로스앤젤레스 타임스》
▶ 문학적 묘미와 읽는 재미를 결합한 완벽한 소설. ―《데일리 텔레그래프》

53 오셀로

Othello William Shakespeare

● 《뉴스위크》 선정 100대 명저
● 서울대 권장도서 100선

윌리엄 셰익스피어 최종철 옮김

인간 내면에 숨겨진 의심과 눈먼 환상이 부른 숙명적인 비극
지금까지도 가장 많이 공연되고 있는 세계 문학의 절정

베니스의 흑인 장군 오셀로는 공국 원로의 딸 데스데모나와 사랑에 빠진다. 그녀의 아버지는 오셀로가 흑인이라는 이유로 두 사람의 관계를 반대하지만, 둘은 끝내 결혼한다. 오셀로를 시기하던 부하 이아고는 데스데모나가 부관과 밀통하는 것처럼 오셀로를 오해하게 만들고, 오셀로는 질투에 눈이 멀어 데스데모나를 죽인다. 셰익스피어 4대 비극 가운데 한 편으로, 실재와 겉모습 사이의 간극에서 빚어진 오해가 초래한 비극적인 파국을 다루고 있다. 신뢰와 명예, 가부장적인 정치 상황과 인종 문제 등 많은 주제와 다양한 해석을 함축하고 있는 영원히 현대적인 걸작이다. 최종철 교수의 번역은 셰익스피어 전공자인 역자가 원문의 운문 형식을 최대한 살렸다는 점에 의의가 있다.

▶ 『오셀로』는 가슴이 미어지는 듯한 비극의 정수를 보여 주면서 동시에 셰익스피어의 언어에 빠지는 아찔한 즐거움을 준다. ─《뉴욕 타임스》
▶ 어느 누구도 셰익스피어만큼 자신의 작은 지식을 바탕으로 이처럼 엄청난 작품을 만들어 낼 수 없다. ─ T. S. 엘리엇

"윌리엄 셰익스피어"의 다른 책들

3_햄릿 최종철 옮김 99_맥베스 최종철 옮김 127_리어 왕 최종철 옮김 172_한여름 밤의 꿈 최종철 옮김 173_로미오와 줄리엣 최종철 옮김 262_베니스의 상인 최종철 옮김

54 조서
정신 병원 또는 군대에서 탈출했을지도
모르는 한 남자의 이야기

Le Procès-verbal J. M. G. Le Clézio

● 노벨 문학상 수상 작가

J. M. G. 르 클레지오 김윤진 옮김

현대인의 존재론적 고뇌를 묘파한, 현대 문명과 인간에 대한 기나긴 조서(調書)
알베르 카뮈의 『이방인』 이후 현대 프랑스 소설 최고의 문제작

아담 폴로는 산 중턱의 빈집에서 마치 버려진 짐승처럼 살고 있다. 가끔 생필품을
구하러 혹은 개를 쫓느라 시내로 내려갈 뿐이다. 만나는 사람이라고는 미셸이라는
여자뿐인데, 그녀와의 관계도 확실하지 않다. 그에게 세상은 낯설기만 하고 사람들
과는 전혀 소통하지 못한다. 『조서』는 르 클레지오의 첫 작품이자, 그를 세계적인
작가로 만든 대표작이다. 르 클레지오는 세상과 단절된 남자의 이야기를 통해 서구
현대 문명의 난폭한 인위성에 비판을 가하고 독자들이 인간 존재의 순수한 근원에
접근하도록 유도한다. 또한 전통적인 장르 개념을 끊임없이 해체하는 글쓰기를 통
해, 사물과 세계를 현실 그대로 그리는 새로운 사실주의적 표현 방법을 내보인다.

▶ 실존주의와 누보로망의 세례를 받은 르 클레지오는 『조서』에서 타락한 일상 언어를
   복구하고 진정한 삶의 본질을 표현하는 힘을 언어에 불어넣는 마술과도 같은 작업을 보여
   준다. ─ 스웨덴 한림원 노벨상 선정 이유
▶ 인류와 자연의 관계, 인간과 우주의 본질적인 통합에 관해 깊이 사고하는, 우리 시대
   유일한 소설가. ─《르 몽드》

55 모래의 여자

砂の女 安部公房

아베 코보 김난주 옮김

전후 일본 문학을 대표하는 '일본의 카프카' 아베 코보
일상에서 도피하기 위해 떠났다가 또 다른 일상의 반복에 갇힌 남자

한 남자가 모래땅으로 곤충 채집을 나선다. 그가 찾은 해안가 모래 언덕에는 지하로 20미터 가까이 깊게 팬 모래 구덩이마다 바닥에 집을 지어 놓은 기이한 마을이 있다. 남자는 마을 사람들의 계략으로 여자 혼자 사는 모래 구덩이에 갇히고, 흘러내리는 모래에 집이 파묻히지 않도록 매일 삽질을 해야 한다. 아베 코보는 모래 구덩이 속에 세워진 집이라는 허구적인 설정에 사막과 같은 만주에서 살았던 자신의 경험과 치밀한 상상력을 더해 모래 속 인물들을 생생하게, 감각적으로 그려 냈다. 흡사 '시시포스의 신화'를 떠올리게 하는 이 작품은 서스펜스와 철학적 깊이가 환상적으로 어우러져 매일 반복되는 일상을 살고 있는 독자들을 강렬하게 자극한다.

▶ 아베 코보는 모래 구덩이에 갇힌 주인공이 끊임없이 겪게 되는 육체적, 정신적 변화를 꼼꼼하게 추적하며 그 속에서의 일상을 극도로 실감 나게 묘사한다. ―《뉴욕 타임스》

▶ 아베 코보는 갖가지 독특한 재주를 지닌 문학의 마술사다. ―《퍼블리셔스 위클리》

56·57 부덴브로크가의 사람들

Buddenbrooks: Verfall einer Familie Thomas Mann

● 노벨 문학상 수상 작가

토마스 만 홍성광 옮김

위대한 시민 작가 토마스 만의 자전적 소설이자 유럽 사실주의 최후의 걸작
시민성과 예술성 사이에서 싹튼 원초적 갈등을 형상화한 20세기 독일 문학의 정전

'어느 가족의 몰락'이라는 부제 아래, 독일 뤼베크의 유력한 상인 가문 사람들이 살아온 이야기가 4대에 걸쳐 펼쳐진다. 초대 요한 부덴브로크는 건강한 시민 의식으로 상업적인 성공을 거두었고, 2대 가장 부덴브로크는 종교에 의존하는 시민 세계의 대변인이었다. 이들을 통해 성숙한 시민적 질서는 3대의 세 남매에 이르러 혼란을 맞이한다. 토마스 만은 이 자전적 가족 일대기를 통해 19세기 독일을 뒤덮은 혁명과 반혁명의 조류, 산업 자본주의의 등장, 시민성과 예술가적 기질 간의 갈등으로 파멸을 맞이하는 과정을 섬세한 필치로 묘사한다. 1848년 3월 혁명, 자본주의의 확장과 더불어 시민성의 붕괴를 그려 낸 뛰어난 사회 소설로도 평가받는다.

▶ 『부덴브로크가의 사람들』은 그다지 의도적이지도 않고, 허구적이지도 않으며
　 자연스럽고도 설득력이 있어 자연의 일부인 것 같다. ― **헤르만 헤세**

▶ 독일에서 가장 대중적인 내 소설은 의심할 바 없이 『부덴브로크가의 사람들』이다.
　 ― **토마스 만**

58 싯다르타

Siddhartha Hermann Hesse

● 노벨 문학상 수상 작가

헤르만 헤세 박병덕 옮김

동양 사상에 대한 헤르만 헤세의 관심과 애정이 응축된 소설
동서양의 세계관을 자기 발견의 정신적 여정 속에 융화한 작품

『싯다르타』는 헤세가 거의 일 년 반 동안 창작이 거의 불가능할 정도로 심한 우울
증을 앓다가 정신 치료를 받은 후 발표한 작품이다. 동서양의 정신적 유산을 시적
으로 승화한 일종의 종교적 성장 소설로 볼 수 있는 이 작품은, 영원을 향한 갈망과
인간의 내면을 깊이 파고드는 초월에 대한 의지로 뛰어난 정신과 아름다운 정서를
단순하고도 서정적인 문체로 담아냈다. 정형화된 종교 교리와 자족적인 영혼의 성
찰 사이의 고뇌를 섬세하게 그리며 자아 발견을 위한 길이 하나로 정해져 있지 않음
을 시사하고 철학이나 종교, 그 밖의 모든 신념에 맹목적으로 의지하고자 하는 고
정관념에 도전한 작품이다.

▶ 문학의 종교적, 철학적 지평을 넓혀 준 『싯다르타』는 정신적으로 신약 성서보다 더 큰 치유
  력을 가진 작품이다. —**헨리 밀러**
▶ 진리는 가르칠 수 없다는 것. 이 깨달음을 나는 일생에 꼭 한번 문학적으로 형상화하고자
  했다. 그 시도가 바로 『싯다르타』다. —**헤르만 헤세**

59·60 아들과 연인

Sons and Lovers David Herbert Lawrence

● 《뉴스위크》 선정 100대 명저

D. H. 로렌스 정상준 옮김

D. H. 로렌스의 문학 세계를 이해하기 위해 꼭 읽어야 할 자전적 소설
「햄릿」이 제기한 인간의 근원적 문제를 현대적으로 소화한 수작

중류 계급 출신인 모렐 부인은 광부의 아내가 되었으나, 남편을 경멸하며 장남 윌리엄에게 사랑을 퍼붓는다. 윌리엄이 모친의 과한 사랑 때문에 요절한 후에는 차남 폴이 어머니의 연인이 된다. 『아들과 연인』은 출간 당시 노골적인 표현이 삭제되거나 순화되어 로렌스의 섬세한 감각을 살리지 못했으며, 분량이 방대하다는 이유로 많은 부분이 생략되었다. 이 책은 출간 후 팔십여 년이 지나서야 빛을 볼 수 있었던 무삭제 원본을 번역한 것이다. 로렌스의 심리적 깊이가 자세히 드러난 자전적 소설이며, 「햄릿」이나 「오이디푸스 왕」 등에서 고전적으로 극화되고 정신 분석학의 중심에서 다뤄지는 인간의 근본적인 문제를 20세기 용어로 탐구한 문제작이다.

▶ 간결하고 집약적인 문체! 로렌스는 표현할 수 없는 섬세한 감정들을 여러 단계에서 보여
   주는 데 성공했다. 방대한 분량이지만 짧고 날카로운 충격을 준다. ─ 《뉴욕 타임스》
▶ 로렌스의 천재성을 보여 주는 소설이다. ─ 버지니아 울프

"D. H. 로렌스"의 다른 책들

데이비드 허버트 로렌스
David Herbert Lawrence

1885년 광부인 아버지와 교사였던 어머니 사이에서 넷째로 태어났다. 심약한 아이였던 로렌스는 가난과 가정의 불화 속에서 어린 시절을 보내고, 어렵게 공부하여 교사가 되었다. 1912년 어머니를 여읜 뒤 대학 시절 은사의 아내이자 여섯 살 연상이었던 독일 여인 프리다 위클리를 만나 사랑에 빠져 1914년 결혼했다. 1차 세계 대전이 발발하면서 더 이상 독일인 부인과 함께 영국에 머물 수 없게 된 로렌스는 이탈리아 등을 떠돌면서 작품 활동을 하였다. 자전적 소설로서 작가의 내면적 갈등이 잘 표현된『아들과 연인』(1913)은 표현이 노골적이라는 이유로 상당 분량이 삭제된 채 출판되었다가 1992년 무삭제판이 출간되었다. 1915년에 발표한『무지개』역시 성(性) 묘사가 문제되어 곧 발매 금지를 당했다. 다음 해에 완성하여 1920년에 예약 한정판으로 낸『사랑하는 여인들』에서도 로렌스는 남녀 관계의 윤리 문제에 천착하였다. 만년에 피렌체에서 자비로 출간한『채털리 부인의 연인』(1928) 역시 외설 시비로 인해 오랜 재판 끝에 미국에서는 1959년에, 영국에서는 1960년에야 비로소 무삭제판의 출간이 허용되었다. 1930년 폐결핵으로 숨을 거두었으며 그 외 작품으로『아론의 지팡이』,『캥거루』,『날개 돋친 뱀』,『역사, 위대한 떨림』등이 있다.

61 설국

雪国 川端康成

● 노벨 문학상 수상 작가
● 서울대 권장도서 100선

가와바타 야스나리 유숙자 옮김

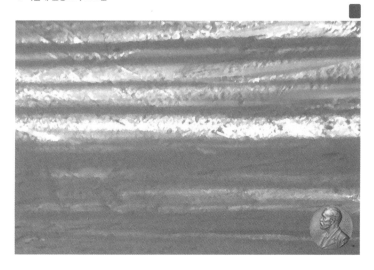

동양적 미의 정수를 보여 준 노벨 문학상 수상작
순수한 서정의 세계를 감각적으로 묘사한 일본 문학 최고의 경지

시마무라는 유산으로 무위도식하며 여행을 다닌다. 눈의 지방에서 게이샤로 사는 고마코는 시마무라를 사랑하는 관능적이고 매혹적인 여자다. 시마무라는 고마코에게 마음이 이끌려 그녀를 만나기 위해 눈의 지방 온천장을 찾지만, 고마코가 보이는 애정을 '모두 헛일'이라며 방관한다. 니가타현의 온천 마을을 무대로 펼쳐지는 인물들의 정염과 미묘한 감정 변화를 그린 『설국』은 아름다운 자연과 유한한 인간 존재, 정열과 허무 사이의 대비가 돋보이는 일본 최고의 서정 소설이다. 명확한 플롯이 없는 대단히 모호한 작품이지만, 감각적으로 뛰어난 문체와 우수 어린 묘사로 누구나 그 속에 빠져들게 할 만한 명작으로 그 어떤 작품보다 정독이 필요한 고전이다.

▶ 자연과 인간 운명에 내재하는 존재의 유한한 아름다움을 우수 어린 회화적 언어로
　묘사했다. —스웨덴 한림원 노벨상 선정 이유

▶ 가와바타 야스나리의 글은 소리 없이 퍼져 나가 독자의 마음을 사로잡는다.
　—《뉴욕 타임스》

62 벨킨 이야기·스페이드 여왕

Повести покойного Ивана Петровича Белкина · Пиковая дама Александр Пушкин

알렉산드르 푸시킨 최선 옮김

러시아 리얼리즘 소설의 선구자이자 천재 시인 푸시킨의 걸작
당대 러시아인들의 사랑과 탐욕, 광기에 대한 해학적 묘사

「벨킨 이야기」는 푸시킨의 첫 산문 소설로, 겹겹의 장치를 통해 편협한 군인과 탐욕스러운 장의사, 딸에 대한 집착에 눈이 먼 역참지기, 사랑에 빠진 귀족 아가씨 등 방황하는 당대인들의 초상을 유머러스하게 그려 냈다. 「스페이드 여왕」은 도스토옙스키의 『죄와 벌』에도 영향을 끼친 작품으로 인간의 탐욕과 광기를 정교하게 형상화했다. 푸시킨은 「벨킨 이야기」와 「스페이드 여왕」에서 당대 러시아 현실의 한복판에서 방황하는 사람들의 사랑과 증오, 탐욕, 광기를 탁월한 이야기 솜씨로 펼쳐 나간다. 시인으로 활동한 푸시킨의 작품답게 그의 산문은 단어를 몹시 아끼면서도 상상할 수 없을 만큼 풍성한 의미를 담아내고 있다.

▶ 푸시킨은 러시아 민족의 삶 가운데로 파고들어 가 진정 아름다운 인물들을 창조해 냈다.
  — **도스토옙스키**

▶ 푸시킨의 문화적 가치는 러시아 문화에 있어 표트르 대제가 지니는 의미에 비견될 수 있다. 푸시킨을 떠올리면 러시아가 있다는 것을, 또 있으리라는 것을 확신할 수 있다.
  — **메레시콥스키**

"알렉산드르 푸시킨"의 다른 책들

272_푸시킨 선집 최선 옮김

63·64 넙치

Der Butt Günter Grass

● 노벨 문학상 수상 작가

귄터 그라스 김재혁 옮김

약 사천 년에 걸친 '말하는 넙치'와 여자 요리사 이야기
남성 중심 사회에 대한 문제 제기와 진정한 페미니즘을 향한 모색

첫째 달부터 아홉째 달까지 총 아홉 장으로 구성된 이 작품은 이 세상에 처음부터 존재해 온 인물인 '나'가 임신한 아내 일제빌에게 들려주는 이야기이다. 바익셀강 어귀의 늪지대를 배경으로, 신석기 시대부터 현대에 이르기까지 '나'가 만난 여자 요리사 열한 명에 대한 이야기가 시대순으로 전개된다. 『넙치』는 1977년에 발표되어 이 년 동안 45만 부가 판매된 베스트셀러로, 삽화까지 직접 그릴 만큼 귄터 그라스가 애정을 담아 집필한 작품이다. 남자와 여자, 그리고 사회에 대해 문제를 제기한 작품이며, 성(性)과 요리, 신화와 문명에 대한 성대한 만찬 같은 소설이다. 귄터 그라스는 인류사에 대한 해박한 지식과 뛰어난 상상력을 바탕으로 상세하고 진실한 또 하나의 역사를 재구성했다.

▶ 이 책은 작가의, 그리고 그들 자신의 환상 속으로 독자들을 끌어들인다. 오늘날 우리에게 필요한 것은 바로 환상에 대한 감각이다. ─《뉴욕 타임스》

▶ 독일의 『백년의 고독』이자, 발트해의 『율리시스』라고 불릴 수 있을 정도로 환상적인 작품.
─《워싱턴 포스트》

"귄터 그라스"의 다른 책들

65 소망 없는 불행

Wunschloses Unglück Peter Handke

● 노벨 문학상 수상 작가

페터 한트케 윤용호 옮김

베케트 이후 가장 전위적인 작가 페터 한트케
서정적인 필치로 풀어낸 견고한 슬픔의 미학

「소망 없는 불행」은 한트케가 어머니의 자살을 겪은 후 쓴 산문이다. 어머니의 일생을 회상하면서 전후 사회 모순과 정치 상황 및 생활고를 조명하는 동시에 가정에서, 사회에서 억압당하는 여성이 자의식을 획득해 가는 과정을 그렸다. 「아이 이야기」는 한트케가 연극 배우였던 첫 번째 부인과 결별한 후 딸 아미나를 맡아 기른 경험을 토대로 썼다. 그는 파리와 독일 여러 도시로 거주지를 옮겨 가며 남자로서 아이를 키우며 겪은 이야기들을 매우 담담하게 기록했다. 「소망 없는 불행」에서는 두 눈에 절망을 꾹꾹 눌러 넣은 듯한 담담한 질감의 슬픔이, 「아이 이야기」에서는 인간관계에서 폐쇄적이던 작가가 아이를 통해 세계와 화해하는 과정이, 읽는 이로 하여금 직접 체감하는 듯한 놀라운 경험을 선사한다.

▶ 끊임없이 우리를 자극하며 살아 있게 하는 한트케의 작품에 빠져드는 순간, 우리는 자유로워지리라. —《르 몽드》

▶ 수많은 논란에도 한트케의 작품에는 독자로 하여금 넋을 잃고 빠져들게 하는 매우 특이한, 시적이고 불가사의한 분위기가 일관되게 깔려 있다. —《슈피겔》

"페터 한트케"의 다른 책들

66 나르치스와 골드문트

Narziß und Goldmund Hermann Hesse

● 노벨 문학상 수상 작가

헤르만 헤세 임홍배 옮김

지성과 감성, 종교와 예술로 대립되는 세계에 속한 나르치스와 골드문트
두 인물의 성장기 체험을 순수하고 아름답게 그려 낸 헤세 문학의 대표작

타고난 수도사 나르치스는 이성적이고 합리적이며 남다른 지적 깊이로 신의 진리에
다가가려 한다. 어느 날 수도원에 감성적인 학생 골드문트가 들어오고, 두 사람은
기질 차이를 넘어 영혼의 친교를 맺는다. 『나르치스와 골드문트』는 지성과 감성, 종
교와 예술로 대립되는 세계에 속한 두 인물, 나르치스와 골드문트가 나누는 사랑과
우정, 이상과 갈등, 방황과 동경 등 인간의 성장기 체험을 아름답고 순수하게 그려
낸 소설로, 두 사람의 자기 구현 과정을 이중창처럼 묘사하며, 대립적인 두 인물이
서로에게 영향을 주면서 진정한 본성에 이르는 과정을 보여 준다. 헤세는 불완전한
인간으로 끊임없이 낯선 세계에 부딪히는 골드문트를 통해 자신의 성장기 체험을
한 인간의 운명에 대한 성찰로 승화한다.

▶ 독일적 낭만성에 현대 심리학의 분석적 요소들이 더해진, 말할 수 없이 아름다운 책.
　　—**토마스 만**
▶ 이 소설은 내 성장기 체험이 고스란히 담긴 '내 영혼의 자서전'이다. —**헤르만 헤세**

"헤르만 헤세"의 다른 책들

67 황야의 이리

Der Steppenwolf Hermann Hesse

● 노벨 문학상 수상 작가

헤르만 헤세 김누리 옮김

**숨 막힐 정도로 집요한 자아 성찰과 냉정한 문명 비판
병적이면서도 아름답고 환상적인, 헤세의 가장 대담한 소설**

스스로가 '황야의 이리' 같다고 이야기하는 중년 남자 하리 할러는 가볍고 쾌락적으로 변해 가는 사회에 적응하지 못하고 두 시대 사이에 끼인 정신적 상처를 안은 채 늘 자살만 생각한다. 할러 앞에 그의 분신과도 같은 여인 헤르미네가 나타나고, 할러는 헤르미네를 통해 새로운 세계에 눈을 뜬다. 헤세가 쉰 살이 되던 해 발표한 『황야의 이리』는 정신 분열, 마약, 동성애, 그룹 섹스, 고급 창부 등 당시로서는 충격적인 소재를 다룬다. 여기에 더해 치열한 작가 의식과 다채로운 형식 실험이 나타나는 이 작품은 헤세 작품 중 가장 대담한 소설이라 불린다. 『황야의 이리』는 미국과 유럽을 뒤흔든 68운동 세대와 히피에게 성경처럼 읽히며 큰 반향을 얻었다.

▶ 정결하면서도 대담하고, 몽환적이면서도 이지적인 헤세의 작품은 전통과 애정과 기억과 비밀로 가득하다. —**토마스 만**

▶ 독자들이 『황야의 이리』가 병적인 것과 위기를 묘사하고 있음에도 죽음이나 몰락으로 치닫지 않고 반대로 자유에 이르고 있음을 알아차려 준다면 기쁠 것이다. —**헤르만 헤세**

68 페테르부르크 이야기

Петербургские повести Николай Гоголь

니콜라이 고골 조주관 옮김

러시아 근대 문학의 선구자 니콜라이 고골의 단편집
페테르부르크를 배경으로 도시의 소외된 인간을 환상적으로 그려 낸 이야기들

만년 9급 관리 아카키 아카키예비치는 어렵게 새 외투를 장만하지만 거리에서 만난 강도에게 외투를 빼앗기고, 시름에 빠져 시름시름 앓는다.(「외투」) 9급 관리 포프리시친은 승진을 위해 상관의 딸에게 접근하지만 그녀는 근사한 시종무관과 결혼하고, 포프리시친은 신세를 한탄하다 과대망상에 빠진다.(「광인 일기」) 부조리한 세계를 살아가는 인간의 소외된 현실을 조명하는 고골의 단편들은 독특하면서도 지극히 현대적인 상상력과 신랄한 현실 풍자로 그를 러시아 근대 문학의 근원에 자리하게 했다. 이 책에 담긴 환상성은 현실을 풍자하고 인간의 내재된 욕망을 여실히 드러내는 동시에 웃음과 공포, 인간에 대한 연민을 불러일으키면서 현재를 살아가는 고달픈 현실까지 여과 없이 마주 보게 한다.

▶ 러시아의 작가는 모두 고골의 「외투」에서 나왔다. —**도스토옙스키**
▶ 그 웃음의 배후에서 우리는 보이지 않는 눈물을 느낀다. — **푸시킨**

"니콜라이 고골"의 다른 책들

69 밤으로의 긴 여로

Long Day's Journey into Night Eugene O'Neill

● 노벨 문학상 수상 작가
● 퓰리처 상 수상 작가

유진 오닐 민승남 옮김

미국 최고의 극작가 유진 오닐이 가장 고통스럽게 써 내려간 자전적 희곡
비참했던 가족사를 향한 연민과 용서, '안개 인간'들을 위한 진혼곡

가난하고 무지한 아일랜드 이민자에서 돈에 대한 집착을 버리지 못해 파멸해 가는 아버지와 마약 중독자인 어머니, 알코올과 여자에 빠져 하루하루를 보내는 형, 그리고 결핵을 앓고 있는 시인 동생이 등장하는 『밤으로의 긴 여로』는 작가의 자전적인 이야기를 인간의 보편적인 진실로 승화시킨 대표적인 예술 작품으로 평가받고 있다. 오닐은 자신이 죽은 뒤에도 이십오 년 동안은 이 작품을 발표해서는 안 되며, 그 후에도 무대에 올려서는 안 된다는 당부를 남겼다. 『밤으로의 긴 여로』는 유진 오닐을 가장 음울하고 비관적인 작가 중의 하나로 만들었던 비극적인 가족사를 이해와 연민의 시선으로 담아낸 걸작이다.

▶ 『밤으로의 긴 여로』는 오닐의 마지막 희곡이자 리얼리즘이 가장 뚜렷하게 구현된 작품으로, 가족과 자신의 삶에 대한 위대한 용서를 담고 있다. — **아서 밀러**
▶ 우리 시대의 가장 뛰어난 작가 오닐의 대표작. — 《**뉴욕 타임스**》

70 체호프 단편선

Антон Павлович Чехов Антон Чехов

안톤 체호프 박현섭 옮김

러시아 문학의 황금시대를 주도한 단편 문학의 천재 안톤 체호프
단순한 유머를 넘어 우수 어린 서정적 미학을 창출해 낸 작품 선집

체호프가 1883년부터 1902년 사이에 발표한 단편들로, 모두 다양한 인물 군상을 통해 사소한 일상사를 재현함으로써 삶의 본질과 아이러니를 포착해 낸다. 「관리의 죽음」은 체호프 초기 창작 시절의 걸작 가운데 하나로, 주인공 체르바코프가 오페라 관람 중에 장군의 뒤통수에 대고 재채기를 하는 사소한 사건이 그의 어리석음 때문에 걷잡을 수 없이 확대되는 메커니즘을 유머러스하게 그렸다. 「베짱이」는 수다쟁이 올가가 병든 자신을 지극정성으로 간호하던 의사 남편을 죽음으로 내몰고서야 자신의 어리석음을 후회하는 이야기이다. 체호프의 단편들은 웃음을 유발하지만 그 이면에 인간이라면 누구나 피해 갈 수 없는 비애감이 녹아들어 있어 인생의 진실과 아름다움을 시의 경지까지 끌어올렸다는 평가를 받는다.

▶ 체호프는 세계 최고의 단편 작가다. — 톨스토이
▶ 체호프는 복잡 미묘한 인간관계를 가장 잘 분석한 작가다. 그의 작품을 읽으면 시야가
   넓어지고 마침내 자유의 놀라운 의미를 깨닫게 될 것이다. — 버지니아 울프

71 버스 정류장

车站 高行健

● 노벨 문학상 수상 작가

가오싱젠 오수경 옮김

동양의 전통 사상과 정서를 현대 부조리극으로 형상화한 대표 희곡 수록
중국 정치 현실에 맞서야 했던 망명 작가의 향수와 상실의 고통

「버스 정류장」은 정류장 팻말 앞에서 오지 않는 버스를 내내 기다리는 사람들의 모습을 통해 삶의 부조리를 비유적으로 보여 주는 생활 서정극으로, 사뮈엘 베케트의 『고도를 기다리며』와 비교되기도 한다. 그 외에 「독백」, 「야인」 등 이 책에 실린 세 작품은 중국적인 전통과 사상을 현대적인 부조리극과 결합해 실험적으로 재현하는 데 주력한 가오싱젠의 대표 희곡들이다. 이 작품들은 중국뿐 아니라 프랑스, 독일 등 세계 무대에서도 호평을 받았다. 또한 현대 중국 연극에 대한 의견을 피력한 「현대 연극의 추구」외 두 편의 글이 함께 실려 있어 그의 연극 세계에 대해 좀 더 폭넓게 이해할 수 있다.

▶ 앞으로 중국 문학은 가오싱젠의 창의력과 용기에 맞서 싸워야 할 것이다. — 《르 몽드》

▶ 가오싱젠은 문화적 보편성과 날카로운 통찰력, 언어적 독창성으로 가득한 작품을 통해 중국 소설과 연극에 새로운 장을 열었다. — **스웨덴 한림원 노벨상 선정 이유**

72 구운몽

● 서울대 권장도서 100선

김만중 송성욱 옮김

몽자류 소설의 효시이자 시대마다 재생산되는 환상 문학의 원형
『홍길동전』과 함께 본격적인 소설 문학을 확립한 한국 고전의 정수

『구운몽』은 조선 중기의 전형적인 양반 사회의 이상을 반영한 본격적인 고전 소설이다. 또한 귀족 문학에서 평민 문학으로 넘어가는 과도기적인 작품이며 현실에서 꿈으로, 다시 현실로 돌아오는 환몽 구조를 바탕으로 한 몽자류(夢字類) 소설의 효시다. 제목의 '구운(九雲)'은 주인공 성진과 팔선녀를 가리키며, 인간의 삶을 나타났다 사라지는 구름에 비유하고 있으니, '구운몽(九雲夢)'은 결국 이들 아홉 사람이 꾼 꿈이다. 이 작품에서는 인생무상, 일장춘몽, 즉 인생의 덧없음이라는 주제를 주인공 성진의 하룻밤 꿈을 통해 보여 준다. 김만중의 『구운몽』은 오늘날에 이르기까지 환몽 구조를 가진 작품들의 원형이 되었으며 그 주제 또한 변함없는 감동과 교훈을 주는 고전 소설의 백미다.

▶ 단언하건대 『구운몽』은 우리 소설 중 최고 수준을 자랑하는 작품인 동시에 우리 소설사의 꽃을 피우는 데 결정적으로 기여한 작품이다. ─**송성욱, 「작품 해설」에서**

73 대머리 여가수

La Cantatrice Chauve · La Leçon · Les Chaises Eugène Ionesco

외젠 이오네스코 오세곤 옮김

웃음 뒤에 찾아오는 소름 돋친 일상의 발견
현대 연극의 역사를 다시 쓰는 반연극 삼부작

'반(反)연극'이라는 새로운 연극 사조의 시작을 알린 이오네스코의 초기 대표작 「대머리 여가수」, 「수업」, 「의자」는 조롱과 풍자로 무장해 공허한 일상, 권력의 폭력, 개인의 소외를 겨누는 블랙 코미디이다. 「대머리 여가수」는 현대인의 무의미한 일상과 소시민의 허위의식 그리고 소통의 허구성을, 「수업」은 제도 권력의 억압적인 본질을, 「의자」는 사회 속 개인의 불행과 소외 문제를 파헤친다. 이 세 작품에 고스란히 담긴 이오네스코의 도전과 부정 정신은 오늘의 연극 무대에서도 생생하게 되살아나 부정한 시대에 맞서는 상상력의 힘을 보여 준다. 이오네스코는 그릇된 집단적 믿음을 떨쳐 버리고 현실을 직시할 뿐, 거기서 문제점을 찾아내어 해결하고자 노력하는 과정은 철저히 관객의 몫으로 남겨 둔다.

▶ 이오네스코는 현대 사회의 중요한 문제인 맹목적 추종, 전체주의, 절망과 죽음을 공격한다. 이 작품들은 초현실주의의 대가가 관객과 비평가에게 던지는 도전장이다.
 ─《뉴욕 타임스》
▶ 내 눈에 우스꽝스러운 것은 특정한 사회 체제가 아니라 인류 전체다. ─**외젠 이오네스코**

74 이솝 우화집

Fables of Aesop Aesop

이솝 유종호 옮김

2500년 전 그리스인들의 지혜와 재치가 담긴 207편의 이야기
세계인들이 유년 시절 마음속 깊이 간직한 '이야기'의 원형

우화의 짤막한 이야기들은 부와 권력에 따라 보이지 않는 계층이 존재하며 약육강식의 논리가 지배하는 인간 사회의 모습을 냉소적으로 담아낸다. 그리고 이렇게 아름답지만은 않은 현실 속에서 '어떻게 잘 살아갈 수 있는가'에 대한 해답을 제시하고 있다. 이솝 우화에서 시사하는 바는 경쟁 사회 속에서 살아가기 위한 최선의 방책에 대한 충고이다. 이솝 우화의 주인공들은 여우, 거북이, 토끼 등 동물로만 인식되고 있으나 사실 이솝 우화에는 인간과 올림포스산의 신들이 자주 등장하며, 상당수의 이야기가 그리스 신화와 밀접하게 연관되어 있다. 고대 그리스인들의 사상과 신화가 담긴 이솝 우화는 각국의 민담과 설화에도 영향을 끼쳐 왔다.

▶ 우리들의 유년의 기억 속 가장 아득한 부위에 자리 잡고 있는 것의 하나가 이솝 우화일 것이다. 노래와 얘기는 영원한 기쁨이지만 극히 유서 깊은 마르지 않는 즐거움의 샘이 이솝 우화이다. ─유종호, 「작품 해설」에서

75 위대한 개츠비

The Great Gatsby F. Scott Fitzgerald

● 《뉴스위크》 선정 100대 명저
● 《타임》 선정 현대 100대 영문 소설
● BBC 선정 꼭 읽어야 할 책

F. 스콧 피츠제럴드 김욱동 옮김

1920년대 무너져 가는 아메리칸드림을 그려 낸 20세기 최고의 미국 소설
60여 년간 반복된 수많은 오류를 바로잡은 결정판 텍스트 완역

대저택에서 주말마다 호화 파티를 벌이며 첫사랑 데이지를 기다리는 개츠비. 과거의 사랑을 되찾기 위해 헛되이 모든 것을 거는 개츠비의 낭만적인 환상과 이상주의는 미국인의 의식에 깊은 흔적을 남겼다. 심지어 '개츠비적(Gatsbyesque)'이라는 신조어까지 등장했을 정도로 개츠비는 미국의 상상력과 문화의 일부가 되었다. 1차 세계 대전 직후 미국의 사회상을 실감 나게 묘사한 『위대한 개츠비』는 미국의 1920년대를 대표하는 문학으로 꼽힌다. 이 작품은 1925년 처음 출간되었으나 원문 텍스트의 오류 문제를 지적받아 왔다. 1991년 영국 케임브리지 대학교에서 작가의 자필 원고와 교정쇄를 바탕으로 철저한 텍스트 비평 작업을 거쳐 출간한 '결정판'을 출간했고, 이 책은 이 '결정판'을 원전으로 삼아 완역했다.

▶ 헨리 제임스 이후 미국 소설이 내디딘 첫걸음. ― **T. S. 엘리엇**

▶ 현실을 바라보는 피츠제럴드의 시선은 다른 어느 작품에서보다 깊고 날카로우며, 형식미는 완벽에 가깝다. ― **《뉴욕 타임스》**

"F. 스콧 피츠제럴드"의 다른 책들

76 푸른 꽃

Heinrich von Ofterdingen Novalis

노발리스 김재혁 옮김

'푸른 꽃'을 찾아 떠나는 환상적이고 신비로운 모험
현실과 꿈의 경계를 지우고 동화의 세계를 구현한 낭만주의 작품

낭만주의 문학을 대표하는 노발리스의『푸른 꽃』은 이상화된 중세를 배경으로 전
설의 기사 오프터딩겐의 신비로운 모험을 그렸다. 이 작품을 통해 노발리스는 괴테,
슐레겔 등과 함께 독일 낭만주의를 대표하는 작가가 되었고 '푸른 꽃'은 세계 문학
의 전통에서 낭만주의의 전형적인 상징으로 자리 잡았다. 노발리스가 죽고 나서 일
년 뒤에 출간된『푸른 꽃』은 미완성 작품이다. 1부인「기대」는 마무리되었으나 2부
인「실현」은 그의 죽음과 함께 시작 단계에서 중단되었다. 노발리스는 한 시인의 교
육을 염두에 두고 이 작품을 쓴 것으로 추측되는데, 주인공은 낯선 세계와 접촉함
으로써 많은 경험을 쌓고 시인으로 성장해 간다.

▶ 노발리스는 낭만주의를 대표하는 유일하고도 진정한 시인이다. ─**죄르지 루카치**
▶ 노발리스는 독일의 정신사에서 가장 놀랍고 신비스러운 작품을 남겼다. ─**헤르만 헤세**

77 1984

Nineteen Eighty-Four George Orwell

- 《뉴스위크》 선정 100대 명저
- 《타임》 선정 현대 100대 영문 소설
- BBC 선정 꼭 읽어야 할 책

조지 오웰 정회성 옮김

**거대한 지배 체제 아래에서 개인이 어떻게 저항하고 어떻게 파멸해 가는가를
적나라하게 보여 주는 디스토피아 소설**

극단적 전체주의 사회인 오세아니아, 이곳의 정치 통제 기구인 당은 허구 인물 빅
브라더를 내세워 독재 권력을 극대화하는 한편, 정치 체제를 유지하기 위해 텔레스
크린, 사상경찰 등을 이용해 당원들의 사생활을 철저하게 감시한다. 주인공 윈스턴
스미스는 이러한 당의 통제에 반발을 느끼고 저항하기 시작한다. 『1984』는 발표 당
시 비평가들에게 소련의 전체주의를 비판하면서 미래에 대해 예언한 소설이라는
평을 받았다. 오웰은 『1984』를 통해 단순히 암울한 미래상을 예언한 것이 아니라,
거대한 지배 체제의 벽을 넘지 못하고 파멸해 가는 한 인간의 모습을 통해, 세계가
어떤 방향으로 나아가야 하는가에 대한 자신의 사상을 탁월하게 형상화하면서 독
자들의 비판 의식을 일깨운다.

▶ "권력은 부패하기 쉽고 절대 권력은 절대적으로 부패한다."라는 로드 액턴(영국 역사가)의
　명언을 탁월하게 형상화했다. — 《뉴욕 타임스》
▶ 『1984』를 스탈린주의의 잔학함에 대한 또 하나의 묘사로만 해석하고 그 의미를 깨닫지 못
　한다면 정말 불행한 일이다. — 에리히 프롬

"조지 오웰"의 다른 책들

5_동물농장 도정일 옮김 **46_카탈로니아 찬가** 정영목 옮김

78·79 영혼의 집

La Casa de los Espíritus Isabel Allende

이사벨 아옌데 권미선 옮김

4대에 걸친 트루에바 가문의 사랑과 죽음, 자유와 혁명의 이야기
비극적인 라틴 아메리카의 역사를 감싸 안는 화해와 관용의 메시지

마르케스 이후 라틴 아메리카 최고의 작가로 알려진 이사벨 아옌데는 마술적 사실주의를 비롯해 여러 새로운 문학적 시도를 꾀하는 한편, 여성 해방의 역사를 제시하고자 한 페미니즘 작가로 널리 평가받는다. 미래의 일을 예지할 수 있는 클라라, 소작인의 아들을 사랑한 블랑카, 인정받지 못한 사랑에서 태어나 혁명의 시대를 헤쳐 가는 알바를 비롯한 『영혼의 집』의 여성들은 피와 고통으로 얼룩진 라틴 아메리카의 역사 속에서 그러한 현실을 주체적으로 극복하려 한다. 때로는 환상적이고 때로는 사실적인 묘사로 흥미진진하게 써 내려간 『영혼의 집』을 통해 이사벨 아옌데는 진정한 자신의 삶을 찾는 자유로운 여성상을 제시하고 있다. 영화와 연극으로도 제작되어 전 세계인들에게 공감을 불러일으킨 작품이다.

▶ 예리한 통찰력과 위트가 번뜩이는, 강렬하고도 비범한 작품. —《뉴욕 타임스》
▶ 이사벨 아옌데는 이야기꾼으로서 탁월한 재능을 지닌 천재적 작가이다.
　　—《로스앤젤레스 타임스》

80 첫사랑

Первая любовь Иван Тургенев

이반 투르게네프 이항재 옮김

사랑의 가수 투르게네프가 전하는 첫사랑을 위한 불멸의 서사시
피할 수 없는 사랑의 행복과 상처에 관한 이야기

열여섯 살 블라디미르는 가난한 공작 부인의 딸 지나이다에게 홀딱 반한다. 블라디미르는 그녀의 마음에 들고자 애쓰지만 개성 강하고 적극적인 지나이다는 그를 사랑하지 않는다. 투르게네프는 죽을 때까지 한 여인만을 짝사랑한 것으로 유명하다. 그의 작품 곳곳에서 발견되는 정열적이고 순간적인 사랑의 비극성은 작가 자신의 깊은 우수를 반영한다. 사랑에 관한 그의 확고한 철학과 등장인물들의 탁월한 심리 및 성격 묘사 덕에 「첫사랑」은 모두가 공감하는 청춘의 고백으로 다가온다. 그 밖에 1840년대 러시아 사회에서 방황하는 귀족 출신 젊은이들의 사랑과 좌절을 그린 「귀족의 보금자리」, 벙어리이자 귀머거리 농노와 그가 사랑한 강아지에 대한 이야기 「무무」도 수록되어 있다.

▶ 투르게네프의 사랑은 여름날 짧게 지나가는 회오리바람이나 폭풍우와도 같이 그의 독자들을 휩쓸고 변화시킨다. ─ **V. S. 프리쳇**
▶ 사랑은 죽음보다도, 죽음의 공포보다도 강하다. 우리는 오직 사랑에 의해서만 인생을 버터 나가며 계속 전진하는 것이다. ─ **투르게네프**

81 내가 죽어 누워 있을 때

As I Lay Dying William Faulkner

● 노벨 문학상 수상 작가
● 《뉴스위크》 선정 100대 명저
● 퓰리처 상 수상 작가

윌리엄 포크너 김명주 옮김

삶과 죽음의 아이러니를 넘어서는 한 가족의 기묘한 오디세이
등장인물 15명의 독백 59개만으로 완성한 실험적인 작품

미국 남부의 농촌 마을, 가난한 농부 앤스 번드런의 아내이자 다섯 남매의 어머니인 애디는 중병에 걸려 임종을 앞두고 있다. 그러나 나머지 가족들은 애디의 죽음을 슬퍼하거나 애도하지 않는다. 애디가 집 근처의 가족 묘지를 마다하고 친정이 있는 제퍼슨에 묻어 달라는 유언을 남기고 숨을 거두자, 번드런 가족은 애디의 관을 마차에 실은 채 길고 평탄하지 않은 장례 여행을 시작한다. 『내가 죽어 누워 있을 때』는 삶과 죽음, 선과 악, 운명과 욕망에 대한 무거운 성찰을 담고 있는 포크너의 초기 걸작 중 하나다. 어머니의 영원한 안식처를 찾아 더운 여름날 40마일이 넘는 길을 돌아가는 부조리한 여정 속에서, 삶의 무의미함에 대한 절망과 그 속에서 돋아나는 59개의 사랑을 발견한다.

▶ 이 소설은 나를 일으켜 세우거나 거꾸러뜨릴 것이다. — **윌리엄 포크너**

▶ 윌리엄 포크너는 헨리 제임스 이후 현대 미국 소설의 서사 구조에 혁신을 가져온 거장이다. — **헤럴드 블룸**

"윌리엄 포크너"의 다른 책들

148_성역 이진준 옮김 **299_압살롬, 압살롬!** 이태동 옮김

82 런던 스케치

The Real Thing Doris Lessing

● 노벨 문학상 수상 작가

도리스 레싱 서숙 옮김

카페나 병원, 지하철 등 일상 공간을 통해 런던 사람들의 삶을
예리하면서도 따뜻한 눈길로 그려 낸 단편 열여덟 편

『런던 스케치』는 1987년부터 1992년까지 도리스 레싱이 발표한 런던과 관련된 짧은 스토리(Story)와 스케치(Sketch) 들을 묶은 작품집이다. '스토리'에는 현대 삶의 문제들이 강렬하게 녹아 있는 단편들이 속한다. 「진실」, 「데비와 줄리」, 「장미밭에서」, 「흙구덩이」 등 인간관계의 어두운 측면을 조망하면서도 여성의 심리 변화를 섬세하게 그려 낸 작품들이다. '스케치'에는 주로 일상적인 공간에서 벌어지는 작은 사건들을 객관적인 시선으로 보여 주는 단편들이 실려 있다. 「자궁 병동」, 「원칙」, 「지하철을 변호하며」, 「로맨스 1988」 등 우리의 일상을 돌아보게 하는 작품들이다. 계층과 세대, 인종과 성이라는 거대 담론과 개인의 일상이 긴밀하게 엮인 레싱의 문학 세계를 음미할 수 있다.

▶ 레싱의 작품 중 가장 서정적이다. 거대 도시의 맥박이 느껴진다. ─《보스턴 글로브》

▶ 레싱은 현대인의 삶을 특징짓는 복잡한 인간관계들을 능숙하게 해독해 낸다.
　 ─《뉴욕 타임스》

83 팡세

Pensées Blaise Pascal

블레즈 파스칼 이환 옮김

인간의 고독한 실존을 갈파한 철학자 파스칼

보들레르, 니체, 졸라에게 영감을 준 실존주의의 선구적 명저

『팡세』는 파스칼이 살아생전 오랫동안 구상한 미완성작 「기독교 호교론」을 위한 수기를 파스칼 사후에 편집, 출간한 것이다. 『팡세』는 크게 두 부분으로 나뉘어 있다. 1부는 「신 없는 인간의 비참」으로 인간성이 타락했음을 보여 주고, 2부는 「신 있는 인간의 복됨」으로 인간을 구원할 신의 존재를 입증하는 것이 주된 내용이다. 결국 『팡세』는 인간의 현상 세계에서 초월적 세계까지 이르는 거대한 지적, 영적 모험의 기록이다. 파스칼의 이 명저는 샤토브리앙, 생트뵈브의 찬사를 받았고 실존주의자들의 선구가 되었다. 민음사의 『팡세』는 불문학자 이환 교수가, 최근까지의 문헌학적 연구 결과에 바탕을 두고 편찬된 라퓌마(L. Lafuma) 판을 원본으로 삼아 번역했다.

▶ 나는 파스칼을 사랑한다. 왜냐하면 그는 나에게 무궁무진한 가르침을 주었기 때문이다. 그는 유일하게 논리적인 기독교인이다. —**프리드리히 니체**

▶ 『팡세』 72장은 프랑스어로 쓰인 최고의 페이지다. —**생트뵈브**

84 질투

La Jalousie Alain Robbe-Grillet

알랭 로브그리예 박이문, 박희원 옮김

누보로망의 선두 주자 알랭 로브그리예의 문학적 실험이 돋보이는 작품
매초와 매분은 있되 하루는 없고 정년은 있되 그 감정의 주인은 없는 이야기

알랭 로브그리예는 전통적인 사실주의 문학에 도전장을 던지며, 소설의 관습적인 기법을 뒤엎은 새롭고 낯선 세계를 보여 준다. 사건, 인물, 배경 묘사에 대한 기대를 저버리고, 아내와 이웃집 남자 사이의 관계를 의심하는 남편의 고통스러운 시선만을 편집증적인 치밀한 묘사로 정교하고 지독하게 뒤쫓으며 읽는 이를 당황하게 한다. 그러나 작가가 펼쳐 놓은 이야기의 미궁에 발을 들여놓은 모험적인 독자는 이 작품에서 새로운 차원의 독서 체험과 즐거움을 제공하는 놀이터를 발견할 것이다. 로브그리예의 소설을 읽는 독특한 재미는 객관적인 세계를 뚫고 비어져 나오는 불안의 징후와 고통받는 한 인간의 정념을 엿보는 데 있다.

▶ 이 세기의 가장 위대한 작품 중 하나. — **나보코프**

▶ 한 인간이 이렇게까지 자신의 아내를 집요하게 의심하고 관찰할 수 있다니, 한 인간의 고통스러운 내면을 이다지도 잔혹하게 그려 낼 수 있다니. — **하일지, 「작품 해설」에서**

85·86 채털리 부인의 연인

Lady Chatterley's Lover David Herbert Lawrence

D. H. 로렌스 이인규 옮김

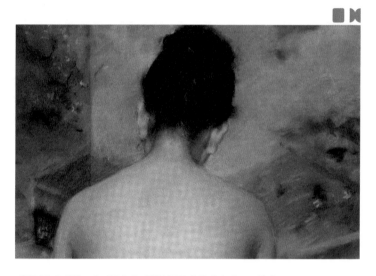

케임브리지 대학교 출판부에서 간행한 무삭제 결정판 텍스트 완역
출판 금지 과정을 거치며 훼손되었던 원고를 복원해 낸 새로운 작품

1차 세계 대전이 끝날 무렵, 코니의 남편 클리퍼드는 전쟁에서 부상을 입어 절름발이에 성불구가 되어 돌아온다. 육체관계보다 정신적 통제와 질서가 우월하다고 주장하는 클리퍼드에게 반감을 품은 코니 앞에 사냥터지기 멜러즈가 다가온다. 출판 과정에서의 외설 시비로 작품의 노골적인 성 묘사만이 대중적으로 부각되면서 『채털리 부인의 연인』은 에로티시즘의 고전 정도로만 알려졌다. 그러나 로렌스는 결혼 제도와 계급 대립의 문제가 본질적으로 성적 억압을 통해 유지되는 것으로 보고 이를 통렬히 비판했다. 로렌스가 이러한 현대의 비극이 이성과 감성이 조화된, 생명력 넘치는 남녀의 관계를 통해 극복될 수 있다고 믿고, 그 예를 제시하기 위해 죽음과 싸우며 써 내려간 작품이 『채털리 부인의 연인』이다.

▶ 『채털리 부인의 연인』을 읽지 않고 20세기 소설에 대해 안다고 할 수 없다. — **로렌스 더렐**
▶ 로렌스는 상상력이 풍부한, 우리 시대 가장 위대한 작가이다. — **E. M. 포스터**

"D. H. 로렌스"의 다른 책들

87 그 후

それから 夏目漱石

나쓰메 소세키 윤상인 옮김

일본 근대 문학의 지표 나쓰메 소세키
'게으를 권리'와 심미주의로 파헤친 시대와 사회의 모순

지금으로부터 사오 년 전인 대학 시절, 다이스케와 히라오카는 친구 스가누마의 집을 드나들며 그의 여동생 미치요와 가까이 지낸다. 미치요와 다이스케는 서로 호감을 갖는데, 히라오카 역시 미치요를 좋아한다. 『그 후』는 나쓰메 문학으로 들어가는 관문에 해당하는 작품으로, 그의 문학에서 '우정과 배신'이라는 삼각관계 소설의 원형을 이룬다. 한 여자를 둘러싸고 두 남자가 불신과 질투, 사회적, 개인적 윤리의 갈피에서 고뇌를 거듭하지만 작가는 사랑의 진행 과정이 아닌 인물의 내적 갈등에 집중하면서 이를 통해 당시 일본 사회의 모순을 비판하였다. 나태한 생활을 즐기면서 음악과 미술에 탐닉하는, 철저히 반사회적인 주인공 다이스케를 통해 나쓰메는 본격적인 근대 지식인의 유형을 제시하고 있다.

▶ 나쓰메 소세키만큼 다양한 장르와 문체를 구사한 작가는 일본뿐만 아니라 어디에도 없을 것이다. 이 다양성은 하나의 수수께끼다. ─ **가라타니 고진**
▶ 나쓰메 소세키의 소설은 일본 근대 문학의 선구적 작품임에도 처음부터 높은 완성도를 보여 주었을 뿐 아니라, 지금도 전혀 낡은 느낌을 주지 않는다. ─ **고바야시 교지**

88 오만과 편견

Pride and Prejudice Jane Austen

- 《뉴스위크》 선정 100대 명저
- BBC 선정 꼭 읽어야 할 책

제인 오스틴 윤지관, 전승희 옮김

영국인들이 가장 사랑하는 여성 작가로 꼽힌 제인 오스틴
제인 오스틴의 예리하고 풍자적인 묘사와 섬세한 감각의 코미디

하트포드셔의 작은 마을에 사는 베넷가 다섯 자매 중 둘째 딸인 엘리자베스는 근처에 이사 온 다시를 보고 신분을 내세우는 '오만'한 남자라는 인상을 받는다. 반면 다시는 자유롭고 활달한 엘리자베스를 사랑하게 된다. 제인 오스틴의 작품 중 가장 널리 독자들의 사랑을 받아 온 『오만과 편견』은 작가의 작품 중에서 가장 밝은 작품으로 알려져 있다. 이 작품은 여성 인물들의 성격, 그들이 결혼하기까지 겪어야 하는 우여곡절, 그러고도 예외적으로밖에 주어지지 않는 사랑과 조건이 일치하는 결혼 등을 통해 근대 여성이 처한 부당한 처지, 그 사회가 겪고 있던 전통적인 가치와 새로운 가치의 충돌 등을 자세하고 진실되게 보여 준다.

▶ 제인 오스틴이 구사하는 재현의 기술은 셰익스피어에 비견할 만하다. —해럴드 블룸
▶ 제인 오스틴은 풍자의 회초리를 들어 사정없이 인물들을 매질하는데, 이러한 풍자에는 늘 옳고 그름을 판별하는 그녀의 완벽하고 예리한 감각이 실려 있다. — 버지니아 울프

제인 오스틴
Jane Austen

1775년 12월 16일 영국의 햄프서주 스티븐턴에서 교구 목사의 딸로 태어났다. 어려서부터 습작을 하다가 16세 때부터 희곡을 쓰기 시작했고, 21세 때 첫 번째 장편 소설을 완성했다. 1796년 남자 집안의 반대로 결혼이 무산되는 아픔을 겪는 와중에, 후에 『오만과 편견』으로 개작된 서간체 소설 『첫인상』을 집필한다. 그러나 출판을 거절당하고 다시 꾸준히 여러 작품의 집필과 개작 활동을 한다. 1805년 아버지가 돌아가시자 경제적으로 어려워진 그녀는 어머니와 함께 형제, 친척, 친구 집을 전전하다가 1809년 다시 초턴으로 이사하여 생을 마감할 때까지 그곳에서 일생을 독신으로 살았다. 이 기간에 『이성과 감성』(1811), 『오만과 편견』(1813), 『맨스필드 파크』(1814), 『에마』(1815) 등을 출판하였다. 이 책들은 출판되자마자 큰 호응을 얻었고, 그녀는 작가로서의 명성을 쌓았다. 1817년 『샌디션』 집필을 시작한 뒤 건강이 악화되어 집필을 중단하고, 42세를 일기로 생을 마감하였다. 『노생거 사원』과 『설득』은 그녀가 죽은 뒤인 1818년에 출판되었고, 후에 그녀의 습작들과 편지들, 교정 전 원고와 미완성 원고가 출판되었다. 그녀의 작품들은 오늘날까지도 영화화되어 좋은 반응을 얻고 있다.

오만과 편견

이성과 감성

에마

설득

노생거 사원

맨스필드 파크

89·90 부활

Воскресение Лев Толстой

● 《뉴스위크》 선정 100대 명저
● BBC 선정 꼭 읽어야 할 책

레프 톨스토이 연진희 옮김

19세기 러시아가 낳은 위대한 예술가이자 사상가 톨스토이의 대표작
당대 러시아의 정치, 경제, 법률, 종교 등의 불합리성에 대한 날 선 비판

네흘류도프 공작은 살인 혐의를 받고 법정에 선 창녀의 재판에 배심원으로 참석한다. 그런데 그녀는 한때 자신이 잠시 사랑하다 버린 카튜샤로, 혼자 아이를 낳고 생계를 잇기 위해 창녀가 된 것이었다. 『부활』은 톨스토이가 일흔이 넘어 완성한 만년의 역작이다. 집필을 시작한 후 일 년여 뒤 그는 다음과 같은 기록을 남겼다. "오늘의 시선으로 사물을 조명하면서 기나긴 숨결의 장편 소설을 쓰는 것이 좋겠다는 생각이 들었다. 그리고 나는 그 속에 나 자신의 모든 구상들을 결합시킬 수 있다." 이 작품에서 톨스토이는 한 귀족과 창녀가 정신적으로 부활하는 과정을 통해, 당대 러시아의 불합리한 사회 구조에 날 선 비판을 가하면서 인간에 대한 사랑을 근본으로 하는 자신의 사상을 감동적으로 보여 준다.

▶ 톨스토이의 소설은 단지 예술 작품이 아니라 하나의 생명체이다. — 매슈 아널드
▶ 만약 세계가 스스로 글을 쓸 수 있었다면, 톨스토이처럼 썼을 것이다.
　　— 이사크 바벨

레프 톨스토이
Лев Николаевич Толстой

1828년 러시아 야스나야 폴랴나에서 톨스토이 백작 집안의 넷째 아들로 태어났다. 1844년 카잔 대학교에 입학하나 대학 교육에 실망, 1847년 고향으로 돌아갔다. 1852년 잡지《동시대인》에 익명으로 연재를 시작하면서 작가로서 첫발을 내딛었다. 작품 집필과 함께 농업 경영에 힘을 쏟는 한편, 농민의 열악한 교육 상태에 관심을 갖게 되어 학교를 세우고 1861년 교육 잡지《야스나야 폴랴나》를 간행했다. 1862년 결혼한 후 문학에 전념하여『전쟁과 평화』,『안나 카레니나』등 대작을 집필, 작가로서의 명성을 누렸다. 그러나 이 무렵 삶에 대한 회의에 시달리며 정신적 위기를 겪었다. 그리하여 1880년 이후 원시 기독교 사상에 몰두하면서 사유 재산 제도와 러시아 정교에 비판을 가하고,『교의신학 비판』,『고백』등을 통해 '톨스토이즘'이라 불리는 사상을 체계화했다. 또한 술, 담배를 끊고 손수 밭일을 하는 등 금욕적인 생활을 지향하며, 빈민 구제 활동을 하기도 했다. 1899년 종교적인 전향 이후의 대표작『부활』을 완성했고, 출판으로 인한 수익은 당국의 탄압을 받던 두호보르 교도를 캐나다로 이주시키는 데 쓰였다. 1901년『부활』에 러시아 정교를 모독하는 표현이 들어 있다는 이유로 종무원(宗務院)으로부터 파문을 당했다. 사유 재산과 저작권 포기 문제로 시작된 아내와의 불화 등으로 고민하던 중 1910년 집을 떠나 폐렴을 앓다가 아스타포보 역장의 관사에서 영면하였다.

91 방드르디, 태평양의 끝

Vendredi ou les Limbes du Pacifique Michel Tournier

미셸 투르니에 김화영 옮김

자연이 문화를 지배하고 원시성이 문명을 극복하는 '새로운 신화'
고유의 서사 방식으로 『로빈슨 크루소』를 뒤집은 패러디 문학의 걸작

젊은 영국인 로빈슨 크루소는 배가 난파되는 바람에 무인도에 표류하고, 탈출에 실패한 뒤 섬을 삶의 터전으로 일구는 데 힘쓴다. 어느 날 원주민 아라우칸족에게 잡힌 흑인 방드르디(프라이데이)를 구해 주고 둘은 주종 관계로 함께 지낸다. 『방드르디, 태평양의 끝』은 18세기 고전으로 꼽히는 대니얼 디포의 『로빈슨 크루소』를 투르니에가 뒤집어서 다시 쓴 소설이다. 이 작품에서는 로빈슨 크루소가 아닌 원주민 방드르디가 전면에 나선다. 『로빈슨 크루소』가 산업 사회의 탄생을 상징한다면 『방드르디, 태평양의 끝』은 그 사회의 추진력이 되는 사상의 폭발과 붕괴, 그에 따라 인간의 신화적 이미지가 원초적 기초로 회귀하는 과정을 그리고 있다.

▶ 현대 인간에 대한 탐구 이상을 시도한 매혹적이고 독특한 소설. ─《뉴욕 타임스》
▶ 『방드르디, 태평양의 끝』은 독특하고 상상력이 넘치며 곳곳에 놀라운 비밀을 감추고 있는 로빈슨 크루소의 섬과 같다. ─《타임》

"미셸 투르니에"의 다른 책들

92 미겔 스트리트

Miguel Street V. S. Naipaul

● 노벨 문학상 수상 작가
● 부커 상 수상 작가

V. S. 나이폴 이상옥 옮김

제3세계 문학의 기수, 나이폴의 자전적 픽션
다양한 인물의 비극적 초상을 소년의 눈을 통해 희극적 터치로 그려 낸 소설

트리니다드섬 하층민 거주지인 미겔 스트리트를 무대로 소년 '나'의 관점에서 쓴 단편 열일곱 편. 나이폴은 십팔 년간 체험한 트리니다드섬의 현실을 토대로 타락한 식민지 사회에서 벌어지는 다양한 인물들의 비극적인 이야기를 담담하게 술회한다. 작가는 도덕적 퇴폐와 무기력에 휩싸인 미겔 스트리트 거주민들의 좌절과 광기를 묘사하면서도 시종일관 희극적인 톤을 유지함으로써 작품에 재미를 더하며, 그들에게 따뜻한 공감의 눈길을 보내기도 한다. 작고 멀고 보잘것없는 섬나라 주민들의 절망과 방황을 생생하게 그린 이 열일곱 편의 에피소드에는 진한 인간미가 배어 있어, 남의 이야기 같지 않은 호소력으로 독자를 사로잡는다.

▶ 나이폴의 작품은 자신만의 세계를 뛰어난 감각으로 제시한다는 점에서 놀랍다.
　─《뉴욕 타임스》

▶ 예민한 성찰과 꺼질 줄 모르는 투시력이 결합된 나이폴의 작품은 우리에게 억압의 역사를 직시하게 해 준다. ─ **스웨덴 한림원 노벨상 선정 이유**

93 페드로 파라모

Pedro Páramo Juan Rulfo

후안 룰포 정창 옮김

멕시코 현대 문학의 거장 후안 룰포의 대표작

조이스와 포크너, 프루스트와 울프를 집약시킨 라틴 아메리카 문학의 고전

『페드로 파라모』는 멕시코 교과서의 필수 수록 작품일 뿐만 아니라 대부분의 가정에 비치되어 있을 정도로 널리 읽히는 멕시코의 국민 문학이다. 이야기는 주인공 후안 프레시아도가 어머니의 유언에 따라 아버지 페드로 파라모를 찾아 코말라를 찾아오면서 시작한다. 현실과 환상, 과거와 현재가 교차하는 마을 코말라에 도착한 그는 갑작스럽게 죽음을 맞이하게 되고, 이야기는 걷잡을 수 없이 혼미한 세계로 빠져들면서 예정된 비극을 향해 한 걸음씩 나아간다. 이 작품은 독창적인 구조, 모호성, 새로운 혁명 소설의 패러다임이 신화적 상징 등과 함께 다양한 해석의 단초를 제공하면서 영원히 고갈되지 않는 분석의 대상이 되고 있다.

▶ 후안 룰포는 현대 멕시코 문학에서 불멸로 남을 작가이다. —《뉴욕 타임스》

▶ 『페드로 파라모』는 모든 문학의 자식이자 요약이며 정점이다. — **라파엘 콘떼**

94 차라투스트라는 이렇게 말했다

Also sprach Zarathustra Friedrich Nietzsche

프리드리히 니체 장희창 옮김

"신은 죽었다!" 서양 철학사상 가장 독창적인 철학자의 가장 위대한 서사시
니체의 핵심 철학이 장쾌하고 시적인 언어로 집약된 대표작

서른 살에 산으로 들어간 은둔자 차라투스트라는 십 년 동안 명상을 즐기다, 이제 산 아래 인간들에게 지혜를 베풀며 살겠다는 마음으로 산에서 내려오던 도중 인간을 불신하는 성자를 만나 "신은 죽었다!"라고 선언하고 군중 사이를 오가며 '초인(超人)'에 대해 설파하려 한다. 이 작품은 방랑자 차라투스트라의 출발부터 미래의 인간인 '초인'을 찾는 여정, '영원 회귀'의 오솔길을 거니는 차라투스트라의 고난, 걷고 뛰고 춤추는 축제의 밤이 지나고 새로운 태양을 맞이하기까지를 극적으로 구성해 낸 서사시로, 새로운 세계의 새로운 인간을 위한 새로운 원칙을 제시한다. 이 책은 '차라투스트라'에 대한 이제까지의 모든 해석과 논의를 넘어 니체의 율동하는 언어를 정밀하게 포착한 번역본이다.

▶ 『차라투스트라는 이렇게 말했다』의 서술 형식과 언어의 절묘한 높이는 니체의 다른 저서가 도달할 수 없는 단계에 있다. — **이보 프렌첼**
▶ 우리는 『차라투스트라는 이렇게 말했다』를 통해 니체가 수직적인 시인, 정상(頂上)의 시인, 상승적 시인의 전형임을 증명할 수 있다. — **가스통 바슐라르**

95·96 적과 흑

Le Rouge et le Noir Stendhal

스탕달 이동렬 옮김

신분과 계급의 벽을 넘어 비상을 시도한 젊은이의 사랑과 욕망의 모험담
낭만주의가 팽배하던 시대에 사실주의 문학의 문을 연 선구적 작품

나폴레옹을 숭배하는 하급 계급 청년 쥘리앵 소렐은 드 레날 씨의 집에서 가정 교
사로 일하던 중 부르주아에 대한 증오심 때문에 충동적으로 드 레날 부인을 유혹
했다가 진심으로 그녀를 사랑하게 된다. 프랑스 문학사에 빛나는 사실주의 소설의
걸작이자 근대 소설의 탄생을 알린 작품 『적과 흑』은 현대인의 고뇌와 아픔을 공유
하며 현대인의 감수성에 호소할 수 있는 많은 요소를 지니고 있어 여전히 애독서로
자리한다. 쥘리앵이 통렬하게 비판한 사회적 메커니즘에는 지금도 충분히 현실적인
의미가 담겨 있다. 스탕달은 자신의 시대 현실을 직시하고 그 시대의 가장 첨예한
문제에 천착함으로써 이 소설을 오늘날까지도 의미가 퇴색되지 않는 보편적인 작품
으로 만들었다.

▶ 스탕달의 작품은 한 장 한 장마다 섬광이 번쩍인다. ─ **발자크**

▶ 스탕달은 『적과 흑』 한 권으로 발자크의 총서 「인간 희극」 전체와 맞먹는 것을 우리에게
　 가르쳐 준다. ─ **랑송**

97·98 콜레라 시대의 사랑

El Amor en los Tiempos del Cólera Gabriel García Márquez

● 노벨 문학상 수상 작가
● BBC 선정 꼭 읽어야 할 책

가브리엘 가르시아 마르케스 송병선 옮김

노벨 문학상 수상 작가 가르시아 마르케스가 전하는 불멸의 사랑
세월과 죽음의 공포를 이겨 낸 두 남녀의 달콤한 러브 스토리

식민 시대에서 근대로 넘어가는 시기, 콜롬비아 카리브해의 이름 없는 마을을 배경으로 사랑하는 여인과 함께하기 위해 51년 9개월 4일을 기다린 플로렌티노의 이야기가 펼쳐진다. 『콜레라 시대의 사랑』은 무엇보다 세월의 흐름과 죽음의 공포를 이겨 낸 인내와 헌신적인 사랑이 행복한 결말로 보상받는다는 낭만과 영원에 관한 이야기이다. 한 여자와 두 남자의 삶을 둘러싼 사랑과 죽음, 그리고 욕망의 연대기를 다룬 이 러브 스토리 뒤에는 라틴 아메리카 사회에 대한 강한 비판과 풍자가 숨어 있으며, 제목이 암시하는 사랑과 늙음과 질병이라는 주제와 더불어 근대화와 자살 등과 같은 사회적 문제에 대한 탐구 역시 담겨 있다.

▶ 『콜레라 시대의 사랑』의 마지막 장은 내가 읽어 본 어떤 작품보다 놀랍다. 독자의 마음을 애끓게 만드는 훌륭한 소설이다. ― **토머스 핀천**
▶ 마르케스의 가장 재미있는 작품이자 가장 자유로운 작품. ― **뻴비야다**

"가브리엘 가르시아 마르케스"의 다른 책들

99 맥베스

Macbeth William Shakespeare

● 서울대 권장도서 100선

윌리엄 셰익스피어 최종철 옮김

셰익스피어 4대 비극 중 가장 화려하고 잔인한 작품
야망의 늪에 빠진 정직한 영혼이 악의 화신으로 파멸해 가는 이야기

개선(凱旋)하는 맥베스와 뱅코 장군에게 세 마녀는 머지않아 맥베스가 스코틀랜드의 왕위에 오르고 뱅코의 자손이 왕이 되리라고 예언한다. 이에 맥베스는 크게 동요하고, 욕심 많은 아내와 손을 잡고 일을 도모한다. 흉계를 꾸며 왕위에 오른 맥베스는 자객을 보내 뱅코를 죽이지만 뱅코의 아들은 도망친다. 『맥베스』는 폭풍, 어둠, 핏빛 등 격렬하고 거대한 이미지와 공포의 초자연적인 두려움을 일깨우는 극의 분위기, 치열하게 묘사되는 양심의 고통, 숙명적 비극과 인간의 고귀함을 밀도 있게 그려 낸 셰익스피어의 걸작이다. 최종철 교수는 영국 아든 판과 리버사이드 판을 비교 분석해 번역했으며 셰익스피어의 원문에 보다 충실하기 위해 노력했다.

▶ 『맥베스』는 셰익스피어의 비극들 중에서 가장 격렬하며, 가장 응축되어 있고, 아마 가장 엄청나다고까지 말할 수 있을 것이다. ━**토마스 만**

▶ 극이 끝났을 때 우리 마음에 남는 것은 거듭되는 살인이 아니라, 악행을 쌓아 올려 그 무게로 양심의 힘을 누르려는 과정에서 고통받는 맥베스의 고귀한 인간성이다.
━**최종철**, 「작품 해설」에서

100 춘향전

● 서울대 권장도서 100선　　　　　　　　　　송성욱 풀어 옮김 | 백범영 그림

장면을 꾸미는 어휘와 문장에서 생동감이 넘치는 우리말 문학의 묘미
시대를 넘어 다양한 형태로 끊임없이 재창조되는 국민 문학

『춘향전』은 오랜 기간 성숙을 거듭해 온 우리 서사 문학사의 전통 속에서 탄생한 작품이다. 암행어사 설화, 염정 설화, 열녀 설화 등이 작품 형성에 일정 정도 영향을 미쳤고, 『숙향전』과 같은 애정 소설도 영향을 미쳤다. 또 조선 시대 동아시아 사회를 풍미했던 중국의 유명한 한시와 고사 등도 많은 영향을 미쳤다. 『춘향전』은 19세기에 유행한 작품이지만 그 인기는 지금도 여전한, 가히 국민 소설이라 할 만하다. 한국 최초의 오페라가 「춘향전」이었으며 12회 이상 영화화될 정도로 무궁한 창작의 원천이 되었다. 이 책에서는 완판 『열녀춘향수절가』 84장본과 경판 『춘향전』 30장본을 저본으로 현대 역을 했다. 여기에 완판 『열여춘향슈절가』 영인본을 덧붙였다.

▶ 요즘의 독자들이 『춘향전』의 문장과 어휘를 대하면 낯설다는 느낌을 먼저 받을 것이다. 그렇다고 대충 건너뛰지 말자. 그것은 외래어에 물들지 않은 가장 순수한 우리말이다. 조선 시대 민중들이 실제로 사용했던 현장 언어이다. 살아 있는 과거의 언어를 마음껏 느껴 보기 바란다. ─ 송성욱, 「작품 해설」에서

101 페르디두르케

Ferdydurke Witold Gombrowicz

비톨트 곰브로비치 윤진 옮김

국내 최초로 소개되는 20세기 문학의 거장 곰브로비치의 대표작
어느 날 아침 어린 시절로 납치된 소설가가 겪는 흥미로운 모험

『페르디두르케』는 현대 문학, 나아가 현대인의 삶이 제기하는 첨예한 쟁점들을 정면
으로 다루는 대담한 작품이다. 곰브로비치는 서양 철학사에서 니체가 담당했던 역
할, 즉 관념적 이분법의 허구성을 폭로하고 새로운 사유와 삶의 형식을 창조하려는
문학적 시도를 보여 준다. 또한 형식적인 면에서도 전례를 찾아보기 어려울 만큼 과
감한 실험을 펼친다. 그의 새로운 형식은 최근 "포스트모던"으로 개명된 경향을 선
구적으로 실천한 것이다. 『페르디두르케』는 서른 살 소설가를 주인공으로 한, 새로
운 스타일의 자전 소설이다. 1950년대 프랑스에 소개되면서 걸작의 반열에 오른 이
작품을 통해 곰브로비치는 인간의 욕망을 인위적인 정상의 틀에 맞추려는 모든 사
회적, 이데올로기적, 문화적 시도에 대해 장엄한 조소를 보낸다.

▶ 터무니없고 눈부시고 전복적이고 대담하고 우스꽝스럽고 훌륭한 작품이다. 신성한 조롱
이여 영원하라! — **수전 손태그**

▶ 가장 심오한 현대 작가인 곰브로비치의 작품. 경쾌한 필치와 매력적인 흡인력을 발휘하는
진실하고 재미있는 소설. — **존 업다이크**

"비톨트 곰브로비치"의 다른 책들

102 포르노그라피아

Pornografia Witold Gombrowicz

비톨트 곰브로비치 임미경 옮김

자유롭지 못한 현대인의 삶과 문화의 상투성에 대한 폭로
문학의 전통적인 가치와 사회적 통념에 저항하는 도발적인 글쓰기

2차 세계 대전 당시 나치의 지배 아래 놓인 폴란드의 황량한 시골 마을에 두 지식인 이 찾아든다. 이들은 약혼자가 있는 소녀 헤니아와 그녀의 소꿉동무인 카롤 사이에 흐르는 심상치 않은 기류를 감지한다. 겉으로 드러내지는 않지만 성적으로 서로에게 끌리는 것처럼 보이는 젊은이들의 모습은 두 중년 남자의 상상력을 자극한다. 이들의 일거수일투족을 관찰하고 분석하던 두 남자는 약혼자가 보는 앞에서 둘 사이에 무슨 일이 있었던 것처럼 연극을 꾸민다. 『포르노그라피아』는 인간의 가장 은밀한 갈망을 시적인 언어로 파헤친, 곰브로비치의 가장 대담한 작품이다. 곰브로비치는 이 작품을 통해 "억압과 예속, 내분과 갈등으로 점철된" 폴란드 역사에 걸맞은 에로티시즘을 재현해 내고자 했다.

▶ 내가 좋아하는 위대한 작가, 곰브로비치. — **밀란 쿤데라**
▶ 문학은 무정형이라기보다 미완성 쪽에 속한다. 곰브로비치는 그것을 말하고 실천했다.
　— **질 들뢰즈**

---

103 인간 실격

人間失格 太宰治

다자이 오사무 김춘미 옮김

무라카미 하루키가 가장 존경하는 일본 작가 다자이 오사무
청춘의 한 시기에 통과 의례처럼 거쳐야 하는 일본 데카당스 문학의 대표작

『인간 실격』은 무뢰파 혹은 신희작파를 대표하는 다자이 오사무의 후기 걸작이다. 작가의 자전적인 체험을 바탕으로, 오직 순수함만을 갈망하던 여린 심성의 젊은이가 인간들의 위선과 잔인함에 의해 파멸되어 가는 과정을 그렸다. 『인간 실격』은 어느 누구도 쉽게 접근할 수 없는 인간 영혼의 가장 연약한 부분을 스스럼없이 드러냄으로써 오히려 우리의 상처받은 영혼을 달래 준다. 어떻게든 사회에 융화되고자 애쓰고, 순수한 것, 더럽혀지지 않은 것에 꿈을 내맡기고, 인간에 대한 구애를 시도한 주인공이 결국 모든 것에 배반당하고 인간 실격자가 되어 가는 패배의 기록인 이 작품은 그런 뜻에서 현대 사회에 대한 예리한 고발이라고 할 수 있다.

▶ 인간의 나약함을 드러내는 데 있어 다자이 오사무보다 뛰어난 작가는 드물다.
　　—《뉴욕 타임스》
▶ 다자이 오사무는 우리의 청춘과 떼어 놓을 수 없는 존재였으며, 그의 다른 걸작들이 모두 잊힌다 해도 『인간 실격』만은 언제까지나 거듭 읽히고 영원히 남을 작품이라고 확신한다.
　　—오쿠노 다케오

104 네루다의 우편배달부

El Cartero De Neruda Antonio Skármeta

안토니오 스카르메타 우석균 옮김

파블로 네루다와 젊은 우편배달부의 따뜻하고도 위대한 만남
문학의 진실과 감동, 시의 본질을 깨닫게 하는 아름다운 교과서

안토니오 스카르메타는 위대한 시인에게 경의를 표하고 칠레의 민주화를 염원하면서 『네루다의 우편배달부』를 썼다. 이 작품은 칠레의 국민 시인 네루다를 통해 한편의 시가 삶과 자연과 세계와 만나 마침내 새로운 삶과 사랑을 이끌어 내는 문학의 진실과 감동을 소박하면서도 아름답게 그리고 있다. 칠레에서 쿠데타가 발발한 이후 독일에서 망명 생활을 하면서 완성한 작품이었지만 투쟁심보다는 감동을 선사하려 했다는 점이 스카르메타와 이 작품을 더욱 돋보이게 한다. 위대한 시인 파블로 네루다와 소박한 칠레 민중에게 바치는 헌사이면서도 작품 속에 넘쳐 나는 잔잔하면서도 진한 감동, 재치 넘치는 묘사와 대화, 해학적인 성 묘사, 순수함이 빚어낸 일화들이 독자의 마음을 단숨에 사로잡는다.

▶ 정말 경이로운 작품이다. 네루다의 삶은 확실히 메타포 그 자체였고 라틴 아메리카를 이해하는 새로운 통로가 되었다. 스카르메타의 작품이야말로 진정한 시다.
    ─《프랑크푸르터 알게마이네 차이퉁》
▶ 『네루다의 우편배달부』는 감동적인 노래이다. 천박함이나 감상주의에 빠지지 않고 시와 사랑을 노래한다. ─《엘 파이스》

105·106 이탈리아 기행

Italienische Reise Johann Wolfgang von Goethe

요한 볼프강 폰 괴테 박찬기, 이봉무, 주경순 옮김

세계적인 대문호 괴테가 쓴 최고의 여행 문학
괴테의 자아 성찰과 재탄생의 현장을 생생하게 전하는 작품

이 책은 괴테가 1786년 9월부터 1788년 6월까지 약 이십 개월 동안 이탈리아를 여
행하면서 독일의 지인들에게 보낸 서한과 일기, 메모와 보고를 다시 엮은 것이다.
괴테는 스물일곱의 나이로 바이마르 공국의 고문관이 되었다. 그 후 십 년간 공직
을 성공적으로 수행하면서 부와 사회적 지위를 획득했지만, 시인으로서는 침체기
를 겪어야 했다. 공직 생활이 가져온 권태, 예술가 정신을 되찾고 싶은 욕망이 겹쳐
괴테는 휴양차 머무르던 칼스바트를 떠나 이탈리아로의 비밀 여행을 감행했다. 이
탈리아에서 괴테는 제2의 탄생과 정신적 개안을 맞이하였다. 마차와 도보로 이어
졌던 괴테의 여행은 현대에도 여전히 모방해 볼 만한 가치를 깨닫게 한다.

▶ 어떤 여행은, 괴테의 여행이 그랬듯, 정말로 탐구다. 『이탈리아 기행』은 장소, 사람, 물건에
　대한 묘사일 뿐만 아니라, 무엇보다 중요한 심리학적 기록이다. ─**W. H. 오든**
▶ 내가 이 놀라운 여행을 하는 목적은 나 자신을 속이기 위해서가 아니라, 여러 대상을
　접촉하면서 본연의 나 자신을 깨닫기 위해서다. ─**본문에서**

107 나무 위의 남작

Il Barone Rampante Italo Calvino

이탈로 칼비노 이현경 옮김

규범과 관습을 거부하고 자연과 어울려 살아가는 가장 이상적인 인간상
동화적 상상력을 현실에 엮어 시대를 조명한 기발하고 환상적인 우화

열두 살의 코지모는 달팽이 요리를 먹도록 강요하는 권위적인 아버지에게 저항하여 나무 위로 올라간 뒤 평생 나무 위에서 살기로 결심한다. '나무 위의 남작'이 된 코지모는 이제 사냥을 다니고 산적과 친구가 되고 다양한 연구에 몰두하는 등 새로운 삶을 살기 시작한다. 또한 마을 사람들의 농사를 돕고 폭정에 항거하도록 시민들을 이끄는 등 적극적으로 현실에 참여한다. 『나무 위의 남작』은 '괴짜와 기인의 진열장' 같은 시대였던 18세기의 눈으로 복잡한 현대 세계에서 상처받고 소외된 채 살아가는 인간의 문제를 조명한 작품이다. 부모의 영향을 받아 어린 시절부터 자연과 접하며 자라난 칼비노는 자연과 문명 사이에서 조화를 이룬 인물 코지모를 통해 가장 이상적인 인간형을 제시하고 있다.

▶ 보르헤스와 마르케스처럼 칼비노는 우리를 위하여 완벽한 꿈을 꾼다. 세 작가 중 칼비노는 가장 낙관적이며, 인간 진실에 대한 호기심을 매우 다양하고 부드럽게 보여 준다. ─ **존 업다이크**

▶ 칼비노에게는 사람들 마음의 가장 깊숙한 안식처를 꿰뚫어 보고, 그들의 꿈을 삶으로 이끄는 힘이 있다. ─ **살만 루슈디**

"이탈로 칼비노"의 다른 책들

108 달콤 쌉싸름한 초콜릿

Como agua para chocolate Laura Esquivel

라우라 에스키벨 권미선 옮김

음식과 성(性)이 환상적으로 만난 재미있고 관능적이고 낭만적인 소설
'요리 문학'이라는 새로운 페미니즘 문학 장르의 탄생

『달콤 쌉싸름한 초콜릿』은 이십이 년간에 걸친 아름다운 사랑을 성(性)과 음식을 통해 그린 이야기다. 이 작품은 멕시코 요리의 향긋한 냄새와 맛을 통해 독자들에게 에로틱한 상상을 불러일으킨다. 주인공 티타는 '막내딸은 죽을 때까지 어머니를 돌봐야 한다.'라는 가족 전통 때문에 연인 페드로와 결혼하지 못한다. 페드로는 티타와 가까이 있기 위해 그녀의 언니와 결혼하지만 두 사람의 사랑은 마지막 순간까지 이어진다. 부엌에서 티타는 요리 재료와 시간에 마법을 걸어 은밀하고 신비로운 세계를 창조한다. 그녀는 자유와 평등, 자기 자신의 목소리와 그녀만의 사랑을 요리와 함께 완성한다. 이 작품에서 음식은 단순한 먹을거리가 아닌 여주인공의 자기표현 수단이자 사랑과 슬픔과 욕망을 전달하는 매개체다.

▶ 감칠맛 나는 와인과 성찬을 좋아하는 사람들을 위한 작품. 에스키벨은 요리를 함으로써 동시에 사랑도 하는 한 여인의 삶을 통해 강인함과 고통, 열정과 요리에 얽힌 비법들을 유머러스하게 보여 준다. ─《워싱턴 포스트》

109·110 제인 에어

Jane Eyre Charlotte Brontë

● BBC 선정 꼭 읽어야 할 책

샬럿 브론테 유종호 옮김

150년 동안 전 세계 젊은 독자들을 가슴 뛰게 만든 로맨스 소설의 고전
딸에게 용기를 불어넣어 주고 싶은 일본의 부모들이 선물하는 책 1위

샬럿 브론테는 1847년 '커러 벨'이라는 남성 필명으로 『제인 에어』를 처음 발표했다. 빅토리아 시대의 사회 분위기에서 여성이 쓴 소설이라는 이유만으로 쏟아질 편견과 비난을 피하기 위해서였다. 그러나 소설은 출간되자마자 사회적 파장을 일으키며 놀라운 성공을 거두었다. 뜨거운 열정과 독립적인 자아의식을 지닌 여성 주인공의 낭만적 사랑과 삶을 그린 이 소설은 영국 문학에서 최초로 '열정'을 다룬 작품으로 평가되면서 오늘날까지 그 문학적 가치를 인정받고 있다. 일찍 부모님을 여의고 끊임없이 시련에 부닥치지만 언제나 당당하고 성실한 태도로 생활해 나가며, 수많은 고난과 역경을 이겨 내고 끝끝내 자신의 사랑을 찾아가는 제인 에어의 행로는 잠시도 책에서 눈을 뗄 수 없게 만든다.

▶ 작가는 우리의 손을 이끌어 그녀가 가는 길을 따라가게 만들고, 그녀가 보는 것을 보도록 하며, 단 한순간도 그녀를 잊을 수 없게 한다. 그리고 마지막 순간, 우리는 이 천재적이고 예측 불허인 작가의 매력 속으로 푹 빠져든다. 책의 페이지마다 샬럿 브론테의 뜨거운 가슴속 불꽃이 생생히 새겨져 있다. — **버지니아 울프**

111 크눌프

Knulp Hermann Hesse

● 노벨 문학상 수상 작가

헤르만 헤세 이노은 옮김

헤세의 분신과도 같은 고독한 방랑자 크눌프
성과와 목적만을 중요시하는 사회를 돌아보게 하는 아름다운 이야기

헤르만 헤세가 1차 세계 대전이 시작되기 전인 1907~1914년에 집필한 작품으로,
1915년에 발표되었다. 크눌프는 헤세의 여러 작품의 주인공들과 형제인 동시에 작
가의 분신이기도 하다. 그는 직업과 결혼을 통한 평범하고 안정된 생활을 거부하고,
세상을 자유롭게 떠돌며 자연과 사람들을 관찰하고 자신의 방식대로 사랑한다. 『크
눌프』가 처음 발표되었을 때 비평가들은 이 작품의 유려한 문체와 부드럽고 단순한
언어, 그리고 작품 속에 그려진 전원적인 풍경에 찬사를 보냈다. 또한 헤세는 그의
작품에 일관되게 나타나는 고독한 방랑자의 모습을 사실적이면서도 아름답게 그려
냄으로써 결코 젊음이 충동과 낭만으로만 이루어진 것이 아님을 이야기하고 있다.

▶ 헤세가 『크눌프』를 통해 이야기하려는 것은 함께 살아가는 사람들에 대한 이해와
　사랑이다. — 이노은, 「작품 해설」에서

"헤르만 헤세"의 다른 책들

112 시계태엽 오렌지

● 《뉴스위크》 선정 100대 명저
● 《타임》 선정 현대 100대 영문소설

앤서니 버지스 박시영 옮김

조지 오웰과 헉슬리의 뒤를 잇는 현대 영문학의 고전
인간의 자유 의지와 도덕의 의미를 묻는 20세기의 문제작

『시계태엽 오렌지』는 1962년 영국에서 발표된 이래 끊임없는 논란과 열광을 낳으며 20세기 고전의 반열에 오른 작품이다. 제목 그대로 외부의 힘에 의해 태엽이 감겨야 움직일 수 있는 인간상에 대한 반성을 제시하고 있다. 폭력과 무질서가 난무하는 암울한 미래의 런던을 배경으로, 열다섯 살 소년이 극단적인 비행을 저지르다 체포되고 새로운 범죄 교화 수술에 자원한 후 욕망과 감정을 통제받는 무기력한 인간이 되는 과정을 그렸다. 폭력과 죄악에 대한 성찰 속에서 국가 권력의 억압을 비판하고 인간의 자유 의지를 옹호한다. 이와 함께 당대의 속어와 신조어를 과감하게 차용하고 서술 형식에 음악적 요소를 도입함으로써 소설 기법 면에서도 일대 혁신을 이루어 냈다.

▶ 머리카락이 쭈뼛 서게 만드는 속도감과 에너지, 오웰의 미래상을 다루고 있으면서도 흥미진진한 소설이다. ─《뉴욕 타임스》

▶ 앤서니 버지스의 작품은 불쾌하고 충격적으로 보이나, 흔치 않은 철학적인 소설이다. ─《타임》

113·114 파리의 노트르담

Notre-Dame de Paris Victor Hugo

빅토르 위고 정기수 옮김

'노트르담의 꼽추'로 알려진 프랑스 낭만주의 문학의 최고봉
15세기 파리의 풍광과 생활상을 정밀하고 생생하게 되살린 완역본

『파리의 노트르담』은 1831년 발표된 이래 시대를 초월해 꾸준히 사랑받는 작품이다. 15세기 파리를 배경으로 다양한 인간 군상이 벌이는 사랑과 질투, 증오와 연민의 사건을 통해 19세기 프랑스 사회를 풍자하고 있다. 이 작품의 진짜 주인공은 허물어져 가는 노트르담 대성당과 파리라는 도시 전체다. 찬연한 고전 시대의 문화가 서서히 몰락하는 그늘 아래서 무지와 탐욕이 순결한 영혼을 파멸시키는 비극이자, 뭇사람들의 조롱과 질시 속에서 피어나는 노트르담 성당의 종지기인 꼽추 카지모도와 순수하고 아름다운 집시 처녀 라 에스메랄다의 아름답고 순수한 사랑 이야기다. 한편 철두철미한 공화주의자이자 사회 개혁가였던 위고의 생애처럼 부조리한 형벌 제도와 왜곡된 문화 정책에 대한 비판 또한 매섭기 그지없다.

▶ 하늘에서 내려온 드문 영혼, 빅토르 위고. ─ **샤를 보들레르**
▶ 희곡에 세익스피어가 있다면, 소설에는 위고가 있다. ─ **알퐁스 드 라마르틴**

"빅토르 위고"의 다른 책들

빅토르 위고

Victor Hugo

1802년 2월 26일 프랑스 브장송에서 태어났다. 일찍부터 고전 문학에 뛰어
난 재능을 보였고, "샤토브리앙이 되거나 그렇지 않으면 아무것도 되지 않
겠다."라는 포부를 품고 성장했다. 1822년 첫 시집 『송가와 다른 시들』을 발
표하며 계관 시인의 자리에 올랐으며 1831년 『파리의 노트르담』을 펴내며
소설가로서 명성을 굳혔다. 입헌 군주 루이 필리프의 집권을 기념하는 시
「1830년 7월 이후」를 발표한 후부터 수많은 정치 시를 발표하며 참여 시인
으로서도 두각을 나타냈다. 1848년 2월 혁명을 계기로 왕당파에서 철두철
미한 공화주의자로 변신하여 루이 나폴레옹과 날카롭게 대립했다. 그리하
여 1851년 나폴레옹 3세의 집권과 함께 시작된 이십여 년의 망명과 추방 생
활 동안 그는 아내와 자식들을 차례로 잃었다. 그러나 고난 속에서도 식지
않는 창작열로 또 다른 대작 「레 미제라블」(1862)을 발표하였고 전 세계적
인 명성을 얻었다. 1885년 5월 22일 향년 83세로 별세했다. 프랑스 정부는
국장으로 예우했으며 "그의 시신은 밤새도록 횃불에 둘러싸여서 개선문에
안치되었고, 파리의 온 시민이 판테온까지 관의 뒤를 따랐다."(G. 랑송)라고
전해진다.

115 새로운 인생

La vita nuova Dante Alighieri

단테 알리기에리 로세티·박우수 옮김

르네상스를 대표하는 시성(詩聖) 단테의 첫 작품
천재 화가이자 시인인 로세티에 의해 새롭게 태어난 단테

『새로운 인생』은 단테가 베아트리체와 사랑에 빠진 열여덟 살 무렵부터 써 온 서정 시들을 모아 주석을 붙인 것이다. "오직 그녀의 인사를 받는 것만이 내 사랑의 목적 이었다."라고 할 만큼 순수했던 단테의 사랑이 청아하고 아름다운 문체의 시들로 표현되어 있다. 단테가 젊은 시절에 집필한 『새로운 인생』은 사랑이 불러일으키는 기쁨과 슬픔에 집중하여 인간의 감정을 고귀와 신성의 영역으로 끌어올리고 있다. 『새로운 인생』을 번역한 로세티는 라파엘 전파를 대표하는 화가이자 시인으로, 자신의 이름을 단테(단테이)로 바꾸고 아내와 자신의 관계를 단테와 베아트리체의 관계와 동일시할 만큼 단테와 그의 작품, 특히 『새로운 인생』에 매혹되었으며 이를 소재로 한 수많은 그림과 시를 남겼다.

▶ 서양의 근대는 단테와 셰익스피어에 의해 양분된다. 그 사이에 제3자는 존재하지 않는다.
　— T. S. 엘리엇

▶ 로세티가 번역한 『새로운 인생』은 어떤 부분에서는 원작을 능가할 정도로 훌륭하다.
　— 에즈라 파운드

116·117 로드 짐

Lord Jim Joseph Conrad

● 《뉴스위크》 선정 100대 명저

조지프 콘래드 이상옥 옮김

20세기 현대 소설의 시작을 알린 기념비적 작품
진실과 존엄을 되찾기 위해 떠난 고독한 항로의 끝

드넓은 세계와 미지의 인생에 대한 동경으로 선원이 된 청년 짐은 항해 도중 풍랑을 만난다. 일대 혼란이 벌어진 배 안에서 무력감으로 괴로워하던 그는 돌연 승객을 버리고 탈출한다. 콘래드는 이 작품에서 성격이 견고하지 못할뿐더러 난해할 정도로 복잡하며 인격적 분열까지 보이는 현대인의 전형을 훌륭하게 그려 냈다. 자신의 꿈과 이상이 현실에서 실현될 수 없음을 깨닫고 절망하는 짐은 서구 사회의 급격한 변화와 심각한 정신적 위기를 대변한다. 콘래드는 현대적 인물의 복잡한 내면을 표현하기 위해서 이야기 속에 다양한 시점과 시간을 도입함으로써 재래 기법의 한계를 극복하고 짐의 행위 속에 개재된 도덕적 의미의 불확실성에 대한 독자의 인식을 부단히 일깨운다.

▶ 위대한 독창성의 산물이며, 현대 소설에서는 만나기 힘든 마법 같은 작품이다.
　—《뉴욕 트리뷴》

▶ 특이한 내러티브. 절제되면서도 열정적인 문체, 생생한 묘사, 정교한 심리 분석이 결합된 걸작. —《스펙테이터》

"조지프 콘래드"의 다른 책들

7_암흑의 핵심 이상옥 옮김

118 폭풍의 언덕

Wuthering Heights Emily Brontë

● BBC 선정 꼭 읽어야 할 책

에밀리 브론테 김종길 옮김

황야에서 펼쳐지는 악마적인 격정과 증오, 현실을 초월한 폭풍 같은 사랑
영문학 3대 비극에 오른 작품이자 에밀리 브론테가 남긴 단 한 편의 소설

『폭풍의 언덕』은 서른 살에 요절한 에밀리 브론테가 죽기 일 년 전에 발표한 유일한 소설이다. 황량한 들판 위의 외딴 저택 워더링 하이츠를 무대로 벌어지는 캐서린과 히스클리프의 비극적인 사랑, 에드거와 이사벨을 향한 히스클리프의 잔인한 복수를 그린 이 작품은 작가가 '엘리스 벨'이라는 필명으로 발표했을 당시에는 그 음산한 힘과 등장인물들이 드러내는 야만성 때문에 반도덕적이라는 비난을 받았다. 그러나 100년이 지난 오늘에는 깊은 비극성과 시성(詩性)으로 높이 평가받고 있다. 에밀리 브론테는 이상화되지 않은 현실의 인간을 창조해, 선과 악에 대한 판가름이 아니라 선악이 한데 어울려 몸부림치는 인간 실존의 세계를 강렬한 필치로 그려 냈다.

▶ 우리가 인간 존재에 관해 알고 있는 모든 것을 뿌리째 뒤흔들고, 그 인지할 수 없는 투명성을 실재를 초월하는 삶의 격정으로 채울 수 있는 능력의 소유자. — **버지니아 울프**
▶ 『폭풍의 언덕』은 그 어느 소설과도 비교가 불가능하다. 세계 10대 소설로 꼽을 만하다.
— **서머싯 몸**

민음사 세계문학전집

샬럿 브론테와 에밀리 브론테
Charlotte Brontë Emily Brontë

샬럿과 에밀리는 각각 1816년과 1818년에 영국 요크서 주의 손턴에서 영국 국교회 목사의 딸로 태어났다. 어릴 때 어머니를 여의고 잠시 함께 기숙학교에 다녔으나 1825년부터 오 년 동안 에밀리와 샬럿은 집에서 독학으로 공부했다. 1835부터 샬럿은 미스 울러 학교에서 삼 년간 교사 생활을 했고, 1838년에는 에밀리가 미스 패칫 학교에서 6개월간 교사 생활을 했다. 샬럿과 에밀리, 앤 세 자매는 1846년 필명을 써서 『커러, 엘리스, 액턴 벨의 시집』을 함께 펴냈다. 이 시집에는 에밀리의 시 21편이 실렸는데, 후대의 비평가들은 한결같이 에밀리에게 진정한 시인으로서의 재능이 엿보인다고 평가했다. 1847년에는 샬럿의 『제인 에어』와 에밀리의 『폭풍의 언덕』, 앤의 『아그네스 그레이』가 차례대로 출간되었다. 『제인 에어』는 나오자마자 대성공을 거두었다. 그러나 『폭풍의 언덕』은 출간 당시 좋은 반응을 얻지 못했다. 비평가들은 이 작품이 너무 야만적이고 구성이 허술하다고 혹평했으나 나중에는 영어로 쓰인 최고의 소설 가운데 하나로 평가받게 되었다. 『폭풍의 언덕』을 출간한 뒤 에밀리의 건강은 급속히 나빠지기 시작하여 결국 1848년 12월 19일 결핵으로 숨을 거두었다. 그 이후 샬럿은 서른여덟 살에 아서 벨 니콜스와 결혼하지만, 늦은 나이에 임신한 상태에서 여러 가지 병이 겹쳐, 결국 결혼 9개월 만에 눈을 감고 말았다.

119 텔크테에서의 만남

Das Treffen in Telgte Günter Grass

● 노벨 문학상 수상 작가

귄터 그라스 안삼환 옮김

인간의 탐욕 앞에서 무너지는 허울 좋은 이상에 대한 통렬한 풍자

영원히 반복되는 역사, 현재를 비추는 거울로서의 과거

전 유럽을 쑥대밭으로 만들었던 30년 전쟁이 막바지를 향하던 1647년, 일군의 시인들이 독일 전국 각지에서 시골 마을 텔크테로 몰려든다. 이 시인들의 목적은 분열된 조국을 마지막 남은 수단인 '언어와 문학'으로 결합하는 것이었다. 그러나 전쟁으로 피폐해진 조국의 참상 속에서 인간의 기본 권리와 평화를 회복할 것을 주장하려 했던 시인은 뜻하지 않은 사건에 말려들면서 자신들의 탐욕스럽고 위선적인 본성과 마주한다. 실존했던 시인들인 그뤼피우스, 게르하르트 등이 등장하는 1647년도의 이 모임은 그라스 자신이 회원이었던 '47그룹' 모임을 허구적으로 재구성한 것이다. 그라스는 실존 인물들을 생생하게 묘사함으로써, 끔찍하면서도 우스꽝스러운 사건을 더욱 현실감 있게 전달하는 천재성을 보여 준다.

▶ 귄터 그라스는 조국 독일의 가장 무거운 진실에 대한 이야기를 익살스럽게 풀어 간다.
  『텔크테에서의 만남』은 짧은 길이에도 불구하고 국가의 생사고락 속에서 문학이 차지하는
  위치에 관한 심각하고 오래된 문제들을 생생하게 그려 내고 있다. ─《타임》

120 검찰관

Ревизор Николай Гоголь

니콜라이 고골 조주관 옮김

속물적 인간의 전형 '흘레스타코프'를 창조해 낸 작품
현실의 고통을 웃음으로 승화한 풍자의 미학

『검찰관』은 니콜라이 1세 때의 부패한 관료 제도에 대한 신랄한 풍자극이다. 러시아의 어느 소도시에 암행 검찰관이 온다는 소식이 전해진다. 시장을 비롯한 관리들은 여관에 묵고 있던 허풍쟁이 하급 관리 흘레스타코프를 검찰관으로 착각한다. 이들은 자신들의 비리를 감추기 위해 가짜 검찰관에게 뇌물을 제공하고 연회까지 베풀어 준다. '눈물을 통한 웃음'을 자아내는 이 작품은 발표되자마자 격렬한 찬반양론에 휩싸였다. 러시아에서는 그 후 '흘레스타코프시치나(흘레스타코프주의)'라는 말이 자만이나 허풍의 동의어로 널리 쓰이게 되었다. 고골은 이 작품을 통해 당시의 사회상을 비판하는 동시에 속물적 인간 본성 또한 비판하고 있다.

▶ 단 몇 분 혹은 한순간일지라도, 인생에서 누구나 한 번은 흘레스타코프가 된다. 살아가면서 한 번도 흘레스타코프가 되지 않는다는 것은 지극히 어려운 일이다. 말재주가 좋은 근위 사관도, 정치가도, 죄 많은 우리 작가들도 때로는 흘레스타코프가 된다. ─ **고골**

"니콜라이 고골"의 다른 책들

121 안개

Niebla Miguel de Unamuno

미겔 데 우나무노 조민현 옮김

소설 구조를 혁명적으로 전복한 20세기 스페인 문학의 선구자
존재 의지를 희구한 실존 철학자, 남유럽의 키르케고르

"너는 자살할 수 없어. 너는 내 환상의 산물일 뿐이야." 사랑에 상처받은 주인공 아우구스토 페레스는 죽고 싶지만 마음대로 죽을 수 없다. 자살을 허락하지 않는 작가와 씨름하는 페레스, 그리고 자신의 캐릭터와 논쟁하는 소설가의 번뜩이는 대화들. 독특한 구조와 우스꽝스러운 인물들이 뜻밖의 결말을 빚어내며 독자에게 신선한 문학적 충격을 안긴다. 불멸에 대한 집념과 인간 자아에 대한 믿음, 변하지 않는 사랑의 갈망과 죽음에 대한 두려움⋯⋯. 우나무노의 희비극이 전하는 심오한 의미들, 그리고 지성과 감성, 믿음과 이성 간의 갈등을 고민한 철학자의 사상 세계가 펼쳐진다. 창조적인 아이디어와 재치로 가득한 우나무노의 메타픽션은 철학이 흥미로운 것임을 보여 준다.

▶ 산다는 것은 자신의 소설을 쓰는 일이다. ─**미겔 데 우나무노**

122 나사의 회전

The Turn of the Screw Henry James

헨리 제임스 최경도 옮김

헨리 제임스 최초의 심리 소설이자 손꼽히는 유령 소설
인간의 복합적인 심리와 선악의 갈등, 숨겨진 진실을 탐색하는 놀라운 작품

영국의 한 저택에서 가정 교사로 일하던 젊은 여성이 유령을 목격한다. 그녀는 순진무구하며 아름답기 이를 데 없는 아이들을 유령으로부터 보호하기 위해 고군분투한다. 『나사의 회전』은 "현대 심리 소설의 선구자"라는 평가를 받아 온 헨리 제임스의 작품으로, 소설 전체가 거미줄처럼 얽힌 수많은 복선으로 덮여 있어 팽팽한 긴장감을 자아낸다. 전통적인 유령 이야기의 플롯에서 벗어난 이 소설은 유령의 실체에 대한 논란을 불러일으키는 등 모호함으로 가득하다. 제임스는 작품 속 한 인물의 시점을 통해 다른 등장인물의 행동이나 심리를 묘사함으로써 각 인물의 심층을 깊숙이 파고든다. 이러한 서술 기법은 '의식의 흐름' 수법에서 선구적이었으며, 버지니아 울프, 제임스 조이스 등에게 커다란 영향을 끼쳤다.

▶ 이 책을 읽는 우리는 명명할 수 없는 그 무엇, 우리 안의 그 무엇을 두려워하게 된다. 헨리 제임스는 우리의 내면을 지배한다. ― **버지니아 울프**

▶ 사악한 위협이 풍기는 불길한 공기와 엄습하는 공포를 탁월하게 묘사한 작품.
 ―**H. P. 러브크래프트**

---

123 피츠제럴드 단편선 1

F. Scott Fitzgerald F. Scott Fitzgerald

F. 스콧 피츠제럴드 김욱동 옮김

1920년대 미국 '길 잃은 세대'의 대중적이고도 예술적인 자화상
피츠제럴드의 문학 세계와 가치관이 고스란히 담긴 대표 단편선

이 책에 실린 작품들은 피츠제럴드가 쓴 160여 편의 단편 중 미국 단편 소설의 수준을 한 단계 높인 피츠제럴드 문학의 결정판이다. 작품의 주인공들은 하나같이 물질적 성공과 젊음과 아름다움을 얻으려고 온갖 수단과 방법을 가리지 않는다. 「오월제」나 「다시 찾아온 바빌론」에서 주인공들은 금전적 몰락으로 결국 파멸에 이른다. 그러나 다른 한편 이들은 삶의 약속과 희망에 대한 꿈과 환상을 포기하지 않는다. 「기나긴 외출」에서 킹 부인은 자신을 데리러 오다 교통사고로 죽은 남편을 매일같이 기다린다. 이처럼 피츠제럴드의 주인공들에게 환상과 꿈은 고통스럽고 비참한 삶에서 그들을 구원해 주는 마력을 지닌다.

▶ 나는 장편 소설을 구상하듯이 모든 단편 소설을 구상하며, 작품을 쓰는 데 특별한 감정과 특별한 경험을 필요로 한다. ─F. 스콧 피츠제럴드

▶ 피츠제럴드의 단편 작품은 재미있으면서도 진지하고, 대중적이면서도 예술적이다.
─김욱동, 「작품 해설」에서

"F. 스콧 피츠제럴드"의 다른 책들

124 목화밭의 고독 속에서

Dans la Solitude des Champs de Coton Bernard-Marie Koltès

베르나르마리 **콜테스** 임수현 옮김

베케트의 뒤를 잇는 20세기 프랑스의 마지막 극작가 콜테스
욕망과 잔혹함 혹은 욕망의 잔혹함이 그려 내는 현대인의 초상

콜테스는 1990년대 이래로 프랑스 작가 중 국외에서 그 작품이 가장 많이 공연되고 있는 작가다. 콜테스의 주인공은 반항적이며 무일푼인 도시의 영웅으로, 언제나 주변인의 시각에서 이 세상에 가득한 불의와 폭력과 욕망을 거친 언어로 비판한다. 이렇게 비속어가 넘쳐 나는 그의 작품은 그럼에도 불구하고 여전히 지적이며, 비평가들의 찬사와 함께 대중들의 열렬한 호응까지 불러일으켰고 연출가의 그늘에 가려졌던 극작가의 존재를 다시 한번 프랑스 연극 무대 앞으로 불러냈다. 콜테스는 일체의 지문이나 무대 장치 설명이 배제된 독특한 텍스트를 통해 사뮈엘 베케트의 뒤를 이어 인간 존재에 대한 실존주의적 탐구를 보여 준다.

▶ 콜테스는 지하 세계 신화의 창조자이며, 패배자들과 외로운 늑대들의 영웅, 완전히 새로운 희곡 쓰기의 개척자다. ─《더 타임스》
▶ 콜테스의 작품은 우리 시대의 고전이다. ─《르 몽드》

125 돼지꿈

황석영

**암울한 현실을 돌파하려는 탁월한 작가 의식이 그려 낸
리얼리즘 미학의 정점, 황석영의 중단편 아홉 편**

1970년에 등단한 황석영은 초기에는 탐미주의적 경향을 보였으나 1971년 발표한
「객지」를 통해 리얼리즘에 바탕을 둔 민중적 차원에서의 현실 파악이라는 입장을
굳건히 하였다. 1970년대 산업화 시대의 어두운 이면과 착취당하는 노동자의 모습
을 그린 「객지」, 오랜 떠돌이 생활을 벗어나 고향을 찾아가는 이들의 여정을 그린
「삼포 가는 길」, 공장 노동자와 철거민의 삶을 다룬 「돼지꿈」 등에서 황석영은 화려
한 현실로부터는 소외되었으나 바로 그렇기 때문에 더욱 진정한 삶의 가치를 찾고
자 하는 사람들의 '귀향길'을 그려 냈다. 여기에는 공장 건습공으로, 공사장 일용 노
동자로, 문화 운동가로 뛰어다니며 민중의 삶을 함께한 작가 황석영의 체험이 그대
로 녹아들어 있다.

▶ 고통을 지나치길 거부하는 글쓰기, 그러나 동시에 파멸에 굴복당하길 또한 거부하는
글쓰기. 작가라면 누구에게나 위대한 도전에 될 이러한 글쓰기를 황석영은 성취하고
있다. —《르 피가로 리테레르》
▶ 황석영은 근래 프랑스에 소개된 한국 작가 중 가장 확고한 신념을 가지고 있으며 의욕적인
작가이다. —《리베라시옹》

126 라셀라스

The History of Rasselas, Prince of Abyssinia Samuel Johnson

새뮤얼 존슨 이인규 옮김

영국을 대표하는 18세기 계몽주의 시대 최고의 문인
절대적 행복의 환상을 비판하는 새뮤얼 존슨의 풍자적 산문

『라셀라스』는 비평뿐 아니라 풍자시, 희곡, 산문 등 다방면의 장르에서 두루 재능을 드러낸 새뮤얼 존슨의 창작물 중 가장 깊이 있는 성찰을 선보이는 완성도 높은 작품이다. 부족한 것이 없는 '행복의 골짜기'에 사는 아비시니아(에티오피아의 옛 지명)의 왕자 라셀라스는 자신을 둘러싼 행복에 의심을 품고 '골짜기 너머의 삶' 속에서 벌어지는 인간들의 일반적인 운명을 탐색하기로 한다. 새뮤얼 존슨은 이 지적 순례를 이집트 변방과 카이로를 유랑하며 만나는 많은 군중과 라셀라스 왕자 일행이 벌이는 대화 형식으로 구성했다. 이러한 간접적 체험으로서의 대화 범위는 과학 기술에 수반되는 윤리적 문제에 대한 이성적 사유부터 인간의 이성과 상상력이 지닌 불확정성, 인간관계의 사회적 가치 등에까지 이른다.

▶ 존슨 박사는 영국 최초의 본격 문인으로 그의 모든 작업은 영국 문학과 비평계의 전통 그
   자체다. ― 컬럼비아 백과사전
▶ 존슨은 『라셀라스』 하나만으로도 문학계에서 불멸의 이름을 얻었다. ―《르 피가로 리테레르》

127 리어 왕

King Lear William Shakespeare

- 《뉴스위크》 선정 100대 명저
- 서울대 권장도서 100선

윌리엄 셰익스피어 최종철 옮김

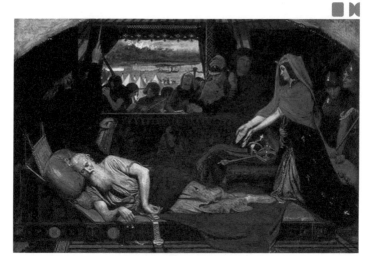

인간의 고통에 대한 가장 원숙하고도 냉혹한 성찰
셰익스피어 '4대 비극의 비극', 서구 문학의 가장 위대한 성취

셰익스피어의 희곡 중 배경이나 주제 면에서 가장 압도적인 규모의 작품인 『리어 왕』은 절대적인 허무와 강렬한 고통의 체험을 그리고 있을 뿐 아니라, 신의 섭리를 통한 어떠한 구원의 빛도 제시하지 않고 있다는 점에서 '비극의 비극'이라 불릴 만하다. 특히 모든 권위를 잃고 광기에 휩싸인 리어 왕과 자식의 사랑을 알아보지 못하는 눈먼 글로스터가 만나는 장면은 셰익스피어의 연극 중 가장 극적이면서도 인상적인 장면이다. 리어 왕과 그의 막내딸 코딜리아, 글로스터 백작과 그에게 헌신적인 사랑을 드러내는 아들 에드거라는 두 인물군이 각각 주줄거리와 곁줄거리를 형성하고 있는 이 극은 『햄릿』과 함께 인간 본성과 그 내면에 대한 가장 원숙하면서도 냉혹한 성찰을 담고 있다.

▶ 만일 우리가 한 작품만 빼고 그의 모든 희곡을 잃게 될 운명이라면 그를 가장 잘 알고 아끼는 사람들 대다수가 『리어 왕』을 간직하고자 할 것이다. — **A. C. 브래들리**

▶ 리어야말로 셰익스피어가 그려 낸 인물 가운데 가장 장엄하고도 압도적인 인물이다.
  — **해럴드 블룸**

민음사 세계문학전집

128·129 쿠오 바디스

Quo Vadis Henryk Sienkiewicz

● 노벨 문학상 수상 작가

헨리크 시엔키에비치 최성은 옮김

폴란드를 대표하는 역사 소설의 거장 헨리크 시엔키에비치
혼돈한 시대의 영원한 화두, 쿠오 바디스 도미네(주여 어디로 가시나이까)

총 74장과 에필로그로 구성된 『쿠오 바디스』는 역사적 플롯과 낭만적 플롯이 씨줄과 날줄로 정교하게 짜인 대하 역사 소설이다. 네로 시대 말기인 AD 63~68년 로마를 배경으로 하는 이 소설에는 몰락해 가는 구시대 로마의 세계관과 새롭게 부상하는 신흥 종교 사상인 기독교 사이의 팽팽한 갈등과 대립, 그리고 그 변화 양상이 이분법적 구조로 선명하게 드러나 있다. 시엔키에비치는 이 작품을 통해 진리의 힘은 불멸이라는 것, 아무리 심한 박해와 수난도 사랑과 신앙의 힘으로 극복할 수 있다는 신념을 인류에게 일깨워 주려 했다. 민음사의 『쿠오 바디스』에는 폴란드 출신 화가 얀 스티카가 그린 「쿠오 바디스 연작」을 화보로 실어 작품의 이해를 도왔다.

▶ 헨리크 시엔키에비치는 서사 작가로서 뛰어난 장점을 지녔다. 무엇보다 로마의 대화재와 원형 경기장의 피비린내 나는 광경의 묘사는 필적할 이가 없다. ─ 스웨덴 한림원 노벨상 선정 이유

▶ "쿠오 바디스 도미네." 사도 베드로가 그리스도에게 던졌던 이 절박하고 심오한 물음은 이 책을 통해 혼돈의 시대를 향해 던지는 영원한 화두로 자리 잡게 되었다.
  ─ 최성은, 「작품 해설」에서

130 자기만의 방

A Room of One's Own Virginia Woolf

버지니아 울프 이미애 옮김

20세기 페미니즘 비평의 선구자 버지니아 울프
여성 작가들을 다룬 최초의 문학사, 여성 문학 비평의 정전

버지니아 울프는 묻는다. 왜 항상 남성들만이 권력과 부와 명성을 가지는가. 그리고 주장한다. 만약 여성이 두 가지 열쇠만 찾는다면 훗날 여성 셰익스피어가 나오리라고. 그 열쇠는 바로 고정적인 소득과 자기만의 방이다. '여성과 픽션'을 주제로 글을 쓰기 시작한 울프는 「자기만의 방」에서 제인 오스틴, 조지 엘리엇, 에밀리 브론테 등 여성 작가들의 작품을 고찰하고, 그들이 제한된 경험과 인습적 통제로 뒤틀린 작품을 쓸 수밖에 없었던 현실을 발견한다. 그리고 여성의 창조성이 가난과 억압에 얽매이지 않을 미래를 그려 본다. 「3기니」에서는 여성을 소외시킨 역사로 인해 도리어 여성들이 정치적, 문화적 정체성을 확립하고 파시즘과 전쟁에 대립하는 정신을 가지게 되었다고 이야기한다.

▶ 「자기만의 방」에서 울프는 논리만큼 풍부한 상상력으로, 해박한 만큼이나 위트 있게, 그야말로 진정한 소설가의 능력을 발휘하며 성(性)을 논한다. ─《뉴욕 타임스》

▶ 「3기니」에서 울프는 하나의 바다로 이르는 두 개의 생각을 따른다. 그것이 다다른 바다는 우리 중 누구도 알지 못했던 더 낫고 더 건전하며 더 안전한 인간 문명이다.
─《뉴욕 타임스》

"버지니아 울프"의 다른 책들

131 시르트의 바닷가

Le Rivage des Syrtes Julien Gracq

쥘리앵 그라크 송진석 옮김

현존 최고의 프랑스 작가 쥘리앵 그라크의 공쿠르 상 수상작
현실주의적인 꿈과 경이로움을 담은 독특한 문학 세계

20세기 프랑스 문학의 독보적 존재인 쥘리앵 그라크의 대표작『시르트의 바닷가』는 가상의 국가 오르세나를 무대로 펼쳐진다. 시르트해 건너편 이웃 국가 파르게스탄과의 전쟁은 300년 전부터 휴전에 들어갔고, 온 나라는 과거의 영광을 추억하며 현재의 쇠락을 스스로에게 숨기고 있다. 권태로운 일상에 환멸을 느낀 젊은 귀족 알도는 겉보기에만 평화로운 이 무기력한 혼수상태를 벗어나기 위해 마침내 위험한 행동을 감행하기에 이른다. 사람들은 오지 않는 사건, 전쟁을 막연히 기다린다. 그 사건 자체는 중요하지 않다. 이 작품이 그리는 것은 전쟁이 아니라 적막과 기다림, 공허한 낮과 밤의 연속이다. 이야기는 최면을 걸듯 꿈과 같이 유기적으로, 그리고 본능적으로 뻗어 나간다.

▶ 그라크는 현존하는 가장 위대한 프랑스 작가다. — **미셸 투르니에**
▶ 나는 그라크에게서 내가 느끼되 그려 내지 못한 어떤 느낌들을 발견한다. 그는 침술가의 예리한 솜씨와 감수성으로 그것들을 표현한다. — **파트리크 모디아노**

132 이성과 감성

Sense and Sensibility Jane Austen

제인 오스틴 윤지관 옮김

분별 있는 사랑과 열정적인 사랑, 두 자매를 통해 깨닫는 사랑의 진실
재산과 사회적 지위가 사랑까지 지배하는 시대에 대한 은근한 풍자와 유머

『이성과 감성』은 제인 오스틴이 열아홉 살 때 썼던 장편 소설 『엘리너와 메리앤』을 개작한 작품으로, 엘리너와 메리앤 자매의 로맨스를 중심으로 서로 다른 방식의 사랑을 보여 준다. 엘리너는 합리적이며 이성적이고, 메리앤은 정열적이고 감성적이다. 늘 사회적 관습과 자존심에 따라 분별 있게 '생각하는' 사랑과 모든 것을 버리고 모두의 눈을 개의치 않는 '행동하는' 사랑, 이 로맨스는 둘 다 고통을 겪게 되고, 그 과정에서 두 여인은 서서히 사랑의 진실에 눈뜬다. 제인 오스틴은 사랑과 결혼이라는 소재를 다양한 계급과 성격의 주인공들에게 투영함으로써 "사랑과 결혼의 문제에서 외적 조건을 중시하는 전통적인 규범과 개인의 성품과 선택을 중시하는 새로운 가치관의 충돌"을 이야기한다.

▶ 일상의 갖가지 곡절과 감정과 성격을 묘사하는 데 탁월한 재능을 가진 작가. — **월터 스콧**
▶ 얼핏 제인 오스틴의 기법과 소재가 낡고 과장되고 비현실적인 것처럼 보이지만, 이것은 나쁜 독자들의 착각이다. — **블라디미르 나보코프**

"제인 오스틴"의 다른 책들

133 바덴바덴에서의 여름

Лето в Бадене Леонид Цыпкин

레오니드 치프킨 수전 손태그 서문, 이장욱 옮김

19세기와 20세기를 오가는 20세기 러시아 문학의 잃어버린 걸작
대문호 도스토옙스키와 불운한 작가 치프킨의 소설적 만남

'현재'의 어느 겨울, 화자는 도스토옙스키가 죽기 전 마지막으로 살았던 곳을 찾아 레닌그라드로 향하고, 이 '순례'는 바덴바덴에서 보낸 도스토옙스키의 여름으로 거슬러 올라간다. 1867년, 갓 결혼한 도스토옙스키 부부가 독일의 휴양지 바덴바덴으로 향하고 있다. 바덴바덴에서 보낸 여름은 도스토옙스키의 가장 어둡고 우울한 시기로, 도박과 쌓여 가는 빚, 징역의 후유증, 죽음의 문턱을 오가는 간질 발작으로 얼룩진 시절이었다. 치프킨은 그들의 여정을 따르며 당시 도스토옙스키가 느꼈을 좌절, 편집증과 몽상적인 환희를 새롭게 그려 낸다. 처음 세상에 나왔을 때 이 작품은 "간결하고 시적인 걸작", "눈을 뗄 수 없는, 가슴 깊숙이 감동을 주는 신비로운 작품"이라는 평을 받았다.

▶ 나는 이 책을 지난 한 세기의 소설과 범소설들 가운데 가장 아름답고 뛰어나며 창조적인 성취를 이룬 작품에 포함시키고 싶다. **— 수전 손태크, 「서문」에서**

▶ 이 얇은 책은 20세기 러시아 문학에 대한 우리의 생각을 바꾸어 놓았다.
—《워싱턴 포스트》

134 새로운 인생

Yeni Hayat Orhan Pamuk

● 노벨 문학상 수상 작가

오르한 파묵 이난아 옮김

작품성과 대중성, 세계성을 동시에 획득한 오르한 파묵의 로드 소설
낯선 양식으로 그려 낸 '새로운 인생의 의미 찾기'

인생을 바꿔 놓은 책 한 권을 우연히 만나기 전까지, 오스만은 이스탄불의 평범한 공대생이었다. 어느 날 아름다운 여학생 자난을 보고 그녀가 들고 다니던 책을 구해 읽은 뒤, 오스만은 일순간에 그 책에 사로잡힌다. 얼마 지나지 않아 그 책의 또 다른 추종자이자 자난의 연인 메흐메트를 만나지만 메흐메트는 갑자기 사라지고, 자난과 그녀를 사랑하게 된 오스만은 그를 찾아, 그리고 책이 안내하는 '새로운 인생'을 찾아 기나긴 버스 여행을 시작한다. 오르한 파묵은 이 작품에서, 잃어버린 낙원을 향한 동경, 근대성의 피투성이 상처에 관한 기록, 전통적인 가치들을 겨냥한 서구의 "거대 음모"를 긴 호흡의 시적인 문장을 통해 시각적으로 그려 낸다.

▶ 위대한 양식을 지닌 상상적 서술자. — 《르 몽드》

▶ 이 소설은 극단적인 자의식 소설이며, 모호하고 반사실적인 등장인물과, 인지할 수 있는 모든 장치들이 끊임없이 숨기는 아주 작은 플롯들의 실타래를 가진 소설이다.
　 — 《뉴욕 타임스》

"오르한 파묵"의 다른 책들

오르한 파묵
Orhan Pamuk

1952년 터키의 이스탄불에서 태어나, 이스탄불의 명문 고등학교인 로버트 칼리지를 졸업하고 이스탄불 공과대학 건축학과에 진학하지만 자신에게 이야기꾼의 재능이 더 많음을 깨닫고 작가가 되기로 결심한다. 결국 학교를 자퇴하고 소설 쓰기에 전념하여 첫 작품인 『제브데트 씨와 아들들』로 《밀리예트 신문》 소설 공모에 당선된다. 1982년에 출간된 이 작품으로 그는 터키의 대표적 문학상인 '오르한 케말 소설상'을 수상하며 터키 문단의 주목받는 젊은 작가로 떠오른다. 두 번째 소설 『고요한 집』(1983)으로 '마다라르 소설상'과 프랑스에서 주는 '1991년 유럽 발견상'을 받았고, 『하얀 성』(1985)을 발표하면서 파묵은 세계적인 작가의 대열에 들기 시작한다. 『새로운 인생』(1994)은 터키 문학사상 가장 많이 팔린 소설이라는 기록을 세웠고, 『내 이름은 빨강』은 35개국 독자들에게 그를 알리며 2002년 프랑스 '최우수 외국 문학상', 2003년 이탈리아 '그란차네 카보우르 상', 2003년 '인터내셔널 임팩 더블린 문학상' 등을 그에게 안겨 주었다. 2002년에 발표한 『눈』은 20여 개국에서 번역 출간되었다. 문명 간의 충돌, 이슬람과 세속화된 민족주의 간의 관계 등을 주제로 작품을 써 온 파묵은 2006년 "문화들 간의 충돌과 얽힘을 나타내는 새로운 상징들을 발견"했다는 평가를 받으며 노벨 문학상을 수상했다.

135·136 무지개

The Rainbow David Herbert Lawrence

D. H. 로렌스 김정매 옮김

**급격한 산업화의 소용돌이 속에 변화해 가는 남녀 관계의 역학 구조를
성(性)을 통해 조명한 브랑윈가의 대서사시**

시골에서 농장을 경영하던 브랑윈가는 삼대에 걸쳐 점차 도시로 이주한다. 도시로의 이주는 곧 의식의 변화를 가져온다. 특히, 더 많은 교육을 받게 된 여성들은 평범한 농사꾼의 아내에서 자아실현을 추구하는 직업여성으로 발전해 가고 이러한 자의식의 성장은 육체관계를 포함한 남녀 관계에서도 여성이 지배적인 역할을 하게 만든다. 대학 졸업 후 초등학교 교사가 된 브랑윈가의 손녀 어슐라는 최초의 현대적 여성이다. 그러나 그녀는 원치 않았던 임신과 실연, 유산의 아픔을 차례로 겪는다. 어느 날 병상에서 창밖을 내다보던 그녀는 무지개를 발견한다. 갖은 시련을 겪은 어슐라의 눈앞에 나타난 무지개는 앞으로 그녀의 앞날에 희망이 가득할 것임을 암시한다.

▶ 로렌스에겐 일상적 경험의 숨어 있는 본질을 끌어내는 천재성이 있다. ─**아나이스 닌**
▶ 대담하고 탁월하다. 무모할 정도로 야심적이고 열정적인 작품. ─《**인디펜던트**》

"D. H. 로렌스"의 다른 책들

137 인생의 베일

The Painted Veil William Somerset Maugham

서머싯 몸 황소연 옮김

인생에 대한 서머싯 몸 특유의 깊은 통찰이 돋보이는 또 다른 걸작
진정한 사랑, 용서와 화해, 삶의 의미를 되짚는 감동적인 대서사시

아름답고 명랑한 키티는 나이에 쫓겨 도피하듯 결혼하고, 지루한 삶에 활력을 주는
매력적인 유부남 찰스 타운센드에게 빠져든다. 그러나 불륜 사실이 만천하에 드러
나자 찰스는 키티를 배신한다. 아내의 부정을 알게 된 세균학자 월터는 아내 키티
를 협박해 콜레라가 창궐한 중국 오지로 데려간다. 서머싯 몸은 학창 시절 단테의
「신곡」 연옥편에 나오는 피아의 이야기에 매료되었고, 중국 여행 경험을 토대로 세
련되고 현대적인 20세기 피아 이야기를 창조했다. 『인생의 베일』은 허영과 욕망이
라는 굴레를 극복해 나가는 키티의 힘겨운 성장을 통해 진정한 사랑, 용서와 화해,
그리고 삶의 의미를 되짚는 감동적인 러브 스토리다.

▶ 키티는 사방에 깔린 죽음의 공포와 싸우는 과정에서 다양한 인간의 삶과 가치관을 체험
하고 편협했던 시각에서 벗어나 정신적으로 성장한다. ─ 황소연, 「작품 해설」에서

138 보이지 않는 도시들

Le città invisibili Italo Calvino

이탈로 칼비노 이현경 옮김

화석화된 현실에 생기를 불어넣는 환상적인 언어
선과 악, 질서와 혼돈이 공존하는 도시에 대한 한 편의 시와 같은 소설

정원에 나이 든 쿠빌라이 칸과 젊은 마르코 폴로가 앉아 있다. 퇴락해 가는 제국 타타르의 황제와 베네치아의 여행자. 쿠빌라이 칸의 청에 따라 마르코 폴로는 자신이 여행했던 도시들의 이야기를 풀어놓는다. 두 사람이 주고받은 가상의 대화는 마법과 같은 시간의 도시들을 눈앞으로 불러낸다. 도시와 기억, 욕망, 죽음, 기호, 교환, 눈에 관한 이야기가 몽환적인 분위기로 이어지고, 그 이야기는 서서히 우리가 살았고 살고 있는 모든 도시의 모습을 드러낸다. 『보이지 않는 도시들』은 이탈로 칼비노의 후기 대표작으로, 그의 소설 가운데 가장 아름다운 작품으로 꼽힌다. 이곳저곳으로 뻗어 나가는 스케치들은 도시를 심리적, 물질적, 감각적 상태로 그리며, 공간이 어떤 의미를 가지는지에 대한 통찰을 보여 준다.

▶ 자연스럽게 흐르는 시적 문장들 속에서 통찰과 환상이 완벽하게 조화를 이루고 있다.
  ─《옵서버》
▶ 미묘하고 아름다운 명상. ─《선데이 타임스》

139~141 연초 도매상

The Sot-Weed Factor John Barth

● 《타임》 선정 현대 100대 영문소설

존 바스 이운경 옮김

가장 재미있는 포스트모더니즘 소설가 존 바스의 대표작
소설과 허구의 모호한 경계를 넘나들며, '고갈'된 기존 문학에 반기를 든 작품

이 소설은 실존 인물 에브니저 쿠크가 「연초 도매상」이라는 서사시를 남기기까지의 여정을 작가가 독창적으로 가공하고 철저하게 재구성한 작품이다. 17세기 후반, 메릴랜드주에 있는 아버지의 연초(담배) 농장을 관리하기 위해 영국에서 아메리카로 가게 된 쿠크는 계관 시인이자 평생 동정을 지키기로 맹세한 숫총각의 정체성을 지키기 위해 고군분투한다. 그러나 해적과 인디언, 매춘부, 무장한 폭도에 둘러싸인 상황에서 '시인이자 숫총각'인 그는 오히려 우스꽝스러운 상황만 연출할 뿐 일은 뜻대로 되지 않고, 연초 농장이 있는 몰든을 향하는 여정 내내 기괴한 상황에 맞닥뜨려 예상치 못한 모험을 하게 된다.

▶ 바스는 엄청나게 풍부한 언어로 전통 영문학의 수사학과 미국의 자기 평가에 대해 지독하게 흥미로운 해석을 내린다. —《타임》
▶ 오늘날, 바스만큼 상상의 원천이 풍부하고 내러티브의 본질에 대한 이해가 깊은 작가는 없다. —《로스엔젤레스 타임스》

"존 바스"의 다른 책들

142·143 플로스강의 물방앗간

The Mill on the Floss George Eliot

조지 엘리엇 한애경, 이봉지 옮김

인간의 내면을 탐구한 심리적 리얼리즘의 선구자
빅토리아 시대의 가부장적 질서를 예리하게 비판한 페미니즘 문학의 고전

플로스 강가의 돌코트 물방앗간 주인 털리버 일가가 일순간에 파산하자, 현실적이
고 자기주장이 강한 아들 톰이 집안을 다시 일으키고자 한다. 반면 순종적인 여성
성만을 강요당하던 딸 매기는 무력감과 분노를 느끼다가 아버지의 사업을 망하게
한 장본인의 아들이자 장애인인 필립과 사랑에 빠진다. 『플로스강의 물방앗간』은
조지 엘리엇의 자전적 소설로, 그녀가 어린 시절에 느꼈던 애정 결핍과 여성으로서
겪은 사회적 갈등이 이 작품의 원천이 되었다. 순종적이고 예쁘기만 한 전통적인
여주인공과는 달리 부조리한 현실에 맞서 모성애와 포용력으로 유토피아적인 화해
를 이루는 매기를 통해 엘리엇은 인간의 존엄성을 그려 낸다.

▶ 조지 엘리엇은 자연에 대한 사랑, 열렬한 상상력, 열광적인 시상, 빛나는 기지와 명상적
　 지혜를 지녔다. ─ **버지니아 울프**

▶ 근대 문학의 모든 것은 그녀에게서 시작되었다. ─ **D. H. 로렌스**

144 연인

L'Amant Marguerite Duras

마르그리트 뒤라스 김인환 옮김

프랑스 현대 문학의 대표적 여성 작가 마르그리트 뒤라스의 공쿠르 상 수상작
중국인 남자와의 광기 서린 사랑을 섬세하게 되살려 낸 자전적 소설

1929년 프랑스령 베트남. 메콩강을 건너는 나룻배 위에 홀로 서 있는 프랑스인 소녀는 조숙하고 독특한 분위기로 같은 배에 타고 있던 부유한 중국인 남자의 시선을 단번에 사로잡는다. 남자의 독신자 아파트에 안내되어 처음으로 욕망을 경험한 소녀는 가난한 식민지 생활과 비정상적인 가족에 대한 혐오감이 쌓여 갈수록 남자와의 관계에 더욱 몰입한다. 점점 광적인 욕망으로 치닫는 그들의 관계, 그리고 허무한 이별과 뒤늦게 깨닫는 사랑. 자신의 실제 경험들을 바탕으로 쓴 이 자전적 소설에서 뒤라스는 여러 시공간을 넘나드는 짧막한 문단들과 섬세하고 생생한 묘사를 통해 아련한 기억의 조각들을 하나하나 되살려 내고 있다.

▶ 뒤라스의 작품에서는 죽음과 고통이 텍스트의 거미줄이다. ─ 줄리아 크리스테바
▶ 『연인』의 아름다운 구절은 소리 내어 읽어 보아야 한다. 그래야만 작가가 작품 속에 비밀스레 숨겨 놓은 리듬과 운율, 문장의 호흡을 발견해 낼 수 있기 때문이다.
─ 프랑수아 누리시에

"마르그리트 뒤라스"의 다른 책들

145·146 이름 없는 주드

Jude the Obscure Thomas Hardy

토머스 하디 정종화 옮김

인습과 제도에 저항한 젊은이들의 처절하고 비극적인 사랑 이야기
『테스』의 작가 토머스 하디가 그려 낸 19세기 최고의 문제작

가난한 시골에서 태어난 주드는 학자와 성직자의 꿈을 이루기 위해 대도시 크라이스트민스터로 떠나고, 그곳에서 지적이며 아름다운 사촌 수 브라이드헤드와 사랑에 빠진다. 하지만 대학 당국은 가난하다는 이유로 주드의 입학을 불허하고 수는 절망에 빠진 주드를 버리고 교사와 결혼한다. 당시의 교육과 결혼 제도에 반기를 든 이 작품은 기성세대 논객들로부터 혹독한 공격을 받고 분서까지 당했으며, 하디는 그 충격으로 소설 쓰기를 그만두었다. 강렬한 비극적 주제를 운명론적 구도 속에서 엮어 낸 이 작품을 통해 하디는 주드의 처절하고 짧은 일생에 투영된 교육, 결혼, 종교 등 불합리한 제도와 인습을 날카롭게 비판하며 당시 사회에 경종을 울렸다.

▶ 『이름 없는 주드』는 인간적이고 성적인 욕구를 향한 정열을 다룬 소설이며, 이러한 정열이 사회에 의해 가슴 아프게 좌절되는 이야기이다. — **테리 이글턴**

▶ 수는 우리 문명이 빚어낸 최상의 산물로, 그녀는 우리를 두렵게 만든다. — **D. H. 로렌스**

"토머스 하디"의 다른 책들

147 제49호 품목의 경매

The Crying of Lot 49 Thomas Pynchon

● 《타임》 선정 현대 100대 영문소설

토머스 핀천 김성곤 옮김

포스트모더니즘 문학의 살아 있는 신화 토머스 핀천의 대표작

역사와 허구, 과거와 현재가 얽힌 무한한 세계가 펼쳐진다

미국의 평범한 중산층 가정주부 에디파는 옛 애인 피어스의 유산 관리인이 되어 캘리포니아주 남쪽 샌나르시소로 간다. 에디파는 피어스의 유산과 대면하는 과정에서 이 세계 너머 또 다른 세계가 존재할지도 모른다는 의심을 품기 시작하고, 약음기가 달린 나팔 기호와 「전령의 비극」이라는 연극을 실마리로 지금까지 알지 못했던 진실을 추적해 간다. 토머스 핀천은 "2차 세계 대전 이후 등장한 작가 중 가장 심오하고 성취도 높은 작품 세계를 보여 준다."라고 평가받는다. 특히 이 소설은 그의 작품 중에서도 가장 쉽고 재미있는 작품으로 꼽힌다. 대중문화를 패러디하고 역사적 사실을 비틀면서, 실체 없는 이 세계와 완벽한 소통이 불가능한 현실을 날카롭게 풍자하고 있다.

▶ 핀천은 과거의 악몽보다는 현재의 악몽을 다루기에, 그 필치가 경쾌하고 재미있다. 그래서 더욱 치명적이다. ― **살만 루슈디**

▶ 핀천이 만들어 낸 복잡한 상징은 제임스 조이스의 『율리시스』에 비견할 만하다.
― 《시카고 트리뷴》

148 성역

Sanctuary William Faulkner

● 노벨 문학상 수상 작가
● 퓰리처 상 수상 작가

윌리엄 포크너 이진준 옮김

노벨 문학상, 퓰리처 상 수상 작가 윌리엄 포크너의 문제작
죄악에 대한 불감증에 빠진 현대 사회 비판

술에 취한 남자 친구와 드라이브에 나선 여대생 템플은 도중에 자동차 사고를 당하는 바람에 밀주업자 구드윈의 집에서 하룻밤을 지내게 된다. 그날 밤 템플은 성불구자 포파이에게 옥수수 속대로 능욕을 당하고 템플을 보호하려던 토미는 포파이의 손에 살해된다. "미국 사디즘의 최고의 예"라는 평을 받은 이 작품에서 포크너는 폐쇄와 억압의 이미지, 성적 욕망 및 관음증 등을 통해 죄악에 대한 불감증에 빠진 부패하고 타락한 현대 사회를 강하게 비판한다. 또한 편협하고 속물적인 사회, 그 사회로부터 상처 입고 버림받은 사람들을 다룸으로써 부도덕한 미국 남부 상류 사회를 고발하며, 인간에 대한 신뢰와 휴머니즘의 역설적 표현을 통해 보편적인 인간의 모습을 규명한다.

▶ 헨리 제임스 이후 윌리엄 포크너만큼 미국 문학에 공적을 남긴 작가는 없었다.
  ── **존 F. 케네디**

▶ 포크너의 전 작품 가운데서 가장 격렬한 작품이다. ── **맬컴 카울리**

149 무진기행

김승옥

한국 문학의 새로운 가능성을 열어 준 첫 한글세대 소설가 김승옥
근대인의 일상과 탈일상을 감각적으로 표현해 낸 그의 대표 단편 10편

김승옥의 소설들은 기존의 도덕적 상상력과 윤리적 세계관의 굴레에서 벗어나 자유롭고 감각적인 시선, 기발하고 섬세한 묘사로 현실과 환상을 조화롭게 담아내면서 '전후 문학의 기적', '감수성의 혁명', '단편 소설의 전범' 등 한국 문학사상 가장 화려한 찬사를 받았다. 그의 작품에 사용된 언어적 기교들은 최초로 순우리말을 통해 이루어졌다는 점에서 한국 소설에 새로운 가능성을 불어넣는 계기가 되었고 한국 문학이 나아갈 방향을 제시하는 지침이 되기도 했다. 그뿐 아니라 1960년대 급격한 산업화 과정에서 나타난 속물주의와 출세주의에 물든 현실에 제대로 적응하지 못한 채 방황하는 소시민의 모습, 일상에 얽매인 채 고민하는 개인의 모습에 대한 그의 관찰과 탐구는 오늘날까지도 독자들을 매료시킨다.

▶ 김승옥의 소설은 1960년대 서울의 근대성을 자신만의 독특한 시각으로 첨예하게 문제 삼는다. '1960년대 문학의 기둥'이라는 찬사를 받는 김승옥의 소설은 한국 문학의 근대성 논의에서 뚜렷한 이정표 역할을 하고 있다. ─ **김미현(문학 평론가)**

150~152 신곡 지옥편·연옥편·천국편

La comedía di Dante Alighieri Inferno·Purgatorio·Paradiso Dante Alighieri

● 《뉴스위크》 선정 100대 명저
● 서울대 권장도서 100선

단테 알리기에리 박상진 옮김, 윌리엄 블레이크 그림

**선과 악, 죄와 벌, 정치와 종교, 문학과 철학, 신화와 현실
인간사의 모든 주제를 끌어안은, 인간의 상상력이 빚어낸 최고의 걸작**

부활절의 성(聖) 금요일을 하루 앞둔 목요일 밤, 서른다섯 살의 단테는 잠에서 깨어나 어두운 숲에서 길을 잃고 서 있는 자신을 발견한다. 세상의 온갖 악을 대면하고 두려움에 떨던 단테 앞에 평소 존경하던 로마 시인 베르길리우스가 나타난다. 금요일 저녁 그들은 지옥의 문 앞에 당도하고, 죽음 이후의 세계를 향한 일주일간의 순례가 시작된다. 시성(詩聖) 단테의 웅장한 서사시 『신곡』은 현실에 대한 비판서인 동시에, 중세의 모든 학문을 종합하고 호메로스와 베르길리우스의 고전 서사시 전통을 계승한 책이다. 여기에 플라톤, 아퀴나스, 역대 황제와 교황 등 실존 인물, 제우스, 오디세우스 등 신화적 존재, 성서의 인물인 유다와 솔로몬 등 수백 명이 등장해 천태만상 인간상을 보여 준다.

▶ 인간의 손으로 만든 최고의 것. ― **요한 볼프강 폰 괴테**

"단테 알리기에리"의 다른 책들

115_새로운 인생 박우수 옮김

153 구덩이

КотлованАндрей Платонов

● 《뉴스위크》 선정 100대 명저

안드레이 플라토노프 정보라 옮김

'러시아의 조지 오웰'로 불리는 플라토노프의 디스토피아 소설
인간을 전체의 일부로 전락시키는 집단화에 대한 통렬한 풍자

플라토노프는 러시아 혁명 이후의 소비에트 사회에서 시인으로, 소설가로 살아가
면서 스탈린이 추구하는 '집단화'에 회의적인 태도를 보였다. 당연히 그는 '비관주
의, 허무주의, 상징주의' 등으로 비난을 받았는데, 이런 상황에서도 변명을 하거나
체제에 순응하려 노력하지 않았다. 따라서 그의 주요 작품은 대부분 생전에 출간되
지 못했다. 사회주의 이상의 종말을 예고한 『구덩이』 역시 작품이 완성된 지 60년
만에 조국 러시아에서 출간될 수 있었다. 전체의 일부로 전락해 버린 인간을 풍자
하는 이 작품은 오웰의 『1984』나 헉슬리의 『멋진 신세계』와 같은 디스토피아 소설
에 영향을 미쳤다는 평가를 받는다. 또한 저명한 문학 평론가 해럴드 블룸은 『구덩
이』를 '20세기 서양 고전'으로 선정한 바 있다.

▶ 억압적인 체제가 양육한 분열된 의식에 대한 냉혹한 분석이며, 조국 러시아를 위한
  위대한 장송곡. —《퍼블리셔스 위클리》

▶ 플라토노프는 불합리하고 모순된 사회와 제도를 비판하면서도 인간 그 자체를 부정하지
  않고 측은함과 애정을 담아 감싼다. — 정보라, 「작품 해설」에서

154~156 카라마조프가의 형제들

Братья Карамазовы Фёдор Достоевский

● 서울대 권장도서 100선

표도르 도스토옙스키 김연경 옮김

대문호 도스토옙스키의 마지막 소설이자 최고의 소설
젊고 새로운 감각의 번역으로 탄생한 21세기의 『카라마조프가의 형제들』

카뮈, 카프카, 조이스, 울프, 프루스트, 헤밍웨이, 마르케스, 파묵 등 작가들뿐 아니라 니체나 프로이트 같은 철학자, 심리학자까지, 도스토옙스키가 20세기에 끼친 영향은 실로 막대한 것이었다. 특히 마지막 작품인 『카라마조프가의 형제들』은 그가 평생 고민하고 작품 속에서 그려 왔던 인간 존재의 근본 문제에 대한 그의 모든 문학적, 철학적 정수가 집약되어 있는 걸작이다. 민음사 『카라마조프가의 형제들』은 도스토옙스키 고유의 문체를 그대로 살려 그 호흡과 속도를 한국 독자들에게 그대로 전달하고 있다. 또한 러시아어의 존대법을 존중하여 작가가 표현하고자 했던 인물들 간의 친밀도 혹은 반대로 거리를 최대한 살리고자 했다.

▶ 도스토옙스키는 잊을 수 없는 장면들을 창조해 냈다. 사람들이 광기라 부르는 그 안에 그의 천재성의 비밀이 있다. — **제임스 조이스**

▶ 도스토옙스키는 모든 소설가 가운데 가장 위대하다. — **앙드레 지드**

"도스토옙스키"의 다른 책들

239_지하로부터의 수기 김연경 옮김 284·285_죄와 벌 김연경 옮김

384~386_악령 김연경 옮김

표도르 도스토옙스키

Фёдор Достоевский

1821년 10월 30일 모스크바의 마린스키 빈민 병원 의사의 둘째 아들로 태어났다. 페테르부르크 공병학교를 졸업했지만 문학의 길을 택한 뒤, 첫 작품 『가난한 사람들』(1846)로 당시 러시아 문단의 총아가 되었다. 1849년부터 공상적 사회주의의 경향을 띤 페트라솁스키 모임에 출입하기 시작했다. 여기서 고골에게 보내는 벨린스키의 편지를 낭독했다는 이유로 사형 선고를 받지만 극적인 순간에 사형 집행이 취소되어 유형을 떠나게 된다. 사 년간의 감옥 생활과 사 년간의 군 복무 이후, 잡지를 창간함과 동시에 그의 작품 세계에서 이정표가 된 『지하로부터의 수기』(1864)를 발표했다. 이어 지병인 간질병과 가난에 시달리면서도 『죄와 벌』(1866), 『백치』(1868), 『악령』(1872), 『카라마조프가의 형제들』(1880) 등 심리적, 철학적, 윤리적, 종교적 문제의식으로 점철된 최고의 걸작들을 남겼다. 1881년 1월 28일, 폐동맥 파열로 사망했으며 페테르부르크의 알렉산드르-네프스카야 대수도원 묘지에 안치되었다.

157 지상의 양식

Les nourritures terrestres André Gide

● 노벨 문학상 수상 작가
● 《뉴스위크》 선정 100대 명저
● BBC 선정 꼭 읽어야 할 책

앙드레 지드 김화영 옮김

순간에 천착하라! 욕망에 충실하라! 모든 정신적 굴레를 벗어 버려라!
최고의 불문학 번역가 김화영을 불문학이라는 일생의 업으로 기울게 한 작품

노벨 문학상 수상 작가 앙드레 지드의 사상적 자서전이자, 도피와 해방의 교과서인
『지상의 양식』이 최고의 불문학 번역가로 선정된 바 있는 불문학자 김화영의 번역
으로 출간되었다. 『지상의 양식』은 시, 일기, 여행 기록, 허구적인 대화 등 다양한 장
르가 통합된 형식으로, 지드가 아프리카 여행을 통해 모든 도덕적, 종교적 구속에
서 해방되어 돌아온 후 이때의 해방감과 생명의 전율을 노래한 작품이다. 지드는
욕망에 충실하고, 순간에 온 존재를 기울이며, 모든 정신적 굴레를 벗어 버리라고
말한다. 이 책은 감각으로 먼저 느껴 보지 못한 지식은 무용할 뿐이며, 머리로 배운
모든 것을 잊어버리고 비워 버리는 것이야말로 진정한 교육의 시작이라고 가르치는
역설의 교과서이다.

▶ 『지상의 양식』이 한 세대에 끼친 충격에 비견할 만한 것은 아무것도 없다. 이 책이
　감동시킬 대중을 발견하는 데 이십 년이 걸렸다. ─ **알베르 카뮈**

▶ 『지상의 양식』으로 우리의 영혼은 달라졌다. ─ **자크 리비에르**

158 밤의 군대들

The Armies of the Night Norman Mailer

● 퓰리처 상 수상 작가

노먼 메일러 권택영 옮김

퓰리처 상을 두 번 수상한 미국 현대 문학의 산증인 노먼 메일러의 대표작
평화 시위의 상징, 베트남 전쟁 반대 시위를 다룬 역사보다 역사적인 소설

"논쟁적이지 않으면 쓰지 않는다."라는 노먼 메일러는 뉴저널리즘 문학 형식을 확립하며, 현실에 날카롭게 반응하는 작가 정신의 본령을 되살렸다. 『밤의 군대들』은 1967년 10월 21일 펜타곤 앞에서 벌어진 베트남 전쟁 반대 시위를 다룬 작품으로, 작가 자신이 직접 시위에 참여해 하룻밤 동안 감옥에 구속되어 겪은 이야기를 풍자적으로 보여 준다. 노먼 메일러는 반전 구호 아래 모인 사람들 사이에서, 현대 사회의 축소판 한가운데서, 미국 사회와 이를 좇는 전 세계 국가들에 내재한 분열의 기운을 느끼며 이 기운이 전체주의로 흐를 수 있음을 경계한다. 이 작품은 베트남 반전 시위가 있은 이듬해인 1968년에 출간되어 퓰리처 상과 전미도서상을 수상했다.

▶ 한 인간이자 예술가인 노먼 메일러의 모든 면이 담겨 있는 특별한 책. —《뉴욕 타임스》
▶ 노먼 메일러처럼 타고난 작가만이 이렇게 지적이고 재기 넘치며 통찰력 있는 역사를 기록할 수 있다. —앨프리드 카진

"노먼 메일러"의 다른 책들

159 주홍 글자

The Scarlet Letter Nathaniel Hawthorne

● 서울대 권장도서 100선

너새니얼 호손 김욱동 옮김

미국 낭만주의 문학의 선구자 너새니얼 호손의 대표작
개인과 사회에 내재한 나약함을 날카로운 통찰력으로 형상화한 소설

17세기 미국 보스턴. 순수하고 신성한 유토피아를 꿈꾸는 청교도 마을에서 "간음하지 말라."라는 일곱 번째 십계명을 어긴 죄인으로, 헤스터는 '간통-(Adultery)'을 상징하는 글자 'A'를 평생 가슴에 달고 살아야 하는 형벌을 받는다. 『주홍 글자』는 헤스터와 그녀의 간통 상대인 딤스데일, 그리고 그녀의 전남편인 칠링워스 세 사람을 통해 죄악이 그들의 인생을 어떻게 파멸과 구원의 길로 이끌어 가는지 보여 준다. 출간 즉시 미국 문학에서 선구적인 위치를 차지하며 문단의 뜨거운 관심을 얻었을 뿐 아니라 당시 엄격한 청교도 사회에 적지 않은 파장을 일으켰던 작품으로, 그 안에 담겨 있는 상징들은 작품이 쓰인 당대를 뛰어넘어 오늘날까지도 신선한 의미로 다가온다.

▶ 어떤 다른 책도 이 소설처럼 심오하지도, 이중적이지도, 완전하지도 않다. — **D. H. 로렌스**
▶ 볼테르적인 아이러니와 프랑스적인 재치가 넘치는 작품. — **마르셀 프루스트**

"너새니얼 호손"의 다른 책들

14_**너새니얼 호손 단편선** 천승걸 옮김 282_**일곱 박공의 집** 정소영 옮김

160 깊은 강

深い河 遠藤周作

엔도 슈사쿠 유숙자 옮김

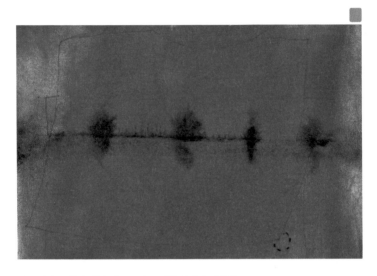

일본 전후 문학의 거장 엔도 슈사쿠 작품 세계의 집대성
선과 악이 혼재한 인간의 내면에 살아 숨 쉬는 신의 모습을 그린 역작

인생의 황혼기를 맞은 네 사람이 인도 단체 여행을 계기로 만난다. 각기 다른 사연을 품은 이들은 저마다 삶과 죽음의 의미를 찾아 인도로 간다. 불가촉천민부터 수상이었던 인디라 간디까지, 신분과는 상관없이 모든 이들을 품어 안는 갠지스강과 그곳에서 진정한 평화를 얻는 사람들을 보면서, 가슴에 상처를 안고 살아온 이들은 강한 인상을 받는다. 엔도 슈사쿠는 일본 전후 문학계 대표적인 작가로, 특히 종교적 문제, 신과 구원의 문제에 천착한 작품으로 잘 알려져 있다. 그는 어린 시절부터 가톨릭에서 큰 영향을 받아 왔지만, 그의 작품들은 종교 소설의 범주에만 머물지 않는다. 오히려 특정 종교의 벽을 뛰어넘어, 보편적 삶과 그 삶의 진실을 꿰뚫어보는 통찰력으로 독자들을 사로잡는다.

▶ 종교적인 관점에서 영혼의 재탄생을 그리면서, 현대인이 마주치는 삶의 공허함을 냉정하게 분석했다. ─《퍼블리셔스 위클리》
▶ 문학의 진정성에 대한 환기와 더불어 현대인의 정신적 공감을 이끌어 내는 가치를 발휘하고 있다. ─유숙자, 「작품 해설」에서

161 욕망이라는 이름의 전차

A Streetcar Named Desire Tennessee Williams

● 퓰리처 상 수상 작가

테네시 윌리엄스 김소임 옮김

현대 희곡의 거장 테네시 윌리엄스의 퓰리처 상 수상작
꿈과 현실, 이성과 욕망 사이를 줄타기하는 나약한 인간들의 초상

전형적인 미국 남부의 백인 블랑시는 집안 대대로 살아온 저택 '아름다운 꿈', 벨 리브를 잃은 뒤 '욕망'이라는 이름의 전차를 타고 뉴올리언스의 '극락'이라는 지역을 찾는다. 하지만 동물적인 본성만 지닌 남자 스탠리가 지배하는 그곳은 극락이 아니다. 블랑시는 꿈같은 과거에서 헤어지지 못한 채, 스탠리와 결혼해 현실에 적응한 동생 스텔라와 생활하며 서서히 파멸한다. 테네시 윌리엄스를 미국의 대표적인 극작가 반열에 올려놓은 작품으로, 사라진 영광에 연연하며 환상과 현실 사이에서 갈피를 잡지 못하는 인물과 현실에 철저하게 적응해 동물적으로까지 보이는 인물 사이의 극단적인 대립을 상징적인 무대 장치와 시적인 대사를 통해 감각적으로 보여 준다.

▶ 테네시 윌리엄스의 어떤 작품도 이보다 비극적일 수 없다. ─ **아서 밀러**

▶ 서정적이고 인간적이며 비극적이면서도 재미있다. ─ **프랜시스 포드 코폴라**

"테네시 윌리엄스"의 다른 책들

162 마사 퀘스트

Martha Quest Doris Lessing

● 노벨 문학상 수상 작가

도리스 레싱 나영균 옮김

불화의 세기, 폭력의 시대에 태어난 아이들이 그려 내는 이율배반적인 세계
한 소녀가 세상의 모순에 눈뜨면서 여인으로 변해 가는 과정을 그린 성장 소설

1차 세계 대전이 끝나고 스페인 내란이 일어나던 1930년대 아프리카의 어느 영국 식민지를 배경으로 영국 여성 마사 퀘스트가 자아를 발견하는 과정을 그린 이 작품은 레싱의 체험이 다분히 녹아들어 있는 자전적 소설이다. 스웨덴 한림원은 레싱이 "회의와 열정, 환상의 힘을 통해 분열된 현대 문명 세계를 응시하고 여성의 삶을 체험을 통해 풀어낸 서사 시인"이라며 노벨 문학상 선정 이유를 밝혔으며, 특히『마사 퀘스트』는 "'해방된 여성'의 심리와 상황을 적나라하게 묘사하고 있다."라고 극찬한 바 있다. 레싱은 이 소설을 통해 구세대와 신세대, 지배 세력과 피지배 세력 간의 불화의 세기인 20세기가 키워 낸 세대가 겪어야 했던 성장통과 그들이 발견한 새로운 세계를 그리고 있다.

▶ 대담하고 쾌활하며 비판적인 마사 퀘스트는 레싱이 그려 낸 가장 만족스럽고 복잡한 인물이다. ―《타임스》

▶ 여성의 성장을 깊이 있고 급진적으로 묘사하는 소설. ―《뉴욕 타임스》

"도리스 레싱"의 다른 책들

163·164 운명의 딸

Hija de la fortuna Isabel Allende

이사벨 아옌데 권미선 옮김

라틴 아메리카를 대표하는 세계적인 여성 작가 이사벨 아옌데의 야심작
진정한 자아, 진정한 자유를 개척해 나가는 한 여인의 대서사시

『운명의 딸』은 폭력과 탐욕이 지배하는 세계에서 자신의 운명을 새롭게 개척해 나가는 여인의 모습을 그리고 있다. 19세기 칠레의 무역항 발파라이소. 사생아로 태어나 엄격한 영국식 교육을 받으며 요조숙녀로 성장한 엘리사에게 번개처럼 다가온 사랑의 감정은 그녀의 운명을 송두리째 뒤바꿔 놓는다. 이사벨 아옌데 특유의 '마술적 리얼리즘'과 '에로티시즘'이 맛있게 버무려진 이 작품은, 독자들의 입맛을 충족시킬 신비롭고 매혹적인 세계를 창조해 낸다. 칠레의 근현대사와 캘리포니아의 '골드러시'를 배경으로 라틴 아메리카의 현실에 더욱 깊이 있게 접근한 한 편의 대서사시를 탄생시킴으로써, 아옌데는 작품 속에서 시대와 장소를 확장하는 문학적 전환을 시도한다.

▶ 눈부시다! 소설 밖으로 튀어나올 것 같은 인물들이 더할 수 없는 재미를 선사한다.
　　─《뉴욕 타임스》

▶ 천재 작가 이사벨 아옌데가 19세기의 삶에 생명을 불어넣어 손에서 놓을 수 없는 재미난 소설을 만들어 냈다. ─《로스앤젤레스 타임스》

"이사벨 아옌데"의 다른 책들

165 모렐의 발명

La Invención de Morel Adolfo Bioy Casares

아돌포 비오이 카사레스 송병선 옮김

바다 한복판 불가사의한 섬에서 펼쳐지는 비현실적인 로맨스
순간과 영원 그리고 환상의 여인과 사랑에 빠진 한 남자의 기묘한 이야기

전후 라틴 아메리카 소설의 절정의 문을 열었던 작가 아돌포 비오이 카사레스의 소설. 사형 선고를 받고 외딴섬으로 도망친 외로운 한 남자가 섬에 나타난 한 무리의 사람들을 보고 공포에 떤다. 몰래 그들을 훔쳐보던 어느 날 한 여인을 보고 사랑에 빠지는데, 아무리 가까이 다가가도 그녀는 그를 보지 않는다. 어찌 된 일인지 알기 위해 그는 위험을 무릅쓰고 사람들 속으로 들어간다. 비오이 카사레스는 인생의 아름다운 순간과 소유하고 싶은 대상을 기록해 불멸의 행복을 이루고자 하는 인간의 욕망이 기술의 힘으로 실현되었을 때, 그리고 다가갈 수 없는 여인에 대한 사랑이 극단으로 치달았을 때 어떠한 결과가 나오는지를 공상 과학과 판타지, 미스터리로 잘 버무려 보여 주고 있다.

▶ 스페인 문학에서 '합리적인 상상력의 소설'을 보여 준 최초의 작품. ― **보르헤스**
▶ 비오이 카사레스는 보르헤스와 더불어 우리 시대 문학의 위대한 장인이었다.
　　― **카밀로 호세 셀라**

166 삼국유사

● 서울대 권장도서 100선

일연 김원중 옮김

단군 신화를 비롯한 우리 민족 신화와 설화,
그리고 방대한 양의 불교와 민속 신앙 자료를 아우른 우리 고대 문화의 보고

무신 정권과 몽골의 침입 등 국내의 정세가 안팎으로 어수선하고 불안해지자, 일연은 오랜 연구 가운데 모아 온 자료들을 정리하여 민족의 자부심을 고취하고자 했다. 그리하여 우리나라의 역사를 자주적인 입장에서 이해하고 작자의 자유롭고 개성적인 상상력으로 해석해 낸, 다시 말해 민족 주체성의 토대 위에서 우리의 고대사를 바라본 최초이자 최고의 역사서를 탄생시켰다. 『삼국유사』는 '중화주의'나 '화이사상'에 물들어 있던 당시의 사회 풍토 속에서도 우리가 유구한 역사를 자랑하는 민족임을 드러내 주었을 뿐 아니라, 김부식의 『삼국사기』가 유학적 관점에 의해 의도적으로 배제한 탓에 후세에 알려지지 않았을 수도 있었던 불교적, 설화적 요소들을 보완해 내었다는 점에서 그 가치가 높다.

▶ 일연은 밝은 해가 비치는 태몽 끝에 태어난 사람이었다. 그러나 어두운 시대를 살아가며 끝내 그 밝음과 어둠을 하나로 보려 했던 사람이었다. — **고운기(한양대 문화콘텐츠학과 교수)**

167 풀잎은 노래한다

● 노벨 문학상 수상 작가

도리스 레싱 이태동 옮김

절망과 고독 속에서 스러져 가는 한 여인, 그리고 외면해 버리고 싶은 진실
누구도 정직하지 못했던 인종과 남녀 문제를 직시한 기념비적 소설

남아프리카에서 여러 직업을 전전하다 작가가 되기로 결심한 도리스 레싱은 『풀잎은 노래한다』의 원고를 가지고 영국으로 건너간다. 25년 동안 아프리카의 붉은 대지와 투명하도록 푸른 하늘 사이에서 굴곡진 인생을 살았던 그녀는 이 작품에서 그 자연만큼이나 난폭하고 거친 시대를 통찰해 들어간다. 스웨덴 한림원은 도리스 레싱을 노벨 문학상 수상자로 발표하면서 "『풀잎은 노래한다』는 사랑과 증오에 대한 비극인 동시에 결코 이어질 수 없는 인종 간의 갈등에 대한 연구이다."라고 평가한 바 있다. 이 소설은 출간 즉시 영국뿐 아니라 유럽과 미국에서 큰 반향을 일으키며 도리스 레싱이 작가로서 성장해 나가는 발판이 되었다.

▶ 이 책에는 열정, 꿰뚫는 듯한 정확함, 보기 드문 감수성, 그리고 힘이 있다. 놀라운 작품이다. ―《뉴욕 타임스》
▶ 무시무시한 재능이 전달해 내는 엄청난 감동. ―《타임스》

"도리스 레싱"의 다른 책들

168 파리의 우울

Le Spleen de Paris Charles Pierre Baudelaire

● 《뉴스위크》 선정 100대 명저

샤를 피에르 보들레르 윤영애 옮김

프랑스 현대 시의 아버지 보들레르의 독창적인 시 세계를 보여 주는 산문시집
영혼의 폐부를 찌르는 날카로운 시선으로 바라본 파리의 서글픈 삶

『파리의 우울』은 『악의 꽃』과 함께 보들레르의 독창적인 시 세계를 보여 주는 산문
시집이다. 그가 개척한 이 산문시라는 형식은 베를렌, 랭보, 로트레아몽, 말라르메
등 근대 상징파 시인들에게 커다란 영향을 끼쳤다. 파리의 고독한 산책자 보들레르
는 파리의 거리를 헤매는 모든 서글픈 암시들을 서정적 산문으로 그려 냈다. 속삭
이듯 파고드는 50편의 산문시들은 우리를 일종의 마술 미로 속에 집어넣고 그 속
에서 길을 찾아 헤매게 한다. 리듬과 각운이 없으면서도 충분히 음악적이며, 영혼
의 서정적 움직임과 상념의 물결침과 의식의 경련에 걸맞을 만큼 충분히 유연하면
서 동시에 거칠다. 결국 『파리의 우울』은 독특한 시적 진술에 의해 고유한 본질을
부여받는 시의 꿈, 그 탄생인 것이다.

▶ 하나의 진정한 문학적 사건! — **테오도르드 방빌**
▶ 보들레르는 자신의 존재 자체를 하나의 예술 작품으로 만들려 했다. — **미셸 푸코**

샤를 피에르 보들레르
Charles Pierre Baudelaire

'현대 시의 시조'라 불리는 보들레르는 1821년 프랑스 파리에서 태어났다. 명문 중학교에 기숙생으로 다니던 중 품행 문제로 퇴학을 당했고, 파리 법과 대학에 다니며 문학 친구들과 어울리면서 술, 마약, 여자에 탐닉하며 방탕한 생활을 했다. 성년이 된 후 막대한 유산을 상속받아 댄디 생활을 즐기다가 엄청난 빚더미에 앉아 결국 금치산 선고를 받았다. 1845년에 미술 비평 「1845년 미술전」을 시작으로, 여러 가지 문학 비평, 에세이 등을 발표했다. 1857년 시집 『악의 꽃』을 출간했으나 미풍양속을 해친다는 이유로 벌금과 시 6편 삭제라는 판결을 받았다. 『악의 꽃』과 함께 그의 독창적인 시 세계를 보여 주는 소산문시집 『파리의 우울』은 도시의 서글픈 삶에서 발견한 우울의 상징을 날카롭게 표현했다는 점에서 그가 추구하는 미학의 훌륭한 본보기다. 그 밖의 작품으로는 중편 소설 『라 팡파를로』, 에세이 『내면 일기』, 『인공 낙원』 등이 있으며, 에드거 앨런 포의 작품을 프랑스에 소개한 번역가로도 유명하다. 1866년부터 실어증과 마비 증세를 보이다가 1867년 8월 눈을 감았다. 낭만주의의 영향을 받고 낭만주의 물결 속에서 자라났지만 낭만파 시인들의 무절제한 감정 노출을 혐오하며 탈낭만주의를 선언했고, 예술은 현대적 삶의 통찰이며 그것의 직접적인 표현이어야 한다는 결론에 이른다. 랭보, 베를렌, 로트레아몽 등 상징파 시인들에게 커다란 영향을 끼쳤으며, 상징주의의 선구자로서 현대에까지 큰 영향을 미치고 있다.

169 포스트맨은 벨을 두 번 울린다

The Postman Always Rings Twice James M. Cain

제임스 M. 케인 이만식 옮김

어두운 현실을 있는 그대로 그려 낸 '누아르 소설'의 창시자
욕정과 탐욕으로 가득한 미국 사회를 냉철하게 포착한 작품

케인은 『포스트맨은 벨을 두 번 울린다』에서 모순으로 가득한 미국 사회 이면의 욕정과 탐욕을 냉정한 시선으로 그려 냈고, 이 작품은 대표적인 하드보일드 소설로 평가받는다. 일체의 감정을 배제한 채 마치 타블로이드 신문의 기사처럼 써 내려간 이 작품은 '누아르 소설' 장르의 문을 열었다는 평가를 받기도 한다. 그런 이유로 케인은 "타블로이드 살인 사건의 시인"이라 불린다. 또한 알베르 카뮈는 이 소설에서 영감을 받아 자신의 데뷔작이자 대표작 『이방인』을 썼다고 밝힌 바 있다. 『포스트맨은 벨을 두 번 울린다』는 비정한 현실에 몸서리치게 하면서도, 한편으로는 현실에서 도피하려는 낭만적인 정서를 느끼게 하는 묘한 매력을 지닌 소설이다.

▶ 그 누구도 케인처럼 해내지 못했다. 헤밍웨이도, 심지어 레이먼드 챈들러도.
  ─ **톰 울프**

▶ 케인은 짧은 소설 속에 탐욕과 성(性)에 대한 본능적인 충동을 그려 냈다. ─ 《뉴욕 타임스》

170 썩은 잎

La Hojarasca Gabriel García Márquez

● 노벨 문학상 수상 작가

가브리엘 가르시아 마르케스 송병선 옮김

라틴 아메리카를 대표하는 현대의 거장 가르시아 마르케스
그 '마술적 사실주의'의 원류를 생생하게 보여 주는 '마술적 데뷔작'

현대 라틴 아메리카를 대표하는 노벨 문학상 수상 작가 가르시아 마르케스의 문학 세계는 집필을 마친 뒤 칠 년여 동안 세상에 소개되지 않았던 이 비범한 첫 작품 안에 이미 구현되어 있다. 가상의 마을 마콘도, 거대한 시스템이 초래한 부정과 부패, 거부할 수 없이 치명적인 사랑과 죽음, 기나긴 세월 동안의 고독, 서로 다른 도덕과 경험이 부딪히며 만들어 내는 격렬한 순간, 이 모든 것이 시공간을 사용한 퍼즐 맞추기처럼 환상적이고도 생경한 풍경으로 독자의 마음을 사로잡는다. 마술적 사실주의의 지평을 열며 전 세계 독자들에게 또 하나의 '풍경'을 열어 보인 현대의 거장 가르시아 마르케스. 그의 이 문제적 데뷔작은 현실과 비현실의 경계 사이에서 완전히 새로운 문학의 정수를 보여 주고 있다.

▶ 우리 삶 가운데 실망스럽고 집요하게 계속해서 따라다니는 고독을 파헤친 작품.
—《뉴욕 타임스》

171 모든 것이 산산이 부서지다

Things Fall Apart Chinua Achebe

● 부커 상 수상 작가

치누아 아체베 조규형 옮김

45개 언어로 출간되어 800만 부가 넘게 팔린 아프리카 문학의 고전
폭력적인 서구 세력에 맞서 부족의 문화와 풍습을 지키려는 한 남자의 이야기

19세기 말 아프리카, 우무오피아 마을의 오콩코는 성격이 불같고 공격적이며 권위적이다. 그는 예기치 못한 실수로 마을에서 추방당하고 칠 년 후에야 마을로 돌아온다. 그가 돌아왔을 때 마을은 백인 교회를 중심으로 유입된 서구 문명 때문에 혼란에 휩싸여 있다. 오콩코는 이 거대한 백인 세력에 맞서 싸우기로 결심한다. 아프리카 원주민들이 지켜 오던 생활과 문화가 서구 세력의 침입에 의해 서서히 몰락하는 과정을 생생하게 묘사한 이 작품은 아프리카 탈식민주의 문학의 고전이다. 전통 사회를 폭력적으로 해체해 버린 제국주의 세력과 기독교에 대해 비판할 뿐 아니라 그에 대항하는 전통 사회의 나약함과 수동성을 지적하는 등 균형 잡힌 시각을 보여 준다.

▶ 세상을 전복시키는 힘이 있는 소설. ─《타임》
▶ 마법 같은 천재적 재능을 선물받은 작가. ─ **나딘 고디머**

"치누아 아체베"의 다른 책들

172 한여름 밤의 꿈

A Midsummer Night's Dream William Shakespeare

윌리엄 셰익스피어 최종철 옮김

잠과 꿈, 욕망과 상상력이 펼쳐 내는 또 하나의 마법 같은 세계
진실한 사랑을 찾는 연인들이 벌이는 한바탕 유쾌한 소동

셰익스피어 4대 희극 중 하나인『한여름 밤의 꿈』은 작가의 초기작에 속하는 희곡
으로, 꿈과 환상적인 요소가 많아 꾸준히 대중들의 사랑을 받으며 공연되어 왔다.
셰익스피어는 뛰어난 코미디 창작 능력으로 어긋난 사랑의 운명에 눈물 흘리는 젊
은 남녀와 이들에게 마법을 거는 요정들이 어우러져 벌어지는 소동을 유쾌하게 그
려 냈다. 대가의 넘치는 상상력은, 한바탕 곤욕을 치른 후 진정한 사랑에 눈뜨는 주
인공들을 통해 독자들에게 낙관적이고 희망 가득한 세계를 열어 보인다. '셰익스피
어 4대 비극'을 모두 운문 번역한 연세대 영문과 최종철 명예교수가 셰익스피어가
원래 쓴 운문 형식 그대로 우리말 운율을 살려 번역하였다.

▶ 단 하나의 결점도 없는, 셰익스피어의 첫 번째 걸작. ─ **해럴드 블룸**

173 로미오와 줄리엣

Romeo and Juliet William Shakespeare

윌리엄 셰익스피어 최종철 옮김

살아 있는 죽음을 통해 도달하는 죽음을 넘어서는 사랑
셰익스피어가 빚어낸 순수한 열정의 비극, 그 사랑의 모순 어법

셰익스피어의 대표적인 비극『로미오와 줄리엣』은 집안 간의 반목으로 인해 비극적인 결말을 맞는 연인의 사랑을 그린 희곡이며, 그 극적인 구성과 아름다운 표현으로 청년 극작가였던 셰익스피어에게 커다란 명성을 가져다주었다. 또한 1597년 처음 출간된 이후,『햄릿』과 함께 가장 많이 연극 무대에 오르는 셰익스피어의 작품으로 알려져 있다. 연극 외에도 음악, 미술, 영화, 뮤지컬, 오페라, 발레 등 다양한 형태로 공연되어 왔으며 '로미오와 줄리엣'은 운명적인 사랑에 빠진 연인의 대명사가 되었다. 민음사『로미오와 줄리엣』은 연세대 최종철 명예교수가 셰익스피어의 원문에 충실하게 운문으로 번역하여 그 의미가 한층 더 깊다고 할 수 있다.

▶ 서양 문학에서 가장 설득력 있게 낭만적인 사랑을 그려 낸 희곡. — **해럴드 블룸**
▶ 로미오와 줄리엣의 순수한 사랑은 짙어지는 어둠 속에서 빛나는 한 줄기 빛처럼 관객의 마음에 기쁨을 가져다준다. — **최종철, 「작품 해설」에서**

"윌리엄 셰익스피어"의 다른 책들

174·175 분노의 포도

The Grapes of Wrath John Steinbeck

● 노벨 문학상 수상 작가 ● 《뉴스위크》 선정 100대 명저
● 《타임》 선정 현대 100대 영문소설
● BBC 선정 꼭 읽어야 할 책 ● 퓰리처 상 수상 작가

존 스타인벡 김승욱 옮김

대공황 시대 미국의 참혹한 현실을 직시한 퓰리처 상 수상작
약속의 땅을 향한 고통스러운 여정, 절망 속에서 발견하는 인간의 생명력

가뭄과 모래바람으로 농사를 망치고 빚 독촉에 시달리던 조드 일가는 막연한 기대를 품고 캘리포니아로 떠난다. 우여곡절 끝에 캘리포니아에 도착하지만 예상치 못한 잔혹한 현실에 맞닥뜨리고 만다. 『분노의 포도』는 대공황에서 벗어나지 못하고 있던 1930년대 말 미국을 배경으로, 정직하게 살아가다 하루아침에 비참한 이주 노동자로 몰락한 조드 일가를 통해 참혹했던 당시 미국의 현실을 생생하게 포착한 작품이다. 존 스타인벡은 가난에 허덕이며 절망하면서도 끝까지 인간의 존엄성만은 놓지 않으려 애쓰는 주인공들을 통해 희망의 가능성은 여전히 인간에게 있음을 보여 준다. 이 작품으로 존 스타인벡은 퓰리처 상과 노벨 문학상을 수상하며 명실상부한 미국의 대표 작가로 거듭난다.

▶ 호소력 있는 감수성과 예리한 사회 인식이 조화를 이루어 사실적이고 상상력 풍부한 작품을 탄생시켰다. ─ **스웨덴 한림원 노벨상 선정 이유**

▶ 스타인벡 최고의 작품. 거칠고 완고하면서도 부드럽고 드라마틱하다. ─ 《타임》

"존 스타인벡"의 다른 책들

176·177 괴테와의 대화

Gespräche mit Goethe Johann Peter Eckermann

요한 페터 에커만 장희창 옮김

인간 괴테가 젊은이들에게 전하는 주옥같은 메시지
인생, 예술, 학문 그리고 사랑에 대한 괴테와 젊은 지성 에커만의 대화

괴테를 만나기 전에는 가난한 문학청년에 지나지 않았던 에커만은 십여 년에 걸친
괴테와의 만남과 대화를 통해 영혼의 성장을 이루어 냈다. 에커만을 만날 당시 이
미 대가의 반열에 올라 있던 괴테는 젊은 에커만에게 생의 의미와 본질을 깨닫게
해 주는 수많은 이야기를 남겼다. 가령 '한 분야에서 유능해지도록 하라', '최고를 만
나면 사물을 보는 눈이 달라진다', '결국은 사랑하는 사람에게서만 배우게 된다' 등
괴테가 전하는 삶의 지혜와 가치관은 오늘날의 독자들에게도 강렬한 메시지로 다
가온다. 니체가 "현존하는 독일 최고의 양서"라고 평한 이 책은 에커만이 말년의 괴
테 곁에서 보고 듣고 기록한 괴테 사상의 집약체이다.

▶ 『괴테와의 대화』는 복음서이다. 괴테의 목소리를 그처럼 수수하게 청취할 수 있는 귀를
가졌다는 것은 에커만의 불멸의 공적이다. ─ **프리드리히 군돌프**

178 그물을 헤치고

Under the Net Iris Murdoch

● 《타임》선정 현대 100대 영문소설
● 부커 상 수상 작가

아이리스 머독 유종호 옮김

영국의 대표적 철학자이자 세기의 지성 아이리스 머독의 첫 번째 소설
나와 타인이 공존하는 진정한 삶을 찾아간 한 남자의 희극적 모험기

20세기 런던, 번역 일을 하며 입에 풀칠하는 작가 지망생 제이크 도너휴는 잘생긴
외모를 내세워 여자들 집에 얹혀산다. 그는 얹혀살던 여자에게 진짜 애인이 생기는
바람에 하루아침에 길바닥에 나앉게 되고, 옛 애인 애너의 여동생이자 유명 영화배
우인 새디의 집에 머물며 새디에게 치근대는 남자를 막아 주는 임무를 맡는다. 철
학자이기도 한 작가 아이리스 머독의 첫 작품 『그물을 헤치고』는 세상과 주변 사람
들을 진지하게 대하지 못하고 자기 본위로만 살아가던 한 남자의 이야기를 그리고
있다. 자아 중심적인 실존주의 세계관에 반대하는 작가는, 우연에 우연을 거듭한
일련의 사건들을 겪으며 진정한 인간관계와 삶의 방향에 대해 깨달아 가는 남자의
일상을 희극적이고 생동감 있게 묘사하고 있다.

▶ 이 책에서 독자는 소설가로서 비범한 능력을 보이는 한 지성의 힘을 느낄 수 있다.
　　—《선데이 타임스》

▶ 머독의 소설에서 사회는 각자가 우연한 사건과 인물들에 대해 반응함으로써 자신의 도덕
적 정체성을 형성하는 풍요하고 모호하며 복잡한 환경으로 제시된다.
　　—유종호, 「작품 해설」에서

"아이리스 머독"의 다른 책들

235·236_ **바다여, 바다여** 최옥영 옮김

179 브람스를 좋아하세요...

Aimez-vous Brahms... Françoise Sagan

프랑수아즈 사강 김남주 옮김

프랑스 문단의 매력적인 작은 괴물, 섬세한 심리 묘사의 대가
프랑수아즈 사강이 그려 낸 사랑, 그 난해하고 모호한 감정

전혀 다른 두 사랑 앞에서 방황하는 폴의 심리를 중심으로, 사랑이라는 감정으로
그녀와 연결된 로제와 시몽의 심리를 섬세하게 묘사한 소설. 로제와의 권태로운 일
상 속에서 고독하게 살아가던 폴은, 젊고 순수한 청년인 시몽으로 인해 겨울의 끝
자락에 나타나는 봄 햇살 같은 화사한 행복을 느낀다. 그러나 서른아홉 그녀가 세
월을 통해 깨달은 것은 순간적인 감정의 덧없음이기에, 시몽의 헌신적인 사랑 앞에
서도 그 끝을 예감하며 진정한 만족감을 느끼지 못하고 로제를 그리워한다. 사강
은 그녀의 나이 스물넷에 쓴 것이라고는 믿기지 않을 정도의 완숙함을 담아내면서,
기쁨과 슬픔, 행복과 불행이 교묘하게 뒤섞여 있는 우리의 일상을 배경으로, 난해
하고 모호한 사랑이라는 감정을 진솔하게 그려 냈다.

▶ 라신의 완벽성에 신예의 참신성을 지닌 작가. ─《뉴요커》
▶ 프랑수아즈 사강은 나른하지만 세련된 무대를 배경으로 펼쳐지는 욕망과 그 소멸을 그려
  냄으로써 독자를 매혹하는 데 성공했다. ─《워싱턴 포스트》

180 카타리나 블룸의 잃어버린 명예

Die verlorene Ehre der Katharina Blum Heinrich Böll

● 노벨 문학상 수상 작가

하인리히 뵐 김연수 옮김

황색 언론에 의해 처참하게 유린당한 개인의 명예에 관한 보고서
소박한 그녀 카타리나 블룸은 어쩌다 살인까지 저지르게 되었는가

1974년 2월 24일 일요일, 한 일간지 기자가 살해당하는 사건이 발생한다. 살인범은 카타리나 블룸이라는 27세의 평범한 여인. 그녀는 제 발로 경찰을 찾아와 자신이 그를 총으로 쏘아 죽였다고 자백한다. 어려운 환경에서 자라 가정관리사로 일하면서도 자기 일에 자부심을 느끼며 늘 성실하고 진실한 태도로 주위의 호감을 사던 총명한 여인 카타리나가, 도대체 왜 살인을 저질렀을까. 이 작품은 독자들의 저속한 호기심을 자극하는 선정적인 언론이 어떻게 한 개인의 명예와 인생을 파괴해 가는가를 철저하게 보여 준다. 평범한 개인이 "살인범의 정부"가 되고 "테러리스트의 공조자", "음탕한 공산주의자"가 되고 마는 과정은 오늘날의 시각에서 보아도 결코 낯설지 않은 장면이다.

▶ 동시대를 두루 포괄하는 광범위한 시각과 인물의 성격을 세밀하게 묘사하는 능숙함이 훌륭하게 조화된 글쓰기. — 스웨덴 한림원 노벨상 선정 이유
▶ 뵐은 작가 그 이상의 인물이다. — 마르셀 라이히라니츠키

181·182 에덴의 동쪽

East of Eden John Steinbeck

● 노벨 문학상 수상 작가
● 퓰리처 상 수상 작가

존 스타인벡 정회성 옮김

노벨 문학상 수상 작가 존 스타인벡의 가족사를 담은 기념비적 대작
모든 인간에게 주어진 원죄, 그 짐을 벗고 구원으로 나아가기 위한 고된 여정

노벨 문학상 수상 작가 존 스타인벡 최고의 야심작. 19세기 말과 20세기 초, 1차 세계 대전으로 이어지는 시간 동안 두 가문의 세 세대에 걸친 이야기가 펼쳐진다. 특히 작품의 한 축을 이루는 해밀턴 가문은 존 스타인벡의 외가로, 주인공 새뮤얼 해밀턴은 그의 외조부를 바탕으로 한 인물이다. "살리나스 계곡을 배경으로 한 이 이야기로 인류 전체의 축도를 보여 줄 것"이라고 밝힌 바대로, 『에덴의 동쪽』에서 작가는 카인과 아벨, 선과 악, 원죄와 구원이라는 구도를 이끌어 와서 모든 인간이 직면하는 근본 문제를 깊이 있게 탐색하고 있다. 그가 "내 평생의 모든 것이 이 책에 들어 있다. 어떤 의미에서는, 다른 책들은 이 책을 쓰기 위한 준비였다."라고 한 것은 바로 이런 뜻으로 해석할 수 있을 것이다.

▶ 작가가 자신의 모든 에너지와 재능과 진지함과 열정을 쏟아부어 탄생시킨 작품.
　　—《뉴욕 헤럴드 트리뷴》
▶ 하나의 환상곡이자 신화이며, 기이하면서도 독창적인 예술 작품이다. —《뉴욕 타임스》

183 순수의 시대

The Age of Innocence Edith Wharton

● 《뉴스위크》 선정 100대 명저
● 퓰리처 상 수상 작가

이디스 워튼 송은주 옮김

오만하고 우아한 옛 뉴욕을 무대로 펼쳐지는 사랑과 회한의 이야기
순수라는 명분으로 욕망을 걸러 내는 사회에서 진정한 자신을 찾으려는 몸부림

『순수의 시대』는 1870년대 뉴욕을 배경으로 자신이 속한 세계에 아무런 의문을 갖지 않고 살아온 부유한 변호사 뉴랜드 아처, 순진무구한 처녀 메이 웰랜드, 관습에 구애받지 않고 진실한 눈으로 세상을 보는 엘렌 올렌스카 백작 부인의 삼각관계를 그린다. 1921년 여성 최초로 퓰리처 상을 받은 이디스 워튼은 1차 세계 대전이 끝난 후 발표한 이 소설에서 번영을 구가하던 옛 뉴욕의 상류 사회를 세밀화처럼 정교하게 복원했다. '순수'를 지키기 위해 개인의 감정을 억압하는 세계에서 욕망에 충실한 삶과 사회적 의무를 놓고 고민하는 주인공들의 모습은 전통적인 구체제와 역동적인 신체제의 대립을 암시한다. 출간 즉시 당대의 베스트셀러가 된 이 소설은 지금까지 세 차례에 걸쳐 영화화되기도 했다.

▶ 미국 문학에서 비운의 올렌스카 부인처럼 매혹적인 여성은 없었다. — **고어 비달**
▶ 슬프고 아름다운 러브 스토리인 동시에 재기 넘치는 풍자 소설. — 《**뉴욕 타임스**》

"이디스 워튼"의 다른 책들

184 도둑 일기

Journal du Voleur Jean Genet

장 주네 박형섭 옮김

지상에서 가장 비천하고 보잘것없는 존재들을 고결하고 신성한 존재로 부활시킨
악의 성자, 장 주네의 위험하고 충격적인 방랑의 기록

『도둑 일기』는 장 주네가 유럽 일대를 떠돌며 부랑자, 거지, 도둑, 남창 등 '밑바닥
생활'을 전전한 자신의 경험을 바탕으로 쓴 작품이다. 배반과 절도와 동성애를 세
상에서 가장 고귀한 덕목으로 여기는 주네의 독자적인 가치관은 그의 섬세한 감수
성, 시인다운 상상력과 만나면서, 어둠 속에 가려져 있는 '미'를 발견하고 악의 토양
에서 한 송이 아름다운 꽃을 피우는 기적을 일으킨다. 주네의 펜 끝에서 성스럽게
재창조된 악의 논리는 사회의 가치관에 또 다른 신성성을 만들어 내며 프랑스 문단
은 물론 로마 교황청에서까지 논란이 되었다. 하지만 한편으로는 프랑스 지성의 최
고봉인 사르트르를 비롯하여 콕도, 자코메티 등 동시대 예술가들에게 열광적인 지
지를 받았다.

▶ 모든 진실, 오로지 진실만을 말한다. 그러나 그것은 신성한 진실이다. ─ **장폴 사르트르**
▶ 신성성, 그것은 바로 고통을 유익하게 사용하는 데 있다. 그것은 악마를 신이라고
  강변하는 것이다. 다시 말해, 그것은 악의 고마움을 인정하는 것이다. ─ **장 주네**

185 나자

Nadja André Breton

앙드레 브르통 오생근 옮김

20세기 모든 예술 분야에 영향을 끼친 초현실주의 대표 작품
상징주의, 프로이트, 다다이즘을 거쳐 완성한 앙드레 브르통의 실험

"나는 누구인가?" 앙드레 브르통에게 이 질문은 곧 "나는 어떤 영혼에 사로잡혀 있는가?"와 같다. 그리하여 브르통은 1926년 파리의 한 거리에서 우연히 만난 매혹적인 여성 나자와 몇 개월간 만나며 체험한 실제 이야기와 특이한 경험을 소설로 기록하게 된다. 「초현실주의 선언」을 발표한 지 사 년 후에 발표한 이 작품은 "저 위대한 무의식의 생생한 목소리만이 언제까지나 나의 모든 자아를 좌지우지하기 바란다."라는 저자의 바람을 실천한 소설이다. 앙드레 브르통이 사실주의 소설가들의 평면적인 묘사와 결정론적인 심리 분석을 비판하고 현실성 있는 진정한 삶을 전달해야 한다고 주장하고 나서 발표한 소설이 바로 『나자』다.

▶ 나자는 모든 가식으로부터 자유로운 여자였기 때문에 이성과 규율을 모두 비웃을 수 있었다. — **시몬 드 보부아르**

▶ 초현실주의 역사에서 중요한 계기였을 뿐 아니라 초현실주의 문학의 큰 성과.
　　— **오생근,「작품 해설」에서**

186·187 캐치-22

Catch-22 Joseph Heller

● 《뉴스위크》 선정 100대 명저
● 《타임》 선정 현대 100대 영문소설
● BBC 선정 꼭 읽어야 할 책

조지프 헬러 안정효 옮김

전통적인 소설의 형태를 바꾼 포스트모더니즘의 걸작
유쾌하고 신랄한 블랙 유머 속에서 서서히 드러나는 실존의 부조리

2차 세계 대전이 막바지로 치닫던 1944년, 지중해 연안 피아노사섬에 주둔 중인 256 비행 중대의 대위 요사리안은 무의미한 전쟁에 넌더리를 내고 제대하기 위해 갖은 수를 쓰지만 언제나 캐치-22에 발목을 잡힌다. 캐치-22는 실제로는 존재하지 않지만, 그렇기 때문에 오히려 절대적인 위력을 행사하는 조항이다. "자신이 미쳤다는 것을 아는 미치광이는 미치광이가 아니므로 제대할 수 없다."라는 조항의 내용처럼 캐치-22는 빠져나갈 수 없는 이율배반적 덫이 되어 요사리안과 그 동료들을 옭아맨다. 조지프 헬러의 데뷔작인 이 소설은 베트남 전쟁의 소용돌이 속에서 점차 시대의 구호가 되었고, 지금까지 1000만 부 이상 팔리며 '헬러 열풍'이라는 말을 낳았다.

▶ 미국 문학이 낳은 불후의 걸작인 이 소설은 이스터섬의 석상만큼이나 오래도록 살아남을 것이다. —《뉴욕 타임스》
▶ 이 책의 주제는 전쟁의 총체적인 광증, 전쟁에 휘말리는 모든 인간의 광증이다.
—앨프리드 카진

188 숄로호프 단편선

Михаил Шолохов Миихаил Шолохов

● 노벨 문학상 수상 작가

미하일 숄로호프 이항재 옮김

노벨 문학상 수상 작가, 사회주의 리얼리즘의 대가 숄로호프 최고의 단편들
혁명과 내전에 휘말린 카자크들의 비극적 운명에 대한 생생한 기록

1965년 노벨 문학상을 수상한 러시아 작가 미하일 숄로호프의 단편집. 그의 대표 단편으로 꼽히는 「인간의 운명」(1957) 외에, 단편집 『돈 강 이야기』(1926)에서 가려 뽑은 13편이 수록되었다. 숄로호프는 20세기 초, 볼셰비키 혁명과 내전의 광풍이 러시아 사람들에게 몰고 온 비극적 운명을 다룬 작품들로 널리 알려져 있다. 특히 돈강 유역 카자크들의 비극적인 운명을 그린 4부작 대서사시 『고요한 돈 강』(1928~1940)은 그의 대표작이자 20세기 러시아 문학을 대표하는 걸작으로 손꼽힌다. 그의 작품은 전 세계 84개 언어로 번역되었으며, 소련에서만 900판 이상을 거듭하며 8000만 권 이상이 팔려 나갔다.

▶ 숄로호프는 자신의 고향인 돈강 유역 카자크들의 비참한 삶을 그린 작품들을 통해 가장 대표적인 사회주의 리얼리즘 작가로 우뚝 섰다. ― 스웨덴 한림원 노벨상 선정 이유
▶ 주인공들의 비극적 운명은 단순한 개인의 비극이 아닌 이념과 전쟁의 광풍에 내몰린 러시아 민중과 인류 전체의 비극이다. ― 이항재, 「작품 해설」에서

177

189 말

Les Mots Jean-Paul Sartre

장폴 사르트르 정명환 옮김

프랑스 실존주의 문학의 거장, 장폴 사르트르 대표작
"나는 글을 씀으로써 존재했고 내가 존재한 것은 오직 글짓기를 위해서였다."

1964년, 사르트르는 노벨 문학상 수상자로 선정되었으나 수상을 거부하였다. 이는 노벨상을 거부한 최초의 사건으로서 20세기 프랑스 최고의 지성, 사르트르의 명성을 한층 드높여 주었다. 『말』은 한 살 때 아버지를 여읜 사르트르가 외조부의 집에서 어머니과 함께 보낸 유년 시절을 기록한 자서전이다. 독학으로 글을 깨친 사르트르는 할아버지의 서재에 처음 발을 들여놓은 순간 "세계"를 만났으며, 그 세계 속에서 "인류의 지혜와 씨름"하기 시작했다. 그 열정적이면서도 매혹적인 어린 시절 이야기는 '대문호' 장폴 사르트르의 인간적 매력뿐만 아니라 그의 철학적 저서와 문학 작품의 씨앗을 고스란히 품고 있는 보고(寶庫)나 다름없다.

▶ 사르트르의 작품 속에 녹아 있는 자유정신과 진실 추구 사상, 그리고 풍부한 지식은
  오늘날까지 우리에게 큰 영향을 끼치고 있다. ─ **스웨덴 한림원 노벨상 선정 이유**

▶ 어린 사르트르는 '읽기'와 '쓰기'의 세계를 통해 자신의 존재를 입증받으려는 일종의
  '문학병'에 걸려 있었다. ─ **정명환, 「작품 해설」에서**

"장폴 사르트르"의 다른 책들

190·191 보이지 않는 인간

Invisible Man Ralph Ellison

● 《뉴스위크》 선정 100대 명저
● 《타임》 선정 현대 100대 영문소설

랠프 엘리슨 조영환 옮김

흑백으로 나뉜 미국 문학의 판도를 바꾼 문제작
자기 정체성을 찾아가는 모든 사람들의 실존적 고뇌에 대한 이야기

'나'는 미국 남부에서 태어난 평범한 흑인 청년이다. 남북 전쟁으로 노예 제도는 폐지되었으나 흑인에 대한 차별은 여전하다. 우월주의에 빠진 백인 사회에서 모멸감을 당연시하며 살아가는 '나'는 끊임없이 타인들에 의해 자신의 사회적인 역할을 부여받는다. 엘리슨은 자아에 대한 인식을 지니고 있는 교육받은 흑인 주인공을 통해 사회적 곤경과 갈등을 극복하고 자유를 찾으려는 개인의 모습을 보여 줌으로써 피부색의 문제를 넘어서 예술적이고 사회적인 보편성을 갖는 우수한 작품을 창조했다. 『보이지 않는 인간』은 미국 내 흑인의 특수한 상황을 빌려 현대 사회 속에서 획일화되고 소외되어 가는 인간의 고독과 존엄성을 이야기한다.

▶ 엘리슨은 흑인이라는 인종적 범주에서 벗어나 뛰어난 작가적 역량을 보여 주었다.
   — **윌리엄 포크너**
▶ 거칠고 잔인하며 감각적이다. 진정한 재능으로 빛나는 소설이다. — **《뉴욕 타임스》**

192 왑샷 가문 연대기

The Wapshot Chronicle John Cheever

● 퓰리처 상 수상 작가

존 치버 김승욱 옮김

현대 미국 문학 최고의 문장가 존 치버의 대표 장편, 전미도서상 수상작
현대 사회의 차가운 품에서 느끼는 인간 온기에 대한 깊은 향수

'일상성의 미학'을 추구하며 '교외의 체호프'라 불리는 존 치버는 왑샷 가문 연작에
서 변두리 사람들의 일상에 대한 애착을 고스란히 드러냈다. 왑샷 가문 사람들은
작은 어촌 마을에 사는 평범한 사람들이다. 재력으로 마을의 여왕이 된 오노라, 마
을에 화려한 근대화의 바람을 몰고 온 새러, 바닷가와 여인의 향취를 좋아하는 한
량 리앤더, 그리고 유산 상속에서 제외되어 도시 떠돌이가 된 리앤더의 두 아들 모
지스와 코벌리. 『왑샷 가문 연대기』는 이들이 한 시대를 마감하며 겪는 인간 희로애
락의 기록이다. 미국 경제 대공황과 2차 세계 대전을 지나며 변화하는 이 세계를 어
떻게 이해해야 하는가에 대한 작가의 고민을 담고 있다.

▶ 존 치버는 미국 최고의 이야기꾼이다. —《타임》
▶ 존 치버만의 풍부한 상상력과 살아 숨 쉬는 문장이 단연 돋보인다. —《뉴욕 타임스 매거진》

193 왑샷 가문 몰락기

The Wapshot Scandal John Cheever

● 퓰리처 상 수상 작가

존 치버 김승욱 옮김

인간성 상실과 정신 분열로 유령처럼 도시를 떠도는 현대인의 몰락기
현대인의 고독한 싸움에 보내는 가슴 찡한 응원

『왑샷 가문 연대기』의 속편. 왑샷 일가에 닥친 세상사는 혼란스럽고 우울하다. 정신병, 간통, 자살 등이 이어지고 명예도 재력도 바닥이 난 몰락 가문의 종말이다. 조상들의 낙원 세인트보톨프스에서 추방당한 도시 세대는 '잔인한 현실'과 '분열하는 정신' 사이에서 고통받으며 생존을 위해 치열하게 살아야 한다. 존 치버는 『왑샷 가문 몰락기』에서 미국과 러시아의 냉전 상태가 최고조에 이른 시기에 사회 저변을 엄습해 왔던 불안감의 정체에 주목한다. 현실 부적응이 낳은 정신 분열, 가치관의 상실, 인간성의 파멸 등 인간으로서 감당하기 힘든 고통 속에서 삶을 유지해야 했던 사람들을 향한 작가의 당부는 간절하다. "인간의 영혼은 불멸하며, 모든 종류의 선과 모든 종류의 악을 견뎌 낼 수 있다고 생각하자."

▶ 젊은이가 도덕적으로 성장해 가는 과정을 그린 작품으로, 존 치버는 절박한 도덕적 통찰로 자신의 문학에 의미를 부여했다. —**김욱동, 「작품 해설」에서**

▶ 삶의 지혜가 녹아 있다. 존 치버의 심오하고 빼어난 감각으로 창조해 낸 경이로운 작품. —《타임》

"존 치버"의 다른 책들

192 왑샷 가문 연대기 김승욱 옮김

194 필립과 다른 사람들

Philip en de anderen Cees Nooteboom

세스 노터봄 지명숙 옮김

자신의 정체성을 찾아 유럽 각지를 방랑하는 청년 필립의 모험과
그 여행길에서 만나는 '다른 사람들'의 인생 이야기

『필립과 다른 사람들』은 1955년 노터봄이 스물두 살에 발표한 소설로 출간 직후 안네 프랑크 상을 수상하며 무명의 작가였던 노터봄을 일약 문단의 스타로 만든 작품이다. 고등학교를 갓 졸업한 주인공 필립은 그의 사랑의 화신인 중국인 소녀를 찾아 유럽을 배회하면서 여러 '다른 사람들'을 만나게 된다. 마치 꿈을 꾸는 듯 환상적이고 비현실적인 그들의 인생 이야기를 들으며 중국인 소녀를 찾아가는 필립의 여행은 그에게 있어 자기 정체성을 찾아가는 여정이며, 또한 존재의 한계를 초월하고 완전을 이루기 위한 추적의 과정이다. 방랑 소설의 대표작으로 꼽히는 이 작품은 작가의 유럽 기행을 바탕으로 쓴 소설로, 필립은 곧 시인 기질이 다분한 사춘기 청년 시절의 작가 자신의 모습과 일치한다.

▶ 철학적이고 명상적이다. 노터봄은 객관적인 눈으로 시대상을 그려 내는 기록 문학의 거장이다. ─《워싱턴 포스트》

▶ 자아를 찾아 영적인 탐구의 길을 떠나는 순례자의 이야기. ─《뉴욕 타임스》

195·196 하드리아누스 황제의 회상록

Mémoires d'Hadrien Marguerite Yourcenar

마르그리트 유르스나르 곽광수 옮김

아카데미 프랑세즈의 최초 여성 회원 마르그리트 유르스나르의 대표작
고대 로마 제국의 황제 하드리아누스가 죽음을 앞두고 전하는 불멸의 잠언들

유르스나르가 근 삼십 년간의 광범위하고 치밀한 고증으로 2세기 로마의 시간과 공간을 완벽하게 재현하여 완성한 20세기의 역작이다. "사실(史實)과 부합하는 진짜 회상록"이라 평가되는 역사 소설 『하드리아누스 황제의 회상록』은 역사 속 실재 인물인 로마 제국의 14대 황제 하드리아누스가 병상에서 죽음을 예감하고 지난날을 고백하는 일종의 회고록이다. 삶과 죽음과 사랑에 대한 단상에서부터 인간사의 본질과 이상향, 황제가 지켜야 할 덕목, 제국의 흥망성쇠에 대한 비밀, 그리고 자신이 사랑한 소년들에 대한 내밀한 고백에 이르기까지, 하드리아누스는 자신이 후계자의 다음 후계자로 지목한 마르쿠스에게 삶의 비밀이 담긴 그의 마지막 고백을 전한다.

▶ 황제의 목소리는 정녕 "인류의 예언적인 유언"이라고 할 만한, 환상에 사로잡히지 않으나 희망을 잃지 않은 유장하고도 웅혼한 울림으로 다가온다. ─**곽광수,「작품 해설」**에서
▶ 이 완벽한 작품은 너무나 아름답게 균형 잡혀 있다. ─《**뉴요커**》

197·198 소피의 선택

Sophie's Choice William Styron

● 퓰리처 상 수상 작가

윌리엄 스타이런 한정아 옮김

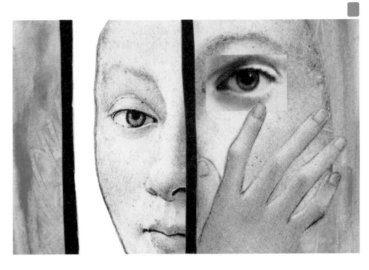

끔찍한 전쟁의 폭력과 상처, 죽음의 그림자가 드리운 인간의 광기와 사랑
인류의 죄악과 아픔 그리고 희망을 애정 어린 시선으로 그려 낸 20세기 고전

1979년 출간 즉시 베스트셀러가 되고, 20세기 주요 미국 문학 작품으로 손꼽히는
등 독자와 평단의 사랑을 꾸준히 받아 온 이 작품으로 스타이런은 1980년 전미도
서상을 수상했다. 또한 1982년 동명 영화로도 제작되었으며, 주인공 소피로 열연
한 메릴 스트립은 아카데미 여우주연상을 받았다. 전쟁과 학살의 비극을 체험한 폴
란드인 소피와 유대인이라는 숙명에서 자유롭지 못했던 네이선, 그리고 노예를 소
유했던 집안에서 자란 남부인 스팅고. 스타이런은 2차 세계 대전과 나치의 인종 대
학살, 미국의 노예 제도와 흑인 반란, 인종 차별 등 인류가 직면해야 했던 역사적 상
흔과 비극을 이들 세 사람의 삶을 통해 보여 준다.

▶ 20세기 인류의 주요 주제들에 관한 철학적이고 열정적이며 대담한 책이다.
　　—《뉴욕 타임스》
▶ 인류의 비극적인 운명에 대한 보기 드문 통찰을 보여 준다. —《타임스》

199 피츠제럴드 단편선 2

F. Scott Fitzgerald F. Scott Fitzgerald

F. 스콧 피츠제럴드 한은경 옮김

**1920년대 미국 사회를 비추는 거울이자
시대를 초월한 현대의 고전으로 일컬어지는 서정적인 단편들**

20세기 최고의 미국 소설 『위대한 개츠비』의 작가 피츠제럴드는 160여 편의 단편을 남긴 타고난 이야기꾼이었다. "좋은 이야기는 저절로 써지지만 나쁜 이야기는 억지로 써야 한다."라고 피츠제럴드가 말한 것에서 볼 수 있듯이 그는 별다른 힘을 들이지 않은 것처럼 많은 작품을 써 내려갔다. 그의 소설은 소재와 주제에 있어 다양한 영역을 아우르며 오늘날의 독자들에게까지 널리 영향을 미치고 있다. 이 책에는 2008년 브래드 피트 주연의 「벤자민 버튼의 시간은 거꾸로 간다」로 영화화된 단편 소설 「벤저민 버튼의 기이한 사건」을 비롯해 「얼음 궁전」, 「해변의 해적」 등 총 6편의 작품이 수록되어 있다.

▶ 피츠제럴드는 스스로가 알고 있는 것보다 훨씬 뛰어난 작가였다. 그는 문학의 영역에 '세대'의 개념을 창조했다. —《뉴욕 타임스》

▶ 그의 재능은 나비의 날개가 만들어 낸 먼지의 무늬만큼이나 자연스러운 것이다.
— 어니스트 헤밍웨이

200 홍길동전

허균 김탁환 풀어 옮김, 백범영 그림

사회의 구조적 모순을 파헤치고 새로운 영웅과 이상향을 탄생시킨 유토피아 소설
조선 시대를 대표하는 문장가 허균이 남긴 최초의 한글 소설

"조선이 낳은 천재 중의 천재"로 불렸던 허균이 17세기경에 남긴 소설 『홍길동전』이
『혜초』, 『리심』 등 치밀한 사상사적 연구가 바탕이 된 작품을 발표해 온 소설가 김탁
환의 손끝에서 다시 태어났다. 완판 36장본, 경판 24장본 외에 부록으로 완판 36장
본의 국립중앙도서관 소장 영인본을 수록했다. 또한 용인대 회화과 교수이자 『춘향
전』 등의 삽화를 그린 백범영 화백의 삽화 20여 점을 함께 실었다. 이 작품은 허균
의 세계관과 이상이 그대로 녹아 있는 소설로, '서자로 태어나 천대를 받고 자라났
으나 의적이 되어 탐관오리를 벌하고 백성을 돕다가 율도국이라는 나라를 세워 태
평성대를 이룬다.'라는 플롯은 널리 알려져 있다.

▶ 『홍길동전』은 홍길동이라는 영웅의 출세만을 다루지 않고, 임진왜란 이후 산적해 있던
  조선의 제반 문제를 폭넓게 다룬 사회 소설이다. 적서 차별, 탐관오리의 횡포, 승려의
  부패, 조정의 무능함 등이 적나라하게 담겼다. ― **김탁환, 「작품 해설」에서**

 민음사 세계문학전집

201 요술 부지깽이

Pricksongs & Descants Robert Coover

로버트 쿠버 양윤희 옮김

'메타픽션의 아버지' 로버트 쿠버의 대표작
동화와 옛날이야기 속 장면을 독특하게 비틀고 재구성한 새로운 픽션들

'메타픽션의 아버지'로 불리는 미국의 소설가 로버트 쿠버의 단편 소설집. 쿠버는 자신의 트레이드마크로 인식되고 있는 '옛날이야기와 동화 비틀기'를 이 책에서 처음으로 시도했다. 이 소설집은 미국 소설계에 큰 반향을 일으켜 글쓰기와 문학 전반에 메타픽션이라는 파장을 불러왔다. 그는 동화, 성서, TV 프로그램, 영화뿐 아니라 당시 미국 작가들의 소설 작법을 기묘하게 비틀면서 전혀 새로운 방향을 제시했던 것이다. 이 책의 표제작이 된 「요술 부지깽이」에서 작가는 하나의 이야기가 창조되는 전 과정 속으로 독자의 손을 잡고 찬찬히 이끄는 듯한 방식을 취하고 있다. 처음에는 하나의 섬을 창조하고, 그 섬에 있는 것들을 만들어 내며, 다시 그 섬으로 들어오는 인물들을 소개하는 식이다.

▶ 로버트 쿠버는 굉장한 작가이다. 양립하는 소재와 성질을 아우르고, 낯선 것은 익숙하게 하는 놀라운 상상력을 지녔다. —《뉴스위크》
▶ 경이와 웃음, 성적 유희를 만들어 내는 로버트 쿠버는 뛰어난 마술사와 같다.
　　—《뉴욕 타임스》

202 북호텔

L'Hôtel du Nord Eugène Dabit

외젠 다비 원윤수 옮김

파리 변두리의 어느 허름한 호텔에서 살아가는 소시민들의 지난한 삶,
그리고 1920, 1930년대 프랑스 사회상을 따뜻한 시선으로 바라본 작품

외젠 다비의 첫 작품 『북호텔』은 한 시대의 사회상과 사람들이 살아가는 모습을 현실적으로 묘사한 소설에 수여되는 상인 '포퓰리스트 상'을 받은 첫 번째 소설로, 민중 소설로서의 의미와 가치가 큰 작품이다. 1차 세계 대전 이후 대공황의 여파로 프랑스에 닥친 경제 위기와 정치적, 사회적 불안 속에 민중들의 삶은 피폐해져만 갔다. 『북호텔』은 바로 이 시기 프랑스 서민들이 살아가는 모습을 한 편의 다큐멘터리처럼 객관적이면서도 생생하게 그려 냈다. 1938년 마르셀 카르네 감독이 실제 북호텔과 생마르탱 운하를 배경으로 영화화하여 전 세계적인 주목을 받기도 했다.

▶ 진정한 '민중 정신'을 읽어 낼 수 있는 작품. — **앙리 바르뷔스**
▶ 이 책을 읽고 『밤의 끝으로의 여행』을 끝낼 용기를 얻었다. — **루이페르디낭 셀린**

203 톰 소여의 모험

The Adventures of Tom Sawyer Mark Twain

마크 트웨인 김욱동 옮김

순수한 어린아이들의 신나는 모험을 통해 대자연의 경이로움을 예찬하고
위선에 찬 어른 세계를 비판하며 가식적인 인간 사회를 풍자한 영원한 고전

이 작품은 『허클베리 핀의 모험』과 함께 성인이 되기 위해서는 꼭 읽어야 하는, 일
종의 통과 의례와도 같은 작품으로, 이제 문학의 범위를 뛰어넘어 미국을 대표하는
상징이 되었다. 『톰 소여의 모험』은 미시시피 강변에 위치한 상상의 마을 세인트피
터스버그를 배경으로 펼쳐지는 어린아이들의 신나는 모험과 갖가지 사건들을 통해
인간 사회의 위선을 풍자하고 자연의 위대함을 노래하며 어린아이들의 순수함을
예찬한다. 이 책은 1876년 출간된 미국 초판본을 완역한 것으로서, 작품 속에 두드
러지는 당시의 미국 문화에 대한 상세한 각주와 작품 해설을 덧붙였다. 또한 초판
본에 실린 트루 W. 윌리엄스의 삽화를 선별 수록하여 트웨인 특유의 유머와 해학
을 더욱 실감 나게 느낄 수 있다.

▶ 마크 트웨인은 미국 문학의 아버지이다. — **윌리엄 포크너**

▶ 트웨인은 자기 자신뿐만 아니라 다른 작가들에게도 새로운 창작 방법을 발견케 한
　작가이다. —**T. S. 엘리엇**

"마크 트웨인"의 다른 책들

204 금오신화

김시습 이지하 옮김

조선 초 천재 문인이자 사상가 김시습이 쓴 우리나라 최초의 소설
참담한 현실의 무게를 초월적 경험으로 극복하는 다섯 편의 기묘한 이야기

우리나라 최초의 소설로 널리 알려진 『금오신화』는 15세기 조선의 문인 김시습의 대표작이다. 엉뚱하고 재기발랄한 상상 속에 지식인의 깊은 고뇌가 배어 있는 이 작품은 다섯 편 모두 현실 세계에서 온전히 적응하지 못하는 인물들이 나온다. 이들은 남원, 송도, 평양, 경주 등지에서 왜구의 침입으로 귀신이 된 여인과 사랑에 빠지거나(「만복사저포기」) 천생의 연분을 만났으나 홍건적의 난 때문에 생이별을 겪기도 하고(「이생규장전」) 비참한 현실 속에서 염라대왕을 만나 정치 토론을 하거나(「남염부주지」) 선녀나 용왕을 만나서 시를 주고받으며(「취유부벽정기」, 「남염부주지」) 비일상적인 체험을 한다. 한편으로는 우화 같기도 하고, 한편으로는 기담 같기도 한 이야기들 속에 부조리한 사회에 대한 작가의 통렬한 비판과 절규가 녹아 있다.

▶ 치열하게 현실을 살다 간 김시습이 남겨 놓은 다섯 편의 이야기는 비현실 세계를 다루고 있지만 역설적으로 이를 통해 현실을 직시하고자 한다는 점에서 여러 겹의 의미망을 지니며 세대를 거듭하며 생각할 거리를 제공한다. ─ **이지하, 「작품 해설」에서**

민음사 세계문학전집

205·206 테스 순수한 여인

Tess of the D'Urbervilles Thomas Hardy

● BBC 선정 꼭 읽어야 할 책

토머스 하디 정종화 옮김

비극적 운명의 대명사 '테스', 불합리한 인습과 도덕적 편견에 희생되는
그녀의 일생을 통해 사회의 이중성과 편협한 가치관을 폭로한 걸작

가난한 행상의 장녀 테스는 귀족의 후손이라는 헛된 망상에 사로잡힌 부모 때문에
일자리를 찾아 먼 친척 더버빌가로 간다. 그 가문의 아들 알렉을 만나면서 테스의
모진 운명이 시작된다. 『테스』는 1891년 초판본이 출간되기 전, 여러 잡지에 일부
장면이 빠진 채 수록되었다. 테스가 아기를 직접 세례하는 장면이나 알렉에게 유린
당하는 장면 등은 당시 사회의 도덕이나 인습으로는 받아들일 수 없었고, 단행본으
로 출간된 후에도 종교계와 보수적 비평가들에게 공격을 받았다. 그러나 빅토리아
시대의 가치관에서 벗어나려 했던 하디의 부단하고 용감한 시도 덕분에 이 작품은
19세기를 벗어나 20세기, 현대 영문학의 고전으로 발돋움할 수 있었다.

▶ 하디가 지닌 진정한 소설가로서의 힘은, 그의 주인공들이 바로 우리 자신의 열정과
　특징을 지닌 존재들이라는 것을 믿게 한다는 것이다. ─ **버지니아 울프**
▶ 『테스』는 인간 존재의 가능성에 하디가 보내는 가장 위대한 찬사다. ─ **어빙 하우**

"토머스 하디"의 다른 책들

207 브루스터플레이스의 여자들

The Women of Brewster Place Gloria Naylor

글로리아 네일러 이소영 옮김

인종 차별과 성차별의 이중고를 겪던 미국 흑인 여성들의 고단한 현실,
그 속에서 움트는 희망의 연대를 그려 낸 흑인 페미니즘 문학의 고전

토니 모리슨, 앨리스 워커를 잇는 미국 흑인 페미니즘 문학의 거장 글로리아 네일러
의 첫 장편 소설. 옴니버스로 구성된 이 소설은 브루스터플레이스라는 고립되고 황
폐한 공간에서 핍진한 현실을 딛고 일어서는 일곱 흑인 여성들의 일상을 세밀하게
포착했다. 흑인 여성들 고유의 경험과 그들 사이의 유대 관계를 더욱 생생하고 포괄
적으로 조명하고 재현하여, 흑인 페미니즘 문학의 새로운 지평을 열었다고 평가받
는다. 1982년에 출간되자마자 대중과 학계의 이목을 끌었고 이듬해 전미도서상을
수상했다. 1989년 오프라 윈프리가 감독하고 주연을 맡아 드라마화하면서 다시 한
번 화제가 되었다. 현재는 뮤지컬로도 만들어져 브로드웨이 등 미국 여러 곳에서
호평 속에 공연되고 있다.

▶ 토니 모리슨 이후 가장 신선한 목소리로 흑인 여성을 노래한 작품. — **클로드 브라운**
▶ 네일러는 타락하고 폭력적인 세상에서, 너무나도 인간적인 용기와 강인함으로 살아가는
  여자들의 모습을 놀랍도록 완벽하고 진실되게 그려 낸다. — 《시카고 선타임스》

208 더 이상 평안은 없다

No Longer at Ease Chinua Achebe

● 부커 상 수상 작가

치누아 아체베 이소영 옮김

격동하는 사회 속에서 타락해 가는 나이지리아 지식인 청년의 모습을 통해
물질적인 현대 사회에서 소외되는 비극적 인간상을 그린 수작

1960년에 발표된 이 작품은 나이지리아 국가상을 받았으며『모든 것이 산산이 부서지다』, 『신의 화살』과 함께 '아프리카 삼부작'으로 불린다. 아프리카 탈식민주의 문학의 고전으로 사랑받는 전작『모든 것이 산산이 부서지다』가 폭력적인 서구 세력에 맞서 부족의 전통과 문화를 지키려는 한 남자의 숭고한 이야기였다면, 『더 이상 평안은 없다』는 식민 지배하에서 서구식 교육을 받은 그의 손자의 내적 갈등과 타락의 과정을 그리고 있다. 치누아 아체베는 한 청년의 추락을 통해 나이지리아의 새로운 세대의 탄생을 알림과 동시에 물질적인 현대 사회에서 소외되는 인간의 비극을 상징적으로 드러낸다.

▶ 아체베는 언어에 관한 천재적 장인이다. ―《옵서버》
▶ 정당화하거나 설명하지 않고, 나이지리아의 삶을 있는 그대로 드러낸다.
　―《블랙 오르페우스》(아프리카 문학 저널)

"치누아 아체베"의 다른 책들

209 그레인지 코플랜드의 세 번째 인생

The Third Life of Grange Copeland Alice Walker

● 퓰리처 상 수상 작가

앨리스 워커 김시현 옮김

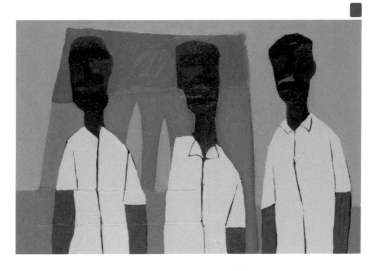

흑인 소작농 삼 대의 굴곡진 삶과 '온전한 인생'에 대한 열망
억압적 현실의 비극 너머에서 울리는 인간애를 섬세하게 그린 수작

흑인 여성 최초로 퓰리처 상을 수상한 앨리스 워커의 대표작. 앨리스 워커는 미국 흑인 문학의 거장이자 모든 차별에 맞서 인간성의 회복을 부르짖는 사회 운동가로, 억압적이고 폭력적인 1920년대 미국 흑인 사회의 현실을 깊이 있게 조명했다. 이 작품은 사회적 외압과 남성들의 폭력으로 인해 이중고를 겪는 흑인 여성들의 비극에 사실적으로 접근하고, 부조리한 현실에 대항하는 혁명적 여성상을 예고하며 퓰리처 상 수상작 『컬러 퍼플』의 정서적 토대가 되었다. 무자비한 폭력과 잔인한 살해 장면으로 출간 당시 많은 비판을 받기도 했으나, 그만큼 진솔한 '약자의 시선'에서 약자 내부의 현실을 가감 없이 보여 주고 있다.

▶ 앨리스 워커는 오늘날 미국 최고의 작가 중 하나로, 선입견과 증오에 에워싸인 굴종의 삶이 얼마나 큰 영향을 미치는지 독자 스스로 깨닫게 한다. —《워싱턴 포스트》

▶ 앨리스 워커는 사건과 인물과 이야기가 스스로 말을 하게 하는 뛰어난 재능을 갖고 있다. —《시카고 데일리 뉴스》

210 어느 시골 신부의 일기

Journal d'un Curé de Campagne Georges Bernanos

조르주 베르나노스 정영란 옮김

20세기 종교 문학의 정수
아이처럼 맑고 순수한 영혼을 지닌 한 젊은 사제의 숭고한 기록

신을 향한 믿음이 사라져 가던 시대, 프랑스의 어느 작은 시골 마을 본당에 부임해 온 한 젊은 신부는 가난과 욕망, 육체적, 정신적 나태에 어그러진 마을의 모습을 목격하고 깊은 고뇌에 빠져든다. 그리고 '악'과 싸우기 위한 용기와 힘, 의지를 얻기 위해 일기를 써 내려가기 시작한다.

1930년대 반교권주의와 무신론이 번져 가던 당시 프랑스 사회에서, 사르트르나 카뮈와도 비견되던 날카로운 시각으로 그 시대 교회의 부패와 관료주의 등을 앞장서 비판했던 베르나노스는 『어느 시골 신부의 일기』를 통해, 너무나 나약하지만 쉽게 무너지지 않는 고결한 인간 본성을 어느 누구보다 아름답게 그려 냈다.

▶ 이 뛰어난 작가는 모든 자유인의 존경과 감사를 받아 마땅하다. — **알베르 카뮈**
▶ 초자연을 자연스럽게 제시해 내는 역량이야말로 베르나노스의 위대한 재능이다.
— **프랑수아 모리아크**

211 타라스 불바

Тарас Бульба Николай Гоголь

니콜라이 고골 조주관 옮김

러시아 사실주의 문학의 아버지 니콜라이 고골이 쓴 장엄한 민족 대서사
러시아 민족 혼의 수호자인 카자크들의 용맹과 기개에 대한 낭만적 찬가

세계적인 대문호 니콜라이 고골의 감동적인 민족 서사. 16세기 우크라이나 일대를
배경으로 카자크들의 투혼과 민족애를 그린 작품이다. 전통적 가치의 수호자인 아
버지와 사랑 때문에 조국을 배반하는 아들의 비극적인 행보를 웅장한 전쟁 서사 속
에 절묘하게 녹여 놓음으로써 카자크 몰락의 역사를 극적으로 형상화했다. 러시아
사실주의 문학의 아버지라 불리는 고골은 이 방대한 작품을 위해 우크라이나 역사
에 관한 각종 문서, 전설, 민담 자료를 수집하고 우크라이나인의 정서를 세심하게
관찰하여, 과거 카자크들의 열정적인 세계를 완벽하게 재현해 냈다. 비극과 희극의
요소를 뒤섞은 독창적인 문체와 생생한 전투 장면의 묘사가 특히 뛰어나다.

▶ 미증유의 위대한 책 열 권 중 하나. ― **어니스트 헤밍웨이**
▶ 호메로스적 서사시의 최고 모범. ― **비사리온 벨린스키(비평가)**

212·213 위대한 유산

Great Expectations Charles Dickens

- BBC 선정 꼭 읽어야 할 책
- 서울대 권장도서 100선

찰스 디킨스 이인규 옮김

셰익스피어와 어깨를 나란히 하는 작가 디킨스의 대표작
물질적으로 '막대한' 유산과 정신적으로 '위대한' 유산 사이의 진실한 인간 초상

대장장이가 될 운명이었던 어린 소년 핍은 아름답지만 차가운 소녀 에스텔러를 만나 사랑과 신분 상승에 대한 욕망에 빠진다. 우연한 행운으로 원하던 부와 지위를 얻은 핍은 런던에서 점점 어린 시절의 순수함을 잃고 속물적인 인간으로 변해 간다. 핍이 성장 과정에서 겪는 방황과 사랑의 아픔, 그리고 신분 상승에 대한 욕망은 결국 좀 더 행복한 삶을 꿈꾸는 현대인들의 자화상이나 다름없다. 또한 희극적이거나 비극적인 분위기를 풍기는 주변 인물들, 그들을 둘러싼 여러 사건과 비밀이 절묘하게 연결되고 맞물리는 과정에서 느껴지는 희열과 '사랑'이라는 고전적 주제가 주는 감동은 이 작품이 독자에게 선사하는 최고의 선물이 될 것이다.

▶ 그는 가난하고 고통받고 박해받는 자들의 동정자였으며, 그의 죽음으로 세상은 가장 훌륭한 작가 중 하나를 잃었다. ─ **디킨스의 묘비명**

▶ 디킨스의 많은 훌륭한 작품들 가운데 『위대한 유산』 이상으로 대중성과 예술성, 그리고 보편성을 동시에, 그리고 탁월하게 성취한 경우는 없다. ─ **이인규, 「작품 해설」에서**

"**찰스 디킨스**"의 다른 책들

214 면도날

The Razor's Edge William Somerset Maugham

서머싯 몸 안진환 옮김

비정한 현실을 정면으로 마주하려는 모든 젊은이에게 바치는 작품
평범한 삶의 위대함, 그 위대함을 넘어서는 고귀한 여정

1930년대 유럽, 그 풍요와 야망의 시대를 배경으로 꿋꿋이 자신만의 길을 개척하는 한 젊은이의 구도적 여정을 그린 작품. 날카로운 면도날을 넘어서는 것처럼 고되고 험난한 구도의 길을 선택한 한 젊은이를 통해 삶이 무엇인지에 대한 본원적인 질문을 던진다. 몸은 '구원'이라는 다소 무겁고 진지한 주제를 다루면서도 그 특유의 명쾌하고 간결한 문체와 유머를 잃지 않아, '소설은 재미를 위한 것'이라는 자신의 문학관을 이 작품에서도 성공적으로 보여 준다. 주인공 래리뿐 아니라 그 주변 인물들이 발산하는 젊음의 색깔들을 고르게 펼치면서 이 시대의 움츠러든 청춘들에게 인생에서 가장 가치 있는 것이 무엇인가 하는 진중한 화두를 던진다.

▶ 이 시대의 정직한 작가라면 서머싯 몸의 작품에 도저히 무관심한 척할 수가 없다. 몸은 작가로서 빛나는 존재이기 때문이다. — **고어 비달**

▶ 가장 순수한 사고가 만들어 낸 보물이자 숭고한 작품. — **시어도어 드라이저**

서머싯 몸
William Somerset Maugham

1874년 1월 25일 프랑스 파리 주재 영국 대사의 고문 변호사였던 로버트 몸의 막내아들로 태어난다. 여덟 살 때 어머니를 폐결핵으로, 열 살 때 아버지를 암으로 잃는다. 영국으로 돌아와 숙부의 보호 아래 캔터베리에서 학창 시절을 보내고 런던에서 세인트토머스 의학교를 졸업한다. 산부인과 경험을 옮긴 첫 번째 소설『램버스의 라이저』가 베스트셀러가 되자 자신감을 얻고 의사직을 과감히 포기한다. 1908년에는 몸의 희곡들이 런던 4대 극장에서 네 편이나 동시에 상연될 정도로 그의 인기가 높았다. 1차 세계 대전이 끝난 후 많은 나라를 여행하며 작가 수업을 하고, 1928년 이후 프랑스 남부 카프페라에 정착한다. 자전적 소설『인간의 굴레에서』와 고갱을 모델로 예술 세계를 파고든『달과 6펜스』, 토머스 하디를 풍자적으로 그린『케이크와 맥주』, 한 미국 청년의 구도적 여정을 담은『면도날』등의 장편 소설로 대중성과 작품성을 동시에 인정받는다. 또한 절제와 서스펜스가 가미된 단편 소설로도 유명하며『작가 수첩』등 자신의 철학을 담은 에세이도 출간한다. 1965년 12월 16일 프랑스 니스에서 아흔한 살로 눈을 감는다.

인간의 굴레에서 1

달과 6펜스

인생의 베일

면도날

서머싯 몸 단편선 1

케이크와 맥주

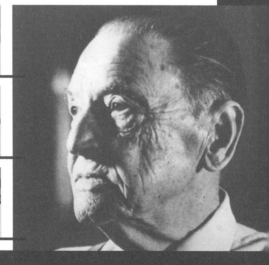

215·216 성채

The Citadel A. J. Cronin

A. J. 크로닌 이은정 옮김

전후 영국의 가장 중요한 작가 크로닌의 자전적 소설
현실과 맞서 이상을 구하는 인간의 싸움을 감동적으로 그린 드라마

1937년 출간되자마자 현대 고전으로 자리 잡은 이 작품은 크로닌이 자신의 경험
을 바탕으로 쓴 자전 소설이다. 의대를 갓 졸업해 패기에 차 있던 젊은 의사 앤드루
는 보수적이고 위선적인 현실에 휩쓸려 상류 사회의 허상을 좇다가 소중한 것들을
잃고서야 자신의 이상을 회복한다. 출간 한 달 만에 여섯 번 속판되고 같은 해 12쇄
이상 인쇄되었으며, 세계 20여 개국에서 번역되었다. 영화는 물론 여러 차례 TV 드
라마로 만들어져 큰 인기를 모았다. 작품을 꿰뚫는 휴머니즘의 감동은 물론 쉽고
대중적인 문체, 체험이 토대가 된 현실감 넘치는 이야기, 생생한 인물 묘사와 극적
인 플롯으로 소설 본연의 재미도 놓치지 않은 이상적인 대중 소설이다.

▶ 크로닌이 거둔 또 하나의 대중적인 대성공. —《뉴요커》
▶ 생생한 사건과 섬세하게 묘사된 인물로 가득 찬 탁월한 소설. —《타임스》

217 오이디푸스 왕

Οἰδίπους Τύραννος ΣΟφΟκλῆς

● 서울대 권장도서 100선

소포클레스 강대진 옮김

현대 극문학의 전신인 희랍 비극을 완성한 위대한 작가 소포클레스
완벽한 비극의 모범이라 일컬어지는 「오이디푸스 왕」 등 4편의 비극 수록

희랍의 삼대 비극 작가 중 하나인 소포클레스의 대표작. 소포클레스는 기원전 5세기 아테나이의 복잡하고 모순된 경험들을 동시대 어떤 극작가보다 심오하게 통찰하여 희랍 비극을 완성하고 최고의 존경을 받았다. 그는 평생 120편이 넘는 비극을 썼는데, 현재까지 전문이 남아 있는 작품들 중 「오이디푸스 왕」, 「안티고네」, 「아이아스」, 「트라키스 여인들」 등 뛰어난 구성과 치밀한 묘사, 심오한 주제가 두루 빛나는 결정적 작품 네 편을 수록했다. 서양 고전학자 강대진이 희랍어 원전을 우리말로 옮기며 고전과 신화에 관한 오역과 오류를 바로잡고 표현의 본뜻과 속뜻을 해치지 않으려 애썼다. "한 걸음마다 멈춰 서서 뒤를 돌아보게 하는 문장"들을 통해 소포클레스의 걸작들을 보다 깊이 있게 만날 수 있다.

▶ 「오이디푸스 왕」은 발견과 급전을 가진 가장 완전한 비극의 전범이며, 호메로스의
　서사시보다 훨씬 우월하다. ─ **아리스토텔레스**
▶ 「안티고네」는 윤리적 갈등을 통해 사회 역사의 변화에 따른 집단의 갈등을 제시한 최고의
　작품이다. ─ **헤겔**

218 세일즈맨의 죽음

Death of a Salesman Arthur Miller

● 퓰리처 상 수상 작가

아서 밀러 강유나 옮김

현대 희곡을 대표하는 거장 아서 밀러의 대표작
무너진 아메리칸드림의 잔해 속에서 허망한 꿈을 좇는 소시민의 비극

대공황이 오기 전까지 세일즈맨 윌리 로먼은 누구보다 행복한 사람이었다. 그러나 불황은 서서히 윌리의 입지를 잠식해 들어오고, 아들들은 그를 실망시킨다. 윌리는 두 아들 비프와 해피가 그의 이상을 실현하지 못하고 낙오자가 되자 과거로 도피한다. 이 작품은 1949년 브로드웨이에서 초연되자마자 즉시 하나의 사건으로 받아들여졌고 아서 밀러를 단숨에 현대 문학을 대표하는 작가로 끌어올렸다. 『세일즈맨의 죽음』은 과거와 현재를 넘나들며 인간의 소외와 붕괴를 뿌리까지 파고드는 혁신적인 기법으로 미국 현대극에 새로운 지표를 제시했다. 초연 후 2년간 장기 공연되며 연극계 3대 상인 퓰리처 상, 토니 상, 뉴욕 연극비평가상을 휩쓸었고 영화로도 제작되어 호평을 받았다.

▶ 아서 밀러는 평범한 미국인들의 희망과 고뇌를 극장에 전달했다. ─《뉴욕 타임스》
▶ 다른 작가들이 인식하지도, 감히 다루지도 못했던 문제를 단순하면서도 놀라운 방식으로 그려 낸 작품. ─《타임》

"아서 밀러"의 다른 책들

219~221 안나 카레니나

Анна Каренина Лев Толстой

- 《뉴스위크》 선정 100대 명저
- BBC 선정 꼭 읽어야 할 책
- 서울대 권장도서 100선

레프 톨스토이 연진희 옮김

러시아가 낳은 위대한 예술가 톨스토이, 그가 남긴 최고의 리얼리즘 소설
인간의 감정과 인간이 만들어 낸 사회 구조에 대한 고민이 집약된 걸작

페테르부르크에서 고위 관리의 아내로, 한 아이의 어머니로 행복하게 살던 아름다운 여인 안나는 모스크바에서 만난 브론스키 백작에게 사로잡힌다. 브론스키 역시 안나에게 빠져들고, 두 사람의 관계는 그들 가족은 물론 러시아 사교계에 커다란 파장을 일으키고 둘은 사회에서 싸늘하게 외면당한 채 외국으로 떠난다. 『안나 카레니나』는 톨스토이 자신의 신념, 종교나 농민 문제 등에 대한 고민이 잘 드러나 있는 소설이다. 동시대 작가인 도스토옙스키로부터 "완벽한 예술 작품"이라는 평가와, 역시 러시아 출신 소설가인 나보코프로부터 "톨스토이 스타일의 정점"이라는 극찬을 받은 작품이다. 톨스토이가 이 작품에서 보여 준 '의식의 흐름' 기법은 이후 제임스 조이스, 버지니아 울프 등에게로 계승되었다.

▶ 현대 유럽 문학 중에서 이 작품에 비견될 만한 것은 찾을 수 없다. — **표도르 도스토옙스키**

▶ 세계 문학에서 가장 위대한 사회 소설. — **토마스 만**

"레프 톨스토이"의 다른 책들

89·90_**부활** 연진희 옮김 353~356_**전쟁과 평화** 연진희 옮김

222 오스카 와일드 작품선

Oscar Wilde Oscar Wilde

오스카 와일드 정영목 옮김

시대의 이단아, 유미주의의 사도 오스카 와일드가 남긴 대표 작품들
가식과 위선이 넘치는 세상에 그가 던지는 진실한 유머와 아름다운 독설

19세기 영국 최고의 극작가이자 세계적인 동화 작가이고 단편 소설의 대가인 오스카 와일드의 대표작을 모았다. 동화 한 편, 단편 소설 네 편, 희곡 두 편으로 이루어진 이 작품선은 퇴폐와 천진난만함, 신랄한 풍자와 기상천외한 유머, 극적인 유미주의 등 그의 독특한 작품 세계를 잘 보여 준다. 순수하고 아름다운 동화 「행복한 왕자」를 비롯하여, 기득권층을 조롱하고 사회 병폐를 드러내는 단편 「아서 새빌 경의 범죄」, 파격적이고 치명적인 에로티시즘을 보이는 희곡 「살로메」에 이르기까지 다양한 매력과 개성을 선보인다. 특히 「살로메」에는 19세기 말 데카당 예술을 대표하는 영국 화가 오브리 비어즐리의 삽화가 함께 실려 작품의 매력을 더해 준다.

▶ 본질적이며 또한 분명한 사실은 바로 와일드가 언제나 옳았다는 것이다.
　　— 호르헤 루이스 보르헤스
▶ 나는 와일드의 단점에도 불구하고 그의 위대함을 단 한순간도 의심해 본 적이 없다.
　　— 앙드레 지드

223 벨아미

Bel-Ami Guy de Maupassant

기 드 모파상 송덕호 옮김

자신의 야망을 이루기 위해 여자를 유혹하는 아름다운 남자, 벨아미
근대 프랑스의 격동적인 삶과 인간의 뒤틀린 욕망을 사실적으로 재현한 작품

모파상의 『벨아미』는 뒤틀린 욕망과 이기심, 나약함 같은 어두운 인간 본성을 치열
하게 보여 주는 장편 소설로서, 500쪽이 넘는 분량에 걸쳐 전개되는 치밀한 스토리
를 통해 한층 섬세하게, 보다 사실적으로 근대 프랑스의 격동적인 삶과, 그 속에서
살아가는 인간들의 욕망을 재현한 작품이다. 신분 상승을 꿈꾸는 한 청년의 그릇된
욕망이 작품 속에서 선과 악, 옳고 그름에 대한 비판 없이 철저하게 객관적으로 묘
사된다. 돈으로 작위를 사고팔거나 공공연하게 불륜을 즐기던 19세기 파리 상류 사
회의 어그러진 모습을 바라보는 모파상 특유의 냉소적인 시선은 아름다운 남자, 벨
아미 속에 숨어 있는 어둡고 뒤틀린 인간 본성을 그 누구보다 치열하게 그려 낸다.

▶ 나는 내 책이 말하도록 내버려 둘 뿐이다. —**기 드 모파상**
▶ 모파상은 세계에서 보기 드문 걸출한 단편 작가였을 뿐만 아니라 잔혹한 인간성을 개연성
  있게 그려 내는 데 뛰어났다. —**송덕호, 「작품 해설」에서**

"기 드 모파상"의 다른 책들

224 파스쿠알 두아르테 가족

La Familia de Pascual Duarte Camilo José Cela

● 노벨 문학상 수상 작가

카밀로 호세 셀라 정동섭 옮김

『돈키호테』 이후 가장 많은 사람들이 읽은 스페인 소설
경직된 스페인 문단의 침묵을 깨고 원초적 인간 심리를 파헤친 문제작

스페인 소설가 중 최초로 노벨상을 수상한 카밀로 호세 셀라의 데뷔작. 1942년 출간된 이 소설은 세상을 경악하게 한 희대의 살인마의 수기이다. 열악한 농촌 마을에서 태어나 평생을 학대와 증오 속에서 자란 주인공은 아무리 몸부림쳐도 벗어날 수 없는 숙명처럼 잇따라 살인을 저지르고 점점 더 깊은 수렁으로 끌려 들어간다. 프랑코 정권의 엄격한 검열 정책은 이 작품에 대해 잔인한 소재와 폭력적인 묘사를 근거로 출판 금지 조치를 내렸지만, 내전 이후 황폐해진 스페인 대중은 그 잔혹함에 공감하고, 그 비극성에 감동했다. 이 작품은 출간되자마자 억압적인 사회 분위기 속에서 침체되어 가던 스페인 문단에 "일종의 건전한 카타르시스"로 작용하며 스페인 현대 소설에 새로운 시작을 알렸다.

▶ 셀라는 감정을 절제하면서도 풍부하고 강렬한 문장을 구사하여, 인간의 나약함을 도발적으로 보여 준다. ― 스웨덴 한림원 노벨상 선정 이유

▶ 전통을 유지하면서, 유럽 문학에 동화되지 않고 자신만의 스타일을 발전시킨 작가. ― 훌리오 오르테가

"카밀로 호세 셀라"의 다른 책들

225 시칠리아에서의 대화

Conversazione in Sicilia Elio Vittorini

엘리오 비토리니 김운찬 옮김

"모욕당한 세상"을 분노와 침묵 속에 희망 없이 살아 내던 한 남자
파시즘의 비인간성과 조국의 비참한 현실을 고발한 현대 이탈리아 문학의 대표작

아버지의 부탁으로 홀로 사는 어머니를 찾아 고향으로 떠나는 한 남자의 이야기를 담은 이 소설은, 파시스트 정권에 대한 간접적인 비판 때문에 검열을 피해 '이름과 눈물'이라는 제목으로 출판되기도 했다. 비토리니는 사건이나 인물에 대한 직접적인 언급을 피하고 현실과 환상을 교묘하게 엮어 시칠리아를 상징적인 공간으로 재탄생시켰다. 또한 시처럼 강렬한 암시성과 초현실적 묘사 덕분에 이 작품은 보다 일반적이고 보편적인 세상과 인간의 모습을 담아 낼 수 있었다. 이 소설에서 묘사되는 '모욕당한 세상', 그리고 '모욕당한 사람들'의 이야기는 바로 우리 자신의 이야기이며, 우리는 이 작품을 통해 이 세상 어디에서나 언제든지 일어날 수 있는 다양한 형태의 억압과 부조리를 목격할 수 있을 것이다.

▶ 진정 최고의 현대 이탈리아 작가 중 하나. —**어니스트 헤밍웨이**

▶ 비토리니는 단테처럼 주인공을 무시하면서 동시에 힘들이지 않고 주인공을 상징으로 만들 수 있는 작가이다. —**체사레 파베세**

226·227 길 위에서

On the Road Jack Kerouac

● 《뉴스위크》 선정 100대 명저
● 《타임》 선정 현대 100대 영문소설

잭 케루악 이만식 옮김

전 세계 젊은이들을 길 위로 이끈 비트의 화신 케루악의 신화적 소설
부패한 사회에 반기를 들고, 진정한 자유의 길에 선 청춘들의 초상

젊은 작가 샐은 우연히 알게 된 청년 딘의 광적인 호기심과 열정에 자극받아 함께 히치하이크로 미 대륙을 종횡한다. 만나고 헤어지는 사람들의 다양한 삶과 각양각색의 풍경, 끊이지 않는 재즈 리듬이 길 위에 펼쳐진다. 1957년 출간되자마자 폭발적인 인기를 얻은 이 자전적 소설을 통해 케루악은 비트 세대의 화신이 되었다. 형식에 구애되지 않는 즉흥적인 문제와 열정적인 이야기가 어우러진 이 소설은 당대 젊은이들로 하여금 물질주의와 고루한 기성도덕에 반기를 들고 진정한 자유와 새로운 깨달음을 찾아 길 위로 나서게 했다. 반세기가 지난 지금도 매년 10만 부 이상 판매되며 사랑받고 있는 고전으로, 국내에서는 민음사가 최초로 정식 완역본을 출간했다.

▶ 『길 위에서』는 다른 모든 이의 삶을 바꿔 놓았던 것처럼, 내 삶도 바꿔 놓았다. ─ **밥 딜런**

▶ 이런 방식의 글쓰기가 가능하리라는 걸 그 누가 알았단 말인가! ─ **토머스 핀천**

잭 케루악
Jack Kerouac

1922년 미국 매사추세츠주에서 태어났다. 1940년 컬럼비아 대학교에 입학하나 학업을 중단하고 갖가지 직업을 전전하다 2차 세계 대전에 해군으로 참전한다. 종전 후 대학교를 자퇴하고 작가 윌리엄 버로스, 닐 캐시디, 앨런 긴즈버그 등과 함께 미국 서부와 멕시코를 도보로 여행한다. 이때의 체험을 바탕으로 쓴 『길 위에서』가 1957년 출간되자 당시 젊은이들의 열광적인 반응을 얻으며 케루악은 소위 '비트 세대'를 주도하는 작가로 단숨에 자리매김한다. 형식에 구애받지 않은 즉흥적인 문체, 거침없이 역동하는 재즈와 맘보의 리듬, 끓어오르는 에너지와 호기심으로 가득한 이 작품은 이후 문학과 문화 전반에 큰 영향을 미쳤다. 또한 소설의 가치관에 감흥을 받은 젊은이들은 도취의 세계를 찾아 전국을 방랑하면서 1960년대 히피 운동을 탄생시키는 도화선을 만들었다. 이어 그는 『달마 부랑자』, 『외로운 여행자』, 『빅 서』 등의 작품을 발표했다. 1969년 47세의 나이로 사망했다.

228 우리 시대의 영웅

Герой Нашего Времени Михаил Лермонтов

미하일 레르몬토프 오정미 옮김

한 세대의 모든 악덕이 만들어 낸 '우리 시대의 초상' 페초린
낭만적 모험과 비극적 영웅 이야기 속에 담긴 현실, 19세기 러시아 문학의 고전

19세기 러시아의 천재 작가이며, 27세의 나이로 요절한 미하일 레르몬토프가 발표한 유일한 장편 소설. 그는 전통적인 모험 소설과 영웅 소설의 형식을 빌려, 당시 러시아 전반에 퍼져 있던 위선적인 지성인과 속물적인 귀족의 모습을 대담하게 그려 냈다. '우리 세대의 모든 악덕'으로부터 구성되었다고 스스로 밝힌 인물에 대해 '우리 시대의 영웅'이라는 칭호를 붙여 세상에 내놓은 이 작품은 레르몬토프의 사상과 철학의 집대성이라 할 수 있다. 「벨라」, 「타만」, 「공녀 메리」, 「숙명론자」로 이어지는 에피소드는 모두 비극으로 끝을 맺는다. 독자들이 예상했던 '영웅'의 면모는 어디에도 없으며, 모든 사건은 낭만적 영웅에게 기대하는 것과 전혀 다른 방향으로 귀결되어 버린다.

▶ 레르몬토프의 페초린은 국적과 세대를 불문하여 독자들에게, 특히 젊은 독자들에게 매혹적인 존재로 남을 것이다. — **블라디미르 나보코프**

▶ 뜨겁도록 차가운 현실주의자 페초린. 그의 현실은 언제나 낭만과 실제 사이에 있었다. — 오정미, 「작품 해설」에서

229 아우라

Aura Carlos Fuentes

카를로스 푸엔테스 송상기 옮김

환상적 기법으로 현실의 이면을 드러낸 현대 멕시코의 대표 작가 푸엔테스
인생의 가장 찬란했던 순간을 영원히 간직하려는 한 여인의 집요한 욕망

최신식 건물로 둘러싸인 옛 시가지 한복판에, 사람이 살고 있다고 상상하기 어려운
퇴락한 저택이 있다. 100살은 족히 되어 보이는 쪼그라진 노파 콘수엘로와 그녀의
아름다운 조카 아우라가 사는 그 집에서, 젊은 역사학도 펠리페는 노파의 죽은 남
편 요렌테 장군이 남긴 원고를 정리하는 일을 맡는다. 파도처럼 일렁이는 아우라의
녹색 눈동자를 한순간도 떨치지 못하고 안절부절못하는 펠리페는 불타는 고양이,
웃는 악마 그림 같은 불쾌하고 기묘한 환각에 서서히 젖어 간다. 아득한 먼 옛날부
터 인류가 염원해 온, 영원히 죽지 않는 삶과 죽음도 뛰어넘는 사랑의 끝을 집요하
게 따라가는 이 작품은, 욕망이 절정까지 차오르는 순간에 돌연 가면을 벗은 얼굴
로 통제할 수 없는 욕망의 본질을 바라보게 한다.

▶ 푸엔테스는 독자의 청각, 후각, 시각을 자극하고, 모국의 신화적 역사를 재현할 줄 아는
  거장이다. ─《시애틀 타임스》
▶ 『아우라』를 통해 당신은 절대적인 경험을 맛보게 된다. ─《뉴스위크》

230 클링조어의 마지막 여름

Klingsors letzter Sommer Hermann Hesse

● 노벨 문학상 수상 작가

헤르만 헤세 황승환 옮김

예술에 대한 열정으로 정신적 죽음을 이긴 헤세의 자전적 소설
생사와 시공의 경계를 넘어 순전한 진실의 약동을 그린 화가 클링조어

헤세는 당시 재정난과 아버지의 사망, 아내의 우울증과 막내아들의 발작 등으로 엄청난 정신적 위기를 겪고 있었는데, 여름 한 달 만에 완성한 이 소설을 통해 자신의 고통을 문학으로 승화했다. 죽음 앞에서 가장 크고 밝은 마지막 불꽃을 피우는 화가 클링조어의 모습에는 헤세의 열정이 고스란히 담겨 있다. 클링조어가 생사의 대립을 무화하고 기꺼이 죽음을 받아들이며 자신을 소진해 최후의 작품을 완성하는 생애 마지막 여름은 1차 세계 대전 이후 피폐해진 유럽 사회에 몰락을 선언하고, 소멸을 통한 새로운 탄생을 희구하는 전환기의 초상이다.

▶ 그의 영감 어린 글쓰기는 대담성과 통찰력이 빛나는 한편으로, 고전적인 인도주의의 이상과 수준 높은 문체의 좋은 본보기가 된다. ─ 스웨덴 한림원 노벨상 선정 이유
▶ 이 소설은 매우 아름답다. 클링조어는 계절을 관조하고 달을 뜨게 하며 적포도주를 끝없이 들이켜다 결국에는 몰락한다. 이것이 그가 해낸 일이다! ─ 베르톨트 브레히트

"헤르만 헤세"의 다른 책들

231 리스본의 겨울

El Invierno en Lisboa Antonio Muñoz Molina

안토니오 무뇨스 몰리나 나송주 옮김

상아탑에 갇힌 스페인 문학을 대중의 품으로 되돌려 준 기념비적인 작품
과감한 소재와 감각적인 언어, 에로티시즘 이면에 흐르는 인간에 대한 연민

오랜 독재 정권을 몰아내고 민주주의를 손에 쥐었지만 포르노와 마약에 대한 자유
밖에 실감할 수 없었던 20세기 말 스페인의 비정하고 혼란스러운 풍경을 세련되게
담아낸 작품. 사라진 그림과 살인, 알 수 없는 편지와 목숨을 건 추격전이 긴박하
게 펼쳐지는 가운데 진정한 삶에 대한 순결한 신념을 녹여 낸 이 작품은 이 시대 젊
은 독자들의 폭발적인 호응을 얻었을 뿐 아니라 스페인의 권위 있는 문학상들을 수
상하며, 대중성과 작품성을 동시에 인정받았다. 무뇨스 몰리나는 질투와 환멸, 배
신감에 허우적대는 이기적이고 나약한 영혼들이 마침내 과거와 화해하고 자신만의
오롯한 열정으로 다시 살아가는 모습을 제시하면서 쓰레기 더미 같은 현실 속에서
도 빛나는 예술과 사랑의 가능성을 우리에게 일깨운다.

▶ 무뇨스 몰리나의 작품에서는 기억과 상상이, 폭력과 망명이, 경건한 사랑과 단념이
끊임없이 서로에게 접속한다. —《엘 파이스》

232 뻐꾸기 둥지 위로 날아간 새

One Flew Over the Cuckoo's Nest Ken Kesey

● 《뉴스위크》 선정 100대 명저
● 《타임》 선정 현대 100대 영문소설

켄 키지 정회성 옮김

정신 병동을 매개로 현실 사회를 드러내는 섬뜩한 은유
거대 구조의 톱니바퀴에서 희생된 무수한 개인을 위한 진혼곡, 그리고 한줄기 희망

1950년대 비트 세대와 1960년대 히피 세대를 연결하는 작가 켄 키지의 대표작. 한 정신 병동을 배경으로 주인공 맥머피가 '콤바인'으로 상징되는 거대 권력에 맞서 싸우는 모습을 그렸다. 맥머피는 특히 수간호사가 환자들을 교묘히 학대하고, 그로 인해 환자들이 더욱 치유 불능의 상태에 빠지는 것을 알고 이에 맹렬히 저항한다. 1962년 발표 당시, 눈에 보이지 않는 거대한 통치자에게 저항하고 좌절하는 등장인물들을 통해 현실 사회를 날카롭게 묘파했다는 찬사를 받았다. 많은 이들이 거대 구조 아래에서 소외된 개인으로 살아가는 오늘날에도 '세상에 대한 통찰력이 넘치고 신선한 자극을 안겨 주는 소설'로 평가받기에 충분한 작품이다.

▶ 중산층 사회의 규칙을 강요하는 보이지 않는 지배자들을 향한 성난 저항의 외침. — 《타임》
▶ 선과 악의 대결에 대한 눈부신 우화, 천재적인 문학성이 돋보이는 작품. — 《뉴욕 타임스》

233 페널티킥 앞에 선 골키퍼의 불안

Die Angst des Tormanns beim Elfmeter Peter Handke

● 노벨 문학상 수상 작가

페터 한트케 윤용호 옮김

언어 실험적 글쓰기로 새로운 문학 세계를 연 문제 작가 페터 한트케
무질서한 전개, 강박적 말놀이로 그리는 소통 불가능한 사회의 단면

현대 독일 문학을 대표하는 작가 페터 한트케의 『페널티킥 앞에 선 골키퍼의 불안』
은 그가 1970년대 들어 자신만의 방식으로 전통적인 서사를 회복하는 시발점이 되
었다. 한때 유명한 골키퍼였던 블로흐는 공사장 인부로 일하다 석연찮게 실직하고
방황하던 중 우발적으로 살인을 저지른다. 소설은 살인이라는 굵직한 사건이 아니
라, 인물에 내재한 불안의 심상을 따라 무질서하게 펼쳐진다. 두서없는 언행, 무의
미한 단어 나열, 극단적인 말놀이, 이해 불가의 기호들은 인물이 느끼는 불안과 강
박을 작품 전체와 일치시키며 매 순간 독자를 당황하게 하고, 예상할 수 없는 방향
으로 어긋나 흐르는 이야기 전개는 독자를 불안하게 만든다. 그 속에서 소외와 단
절의 현대 사회, 그 불안한 단면이 투명하게 드러난다.

▶ 노벨 문학상을 받아야 할 사람은 내가 아니라 페터 한트케다. — 엘프리데 옐리네크
▶ 지난 십 년간 독일어로 쓰인 작품 중 가장 인상적인 작품. — 카를하인츠 보러

"페터 한트케"의 다른 책들

65_소망 없는 불행 윤용호 옮김 **306_관객모독** 윤용호 옮김

234 참을 수 없는 존재의 가벼움

L'insoutenable légèreté de l'être Milan Kundera

밀란 쿤데라 이재룡 옮김

역사의 상처에 짓눌려 단 한 번도 '존재의 가벼움'을 느껴 보지 못한 현대인,
그들의 삶과 사랑에 바치는 소설이자 밀란 쿤데라의 대표작

토마시와의 만남을 운명이라고 생각하는 테레자는 고향을 떠나 그의 집에 머문다. 진지한 사랑을 부담스러워하던 토마시는 끊임없이 다른 여자들을 만나고, 질투와 미움이 뒤섞인 두 사람의 삶은 점차 그 무게를 더해 간다. 한편 토마시의 연인 사비나는 끈질기게 자신을 따라다니는 조국과 역사의 그림자에서 벗어나 자유롭게 살고 싶어 하며, 안정된 일상을 누리던 프란츠는 그런 사비나의 '가벼움'에 매료된다. 1968년 프라하의 봄, 역사의 상처를 짊어지고 살아가는 이 네 남녀의 사랑은, 오늘날 '참을 수 없는' 생의 무거움과 가벼움을 오가며 방황하는 우리들의 자화상과 다름없다. 이 작품은 역사에서 태어났으되, 역사를 뛰어넘는 인간의 실존 그 자체를 다루고 있기에 영원히 사랑받는 불멸의 고전으로 남을 것이다.

▶ 쿤데라는 시간의 흐름을 따르는 매끄러움과 개연성을 거부하는 실험적인 기법들을 통해, 인간의 욕망과 아픔과 삶의 한계를 표현하고 있다. ─ **권택영(문학 평론가)**

235·236 바다여, 바다여

The Sea, The Sea Iris Murdoch

● 부커 상 수상 작가

아이리스 머독 최옥영 옮김

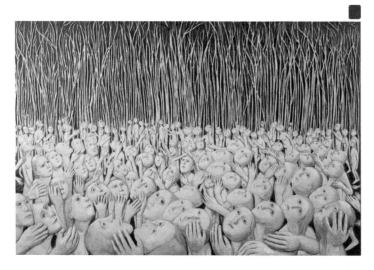

영국을 대표하는 세기의 지성 아이리스 머독의 부커 상 수상작
아름답고도 위험한 바다를 무대로 연극처럼 펼쳐지는 삶의 환상과 거짓

20세기 영국을 대표하는 소설가이자 철학자로서 다재다능함을 뽐냈던 머독이 발표한 소설 스물여섯 권 중 유일하게 부커 상을 수상한 작품이자 그녀의 철학적 주제 의식이 최고점에 달한 작품이다. 여러 인간관계의 복잡함을 통해 사랑의 어둡고 소름 끼치는 일면을 보여 주는 한편, 욕망과 자유, 선(善)에 대한 철학적 탐구를 이어 간다. 그녀의 작품 중에서도 모범적이라 할 만큼 탄탄한 구성을 자랑하며, 바다의 다채로운 모습과 인간의 복잡다단한 삶, 예술을 통한 선의 추구와 종교를 통한 선의 추구, 마술적 힘과 속임수 등의 대비를 통해 견고한 서사를 구사한다. 그녀가 줄기차게 관심을 기울인 철학적 주제를 잘 전달하면서도 사실적인 인물 묘사로 살아 있는 일상의 삶을 생동감 있게 보여 준다.

▶ 아이리스 머독이 20세기 영국의 가장 중요한 작가 중 하나라는 데는 이견이 없다. ─《타임》

▶ 사실상 잔인하고 고통스러운 책이지만 또한 우아함을 함께 지니고 있다. ─《뉴 스테이츠먼》

"아이리스 머독"의 다른 책들

237 한 줌의 먼지

A Handful of Dust Evelyn Waugh

● 《타임》 선정 현대 100대 영문소설

에벌린 워 안진환 옮김

속물근성과 허례허식으로 가득 찬 1930년대 영국 상류 사회를 통해
희망 없는 인간 삶의 본질을 통찰한 에벌린 워의 대표작

20세기 영국 문학을 대표하는 풍자 작가 에벌린 워는 냉소적 기지와 무미건조하면서도 해학적인 기교로 호평받았을 뿐 아니라, 전통의 잔재와 가톨릭 신앙 등에 문제를 제기하면서 당시 사회 논쟁을 불러일으키기도 했다. 또 그는 오지 여행, 전쟁, 종교, 상류층 귀족 문화, 불행한 결혼 생활 등 독특하면서도 다양한 체험을 바탕으로 매우 사실적인 소설을 썼다. 1934년 발표한 그의 네 번째 소설 『한 줌의 먼지』에서는 급격한 근대화와 1차 세계 대전을 거친 후 껍데기만 남은 영국 상류 사회를 신랄하게 묘사하고 풍자한 워의 초창기 작품 특징이 잘 드러난다. 워는 끝없이 방황하고 추락하는 등장인물들을 생생하게 그리면서 영국 귀족들의 허상을 낱낱이 드러낸다.

▶ 소극(笑劇)에서 고급 희극으로, 멜로드라마에서 비극으로 흘러가는, 풍자의 진수.
　　—《타임》

▶ 이 책은 그야말로 풍자극의 표준이다. —《시카고 데일리 뉴스》

"에벌린 워"의 다른 책들

238 뜨거운 양철 지붕 위의 고양이·유리 동물원

Cat on a Hot Tin Roof·The Glass Menagerie Tennessee Williams

● 퓰리처 상 수상 작가

테네시 윌리엄스 김소임 옮김

인간 욕망의 밑바닥까지 가감 없이 그려 낸 극작가 테네시 윌리엄스
허위와 진실 사이를 방황하며 환상을 좇는 현대인의 초상

미국 현대 희곡의 거장 테네시 윌리엄스의 대표작. 섬세하고 예리한 극작가 테네시 윌리엄스는 사실주의극의 도화지 위에 풍부한 상징과 시적 이미지를 사용해 현대를 살아가는 사람들의 그림을 실감나게 그려 냈다. 대표작 「뜨거운 양철 지붕 위의 고양이」는 유산을 둘러싼 가족들의 갈등을 그린 작품으로, 욕망과 허위, 소통 단절의 문제를 적나라하게 파헤쳤다. 「유리 동물원」은 윌리엄스가 극작가로 이름을 알리게 된 자전적 회상극으로, 환상과 현실 사이에서 방황하고 갈등하는 가족의 모습을 서정적으로 그렸다. 관습적인 연극이 가진 한계를 넘어 인간 내면의 진실을 오롯이 담아 낸 그의 희곡들은 수차례 영화와 텔레비전 드라마로 만들어졌으며, 오늘날에도 많은 관객들의 사랑을 받는 연극으로 여전히 빛나고 있다.

▶ 「뜨거운 양철 지붕 위의 고양이」는 사람들 사이의 소통, 죽음이 삶을 규정짓는 방법에 관한 고통스러운 문제들, 즉 인간 소외와 단절에 관한 가장 열정적이고 명료한 서술이다.
　　— 《뉴욕 타임스》

▶ 「유리 동물원」은 탄탄한 극적 구조가 바탕이 되어 극이 시적으로 전개되는, 혁명적일 정도로 새로운 작품이다. — **아서 밀러**

"테네시 윌리엄스"의 다른 책들

239 지하로부터의 수기

Записки из подполья Фёдор Достоевский

표도르 도스토옙스키 김연경 옮김

러시아의 대문호 도스토옙스키가 그려 낸 '지하 인간'으로서의 지성인
기존의 소설 문법뿐 아니라 세계 인식의 틀마저 배반한 문제적 소설

『지하로부터의 수기』는 도스토옙스키 작품 세계에서 전환점이 된 소설로, 최초의 실존주의 소설이라 일컬어진다. 이 작품은 지식인이라 자처하지만 자기만의 세계 '지하'에 틀어박힌 채 세상 모든 것을 경멸하는 주인공의 독백과 경험담이 수기의 형태로 서술된다. 도스토옙스키가 이 책에서 주인공으로 등장시킨 '지하 인간'은 이전 소설에서는 볼 수 없었던 새로운 인물이었으며, 그가 고백하는 위악적인 가치관 역시 기존의 세계관을 전복시키는 것이었다. 이 '지하 인간'이라는 인물 유형은 그 후 톨스토이, 체호프뿐 아니라 20세기의 소설가 랠프 엘리슨, 영화 「택시 드라이버」에까지 두루 영향을 준 것으로 평가받는다.

▶ '지하 인간'은 실존주의 철학의 선구자이자 대변인이다. 이 작품과 인물이야말로 인간의 본성이 근본적으로 비이성적이라는 것을 분명히 증명한다. ─ **장폴 사르트르**
▶ 도스토옙스키의 작품 세계를 이해하는 데 열쇠가 되는 소설. ─ **앙드레 지드**

"도스토옙스키"의 다른 책들

240 키메라

Chimera John Barth

존 바스 이운경 옮김

고답적인 모더니즘 문학에 맞서 새로운 소설 형식을 선보인 존 바스
고전 천일야화와 그리스 신화에 대한 신선한 해석

존 바스는 1960년대 미국 문단에 큰 파문을 던진 논문 「고갈의 문학」을 통해 사실주의 문학에 종언을 고한, 포스트모더니즘 문학의 기수이다. 또한 토머스 핀천, 조지프 헬러와 함께 가장 인기 있는 포스트모더니즘 작가이기도 하다. 『연초 도매상』에서 흥미진진한 역사 소설로 허구와 실재의 경계를 넘나들었던 그가 『키메라』에서는 고전 『천일야화』와 그리스 신화 속으로 뛰어든다. 잘 알려진 고전을 다양한 서술 기법으로 유쾌하게 패러디하면서, 현대 작가들이 당면한 '소재의 고갈'이라는 위기 상황에 대해 성찰하는 이 작품은 소설을 통해 자신의 문학관을 직접 실현해 나간 존 바스의 역작이다.

▶ 비극적이면서도 매력적이고, 한 마리 뱀이 만들어 내는 미끈한 곡선만큼이나 우아하다.
　　　—《워싱턴 포스트》

▶ 진기하고도 의미심장한 책. —《뉴스위크》

241 반쪼가리 자작

Il visconte dimezzato Italo Calvino

이탈로 칼비노 이현경 옮김

현대 이탈리아의 대표 작가, 이탈로 칼비노가 그려 낸 기괴한 동화적 공간,
그 속에서 살아 숨 쉬는 뒤틀리고 분열된 현대인의 초상

이제 막 성인이 된 테랄바의 메다르도 자작은 전쟁에 참전했다가 몸이 산산조각 나
고 만다. 야전 병원 의사들은 아직 살아 숨 쉬는 자작의 몸뚱어리를 이리저리 꿰
매고, 메다르도 자작은 '악'하기만 한 반쪽과 '선'하기만 한 반쪽으로 나뉘어 고향으
로 돌아온다. 이 반쪽 자작'들을 통해 칼비노는 냉정한 현대 사회에서 정신적으로
분열된 채 살아가는 인간들의 고통과 외로움을 동화적 상상력으로 그려 냈다. 또
한 비록 신체는 온전하지만 자작과 마찬가지로 어딘가 불안정한 주변 인물들을 통
해 칼비노는, 선악의 구분이 모호해진 이 세상에서 인간은 누구나 다 불완전한 존
재이며 그 불완전한 모습이야말로 오히려 '인간적'임을 역설한다.

▶ 칼비노에게는 사람들의 마음의 가장 깊숙한 안식처를 꿰뚫어 보고, 그들의 꿈을 삶으로
  이끄는 힘이 있다. ─ **살만 루슈디**
▶ 칼비노는 전후의 모든 이탈리아 작가들 가운데 가장 모험적인 인물이다.
  ─《**파이낸셜 타임스**》

242 벌집

La colmena Camilo José Cela

● 노벨 문학상 수상 작가

카밀로 호세 셀라 남진희 옮김

전후 스페인 문학의 대문호 카밀로 호세 셀라가 그린 "벌집" 같은 인간 군상
20세기 가장 참혹한 비극인 스페인 내전이 남긴 지독한 인간 소외

20세기 스페인 현대 문학사에서 가장 중요하게 언급되는 작가 카밀로 호세 셀라의
대표작. 동족상잔의 비극을 경험한 1940년대 초 스페인을 배경으로, 내전의 상흔
이 미처 아물지 않은 마드리드의 처절하고 황량한 일상을 담아낸다. 누구도 전쟁
에 관해 이야기를 꺼내지는 않지만, 그 끔찍하고 두려운 기억을 짊어지고 살아가는
인물들은 유령처럼 어두운 도시를 떠돈다. 하지만 가난과 절망에 몸부림치는 그들
에게도 "잠깐일지라도 희망의 숨구멍을 열어 주는 바람"처럼 낭만과 유머가 머물다
가는 것을 작가는 놓치지 않고 묘사한다. 부조리한 세계 속에서 상처받고 소외당한
대중의 마음을 대변한 이 작품으로, 셀라는 냉전의 시대가 마침내 끝난 뒤 노벨 문
학상을 받는 영광을 누린다.

▶ 정치적인 표현은 단 한마디도 없이, 사회적 빈곤을 도외시한 프랑코 정권을 공격한다.
　　―《라이브러리 저널》
▶ 카밀로 호세 셀라는 현대 유럽에서 가장 재능 있고 강력한 작가다. ― 로버트 보일

"카밀로 호세 셀라"의 다른 책들

243 불멸

L'immortalité Milan Kundera

밀란 쿤데라 김병욱 옮김

작품 속 인물과 작가의 만남, 소설 안팎의 경계를 무너뜨린 대담한 서술
불멸을 향한 인간의 헛된 욕망과 그 불멸로 인해 더욱 깊어지는 고독

예순두 살의 괴테는 지적이며 야심 찬 스물여섯 살 베티나를 만난다. 베티나는 끊임없이 괴테 주위를 맴돌며 자신의 존재를 그에게 각인한다. 하지만 베티나의 사랑은 괴테를 향한 사랑이 아니라 불멸을 향한 갈구다. 자신에게 죽음, 즉 불멸이 성큼 다가와 있음을 느낀 괴테는 베티나의 욕망을 눈치채나 눈앞의 쾌락을 포기하고 그녀를 멀리한다. 하지만 결국 베티나는 괴테의 젊은 연인으로 영원히 역사에 기록된다. 쿤데라가 '호모 센티멘탈리스'라고 명명한 현대인들은 자신의 욕망과 고통을 타인과 나누지 못한 채 세상의 수많은 얼굴들에 둘러싸여 갇혀 버린 고독한 존재들이다. 쿤데라는『불멸』에서 작품 속 인물과 작가 자신을 맞닥뜨리게 하며 소설의 경계를 넘나드는 대담한 서술을 선보인다.

▶ 『참을 수 없는 존재의 가벼움』 이후 쿤데라가 선택한 첫 주제는 '죽음'과 '불멸'이다.
　에세이와 전기 자료를 결합한 이 소설은 20세기 후반 사회에 대한 훌륭한 통찰을 보여
　준다. ─《퍼블리셔스 위클리》

244·245 파우스트 박사

Doktor Faustus Thomas Mann

● 노벨 문학상 수상 작가

토마스 만 임홍배, 박병덕 옮김

토마스 만 스스로가 가장 아끼는 작품이라고 밝힌 최후의 걸작
광기와 혼돈의 시대, 비운의 천재 음악가로 다시 태어난 20세기 파우스트

노벨 문학상 수상 작가 토마스 만 최후의 걸작. 만은 이 소설을 자신이 가장 아끼는 작품으로 꼽았을 뿐만 아니라, 집필 과정에 관한 책을 따로 출간할 만큼 심혈을 기울였다. 고독하고 오만한 천재 작곡가가 창작의 위기에서 영혼을 담보로 악마와 거래하고 결국 파멸에 이르는 내용으로, 중세 파우스트 전설을 현대적으로 재해석했다. 작가는 양차 대전 당시 파시즘에 열광하고 유대인 학살을 묵과한 독일의 실상을 작품에 투영해 날카로운 자기 성찰을 보였다. 인간 정신이 무너지고 이성에 대한 맹신이 오히려 야만을 낳는 시대에 대한 진단으로, 다시금 위기에 처한 문명 시대를 사는 오늘의 독자에게도 깊은 울림이 될 것이다.

▶ 토마스 만의 가장 깊이 있는 예술적 몸짓. ─ 《뉴 리퍼블릭》
▶ 토마스 만은 독일의 불행 가운데 있는 행운이다. 작가들이 토마스 만을 비판하는 것은 그를 능가할 수 없기 때문이다. ─ **마르셀 라이히라니츠키**

"토마스 만"의 다른 책들

246 사랑할 때와 죽을 때

Zeit zu leben und Zeit zu sterben Erich Maria Remarque

에리히 마리아 레마르크 장희창 옮김

세계 대전의 비극 속에 피어나는 슬프고도 아름다운 사랑

반전(反戰) 소설의 대가 레마르크가 서정적으로 그려 낸 고통과 희망

『사랑할 때와 죽을 때』는 종전을 향해 가는 2차 대전의 어느 시기를 배경으로, 피비린내 나는 전투와 운명적인 사랑을 병치함으로써 소설이 줄 수 있는 극적 체험의 정수를 보여 주는 작품이다. 레마르크는 이 소설에서 전쟁은 물론 전쟁의 시대를 살아가는 개개인의 모습을 그리며 폭력으로 얼룩진 절박한 현실을 사실적으로 묘사했다. 동시에 어떤 폭력에도 굴하지 않는 삶에의 의지, 전쟁이라는 극단적인 상황에서도 발휘되는 인류애를 통해 인간성에 대한 강한 신념을 드러냈다. 무엇을 위해 전쟁을 계속해야 하는지 고민하는 주인공 그래버의 물음은 오십 년이 지난 지금의 독자들에게도 깨어 있는 역사의식의 전범(典範)으로 기억될 것이다.

▶ 레마르크는 글로 사람들에게 감동을 주는 힘이 대단하다. — **《뉴욕 타임스》**

▶ 레마르크의 작품은 우리의 슬픔을 어루만져 주고 영혼을 단련해 주고 살아갈 희망과 힘을 준다. 그래버와 엘리자베스가 나누는 건배사는 단순하면서도 그 울림이 깊다. "관용을 위해 건배!" — **장희창, 「작품 해설」**에서

"에리히 마리아 레마르크"의 다른 책들

331·332_개선문 장희창 옮김

247 누가 버지니아 울프를 두려워하랴?

Who's Afraid of Virginia Woolf? Edward Albee

에드워드 올비 강유나 옮김

유진 오닐, 테네시 윌리엄스, 아서 밀러를 잇는 현대 미국의 대표 극작가 올비
거침없는 회의와 비판 속에서도 소통을 희망하는 낙관적 부조리극

술에 취해 폭언을 퍼부으며 끝없이 서로를 물어뜯는 중년 교수 조지와 아내 마사, 그리고 초대를 받아 그들의 집을 방문한 신임 교수 닉과 그의 아내 허니, 두 쌍의 부부는 취기와 욕설이 난무하는 새벽의 난장판 속에서 불편한 진실과 대면하게 된다. 폭력적인 대화와 극단적인 상황 전개로 미국적 이상의 허위와 환상으로 포장한 삶의 이면을 거침없이 드러낸 이 작품은 사회적으로 상당한 파장을 불러일으키며, 당시 신예였던 올비를 단숨에 유진 오닐, 아서 밀러, 테네시 윌리엄스와 같은 미국의 대표 극작가 반열에 올려놓았다. 2004, 2005년에 브로드웨이에서 이 작품이 재상연되면서, 올비는 극작가로서의 평생 업적을 기리는 토니 상 특별상을 수상하였다.

▶ 에드워드 올비는 이 시대 연극계의 가장 중요한 작가 중 하나이다. ─**《뉴욕 포스트》**

▶ 연극계에는 결국 산 것과 죽은 것, 두 가지밖에 없다. 『누가 버지니아 울프를 두려워하랴?』는 충격적일 정도로 펄펄 살아 날뛰는 작품이다. ─**《타임》**

248 인형의 집

Et dukkehjem Henrik Ibsen

헨리크 입센 안미란 옮김

한 인간으로서의 자신을 찾아 허위와 위선뿐인 '인형의 집'을 떠나려는 노라
근대극의 일인자 입센이 '노라이즘'을 탄생시킨 최초의 페미니즘 희곡

세 아이의 어머니이자 사랑받는 아내인 노라는 오랜만에 찾아온 친구 크리스티네
에게 자신의 비밀을 털어놓는다. 몇 년 전 남편이 죽을병에 걸렸을 때 아버지의 서
명을 위조해 돈을 빌렸던 것이다. 그러나 노라의 비밀을 알고 있는 크로그스타드가
크리스티네 때문에 해고되고, 크로그스타드는 비밀을 폭로하겠다며 노라를 협박
한다. 『인형의 집』은 1879년 처음 발표되자마자 커다란 논란을 불러일으키며 많은
비판을 받았다. 19세기 말 당시 유럽에서 성스러운 것으로 여겨지던 결혼과 남녀의
역할에 대해 의문을 던지는 이 작품은 하나의 사건과도 같았다. "오늘날 사회에서
여성은 자기 자신이 될 수 없다."라는 언급과 함께 발표한 이 작품을 통해 입센은 근
대극의 선구자로 자리매김했다.

▶ 성(性), 이상주의의 어리석음, 현대적 사랑의 본질에 대한 입센의 급진적인 신념을
  강렬하게 담아낸 작품. —《이브닝 스탠더드》
▶ 『인형의 집』의 시사성은 무조건 관습을 따를 것을 요구하는 사회, 생각이 다른 집단을
  주류의 규범에 따라 판단하는 현실에 회의를 제기하는 데 있다. —안미란, 「작품 해설」에서

249 위폐범들

Les Faux-Monnayeurs André Gide

● 노벨 문학상 수상 작가

앙드레 지드 원윤수 옮김

앙드레 지드가 자신의 유일한 '소설(roman)'이라 칭한 작품

거짓 세계를 표류하는 이들이 진정한 자아와 삶의 의미를 발견해 가는 눈부신 여정

앙드레 지드가 자신의 유일무이한 '소설'이라고 했을 뿐만 아니라 '마지막 작품'이라 생각하고 자신의 모든 것을 담고자 한 작품. 자신이 사생아임을 우연히 알고 집을 나온 혈기 왕성한 청년 베르나르, 온화하지만 세상과 마주 보는 것이 서툴렀던 문학 소년 올리비에, '글쓰기'에 대해 진지하게 고민하는 지식인 에두아르, 그리고 이들을 둘러싼 수많은 등장인물들의 일화가 얽히고설켜 있다. 『위폐범들』에서 앙드레 지드는 제도와 인습에 대한 반항, 동성애, 성실성, 선과 악 문제, 삶의 양식 등 너무나 "지드적인" 주제를 통해 모순으로 가득한 현실과 자신에게 주어진 불합리한 환경에서도 '최선을 다해' 살아가는 것이야말로 진정한 '삶'이며 눈부신 '내적 성장'임을 보여 준다.

▶ 프랑스적 사유의 한 지표가 되는 작가. — **사르트르**

▶ 기만에서 진정성으로, 반항에서 조화로, 대립에서 지양으로 이행하는 지속적인 노력 과정이 바로 목적인 삶, 이것이 지드가 이 소설에서 추구한 가장 의미 있는 삶의 양식이다. — **동성식, 「작품 해설」**에서

250 무정

이광수 정영훈 책임 편집

1917년 《매일신보》에 연재된 한국 최초의 근대 장편 소설
연애를 둘러싼 '사랑'과 '욕망', '질투'를 솔직하게 드러낸 당대의 문제작

연애 소설과 계몽주의 담론을 절묘하게 버무려 낸 『무정』은 근대 장편 소설의 시작
점이 된 기념비적 작품이다. 소설은 동경 유학에서 돌아온 지식인 이형식, 개화 지
식인의 딸이자 신여성인 김선형, 한말 지식인의 딸이나 기생으로 전락한 박영채의
삼각관계를 다룬다. 『무정』의 주인공들은 완전무결한 이상적인 인간이 아니라 스
스로 불완전함을 인정하고 발전하기 위해 애쓰는 나약한 개인이다. 당시 이광수는
이러한 개인이 자유연애를 경험하고 욕망을 느끼는 과정에서 자아를 발견하고, 나
아가 민족을 위한 계몽적 이상까지 실현할 수 있다고 생각했다. 그는 능동적으로
자신의 사랑과 운명을 결정하는 법을 배워 가는 청년들이 조선의 앞날을 새롭게 써
나가기를 희망했다.

▶ 시간의 흐름 속에서도 가치가 바래지 않고 늘 현재적인 의미를 끌어낼 수 있는 작품을
일컬어 고전이라 한다면 『무정』은 그 첫머리에 꼽을 만한 작품일 것이다.
— 정영훈, 「작품 해설」에서

251·252 의지와 운명

La voluntad y la fortuna Carlos Fuentes

● 《뉴스위크》 선정 100대 명저

카를로스 푸엔테스 김현철 옮김

라틴 아메리카의 지성 푸엔테스가 그린, 인간의 비극적인 '의지와 운명'
대부호의 일그러진 욕망과 그 세 아들 앞에 강요된 피비린내 나는 숙명

『의지와 운명』은 멕시코의 게레로주 연안에 굴러다니는 잘린 머리가 과거를 회상하며 자신의 일생을 고백하는 형식으로 되어 있다. 푸엔테스는 한 개인의 비뚤어진 욕망이 어떻게 사회악을 낳고, 비극적인 역사로 이어지는지를 절묘하게 다룸으로써, 약육강식의 법칙이 역사를 지배하는 한, 개인이 감당해야 할 숙명적인 비극은 대물림된다는 것을 보여 준다. 작가는 그 배경에 멕시코 사회의 어두운 현실을 치밀하게 배치해 사회적 부패와 인간 본성 사이의 단단한 고리를 풀어낸다. 푸엔테스 말년의 걸작 『의지와 운명』은 20세기 멕시코의 역사와 현실을 총체적으로 다룬 대서사시이자, 작가가 평생을 두고 천착해 온 '멕시코인의 정체성'에 대한 완결판이라 할 만하다.

▶ 풍성한 코미디와 풍자, 알레고리와 환상 그리고 훌륭한 정치적 논평을 제공하는 작품.
　　—《뉴욕 타임스》

"카를로스 푸엔테스"의 다른 책들

229_아우라 송상기 옮김

253 폭력적인 삶

Una vita violenta Pier Paolo Pasolini

피에르 파올로 파솔리니 이승수 옮김

억압을 거부했던 시대의 이단아, 피에르 파올로 파솔리니
순수한 욕망에 충실했던 가난한 청춘의 그림자를 좇다

로마 빈민촌 피콜라상하이에 사는 톰마소와 친구들의 삶을 통해 비참한 현실에 저항하며 끈질기게 살아가는 민중을 조명하고 그 안에서 희망을 찾는 파솔리니의 문제작. 「마태복음」, 「캔터베리 이야기」, 「살로, 소돔의 120일」 등을 연출한 영화감독으로 유명한 파솔리니는 20대에 로마 변두리 빈민촌에 살면서 겪었던 경험을 바탕으로 쓴 이 작품에서 폭력, 절도, 동성애 등이 난무하는 어두운 뒷골목을 여과 없이 적나라하게 묘사하며 당시 이탈리아 사회에 커다란 반향을 일으켰다. 사실주의 문학의 진수라는 평가를 받고 있는 이 소설은 사회와 문화를 획일화하려는 억압적인 모든 것에 저항했던 파솔리니의 희망과 좌절이 담긴 결정체이다.

▶ 파솔리니는 2차 세계 대전 이후 이탈리아에서 가장 두드러지고 뛰어난 예술가다.
　　— 수전 손태그
▶ 톰마소의 인생은 파솔리니의 냉정한 문체와 생생한 묘사로 거침없이 끓어오른다.
　　—《뉴욕 타임스》

254 거장과 마르가리타

Мастер и Маргарита Михаил Булгаков

미하일 불가코프 정보라 옮김

살아 있는 예술혼, 미하일 불가코프의 마지막 대작
암울한 현실, 나약하고 비굴한 인간 군상에 대한 통쾌한 풍자

20세기 러시아 문학사에서 빼놓을 수 없는 소설가이자 희곡 작가 미하일 불가코프의 『거장과 마르가리타』는 초자연적인 대소동과 매력적인 캐릭터, 회화적인 묘사가 어우러져 독자를 환상적인 비행(飛行)의 세계로 초대한다. '반(反)소비에트 작가'라는 평단의 혹평과 "불가코프는 우리 편이 아니다."라는 스탈린의 비난 속에서도 문학에 대한 열정을 놓지 않았던 불가코프는 자신의 삶을 투영한 '거장'의 삶을 보여준다. 그는 작품에서 현실 권력에 기대 예수를 처형하고 괴롭히는 빌라도와 현실이 주는 시련에도 굴하지 않고 이상을 추구하는 '거장'을 대비해 자신의 신념을 드러냈다. 그의 문학 혼은 독자들에게 "가장 큰 결점은 비겁함"임을 상기시키며 냉혹한 현실 속에서 보잘것없는 존재로 주저앉지 않기를 주문한다.

▶ 20세기 가장 위대한 러시아 소설. ─《뉴욕 타임스》

▶ 흥미진진하고 시끌벅적하면서도 환상과 동경의 핵심을 훌륭하게 짚어 낸다.
　　─《선데이 타임스》

255·256 경이로운 도시

La ciudad de los prodigios Eduardo Mendoza

● 서울대 권장도서 100선

에두아르도 멘도사 김현철 옮김

천덕꾸러기 도시에서 세계적인 도시로 발돋움한 바르셀로나와
뒷골목 부랑아에서 세계적인 거부로 성장한 한 사나이의 운명적 만남

카탈루냐 자치권을 두고 스페인 중앙 정부와 오랜 분쟁을 겪어 온 바르셀로나를 배
경으로 한 『경이로운 도시』는, 두메산골 출신의 입지전적인 주인공 오노프레의 일
대기이자, 온갖 풍파 속에서도 결코 꺾이지 않았던 불굴의 도시의 연대기이다. 바르
셀로나 출신 작가 멘도사는 가난하고 미개한 삼류 도시 바르셀로나의 역사를 산골
무지렁이 집안 출신으로 유럽 경제계의 거부로 성장한 오노프레의 인생 역전 속에
녹여 내어, 카탈루냐 민족의 애환과 열망에 따뜻한 숨결을 불어넣었다. 현실에서
동떨어진 엘리트 문학의 한계를 넘어서 자유로운 창의성으로 스페인 문단에 새로
운 불꽃을 일으킨 이 작품은 전 세계 16개 언어로 번역되어 바르셀로나 작가 멘도
사를 세계에 소개했다.

▶ 풍자적인 사랑의 찬가이며 모험의 연대기. —《엘 파이스》
▶ 금세기 최고의 소설 중 하나이자, 스페인 국민의 염원을 담은 책. —《디아리오 16》

"에두아르도 멘도사"의 다른 책들

에두아르도 멘도사
Eduardo Mendoza

1943년 1월 11일 에스파냐 바르셀로나에서 태어났다. 어려서는 모험가를 꿈꾸었지만 검사인 아버지의 영향으로 대학에서 법학을 전공했다. 영국에서 유학한 후 귀국해서 변호사로 활동하다가, 1970년대 사회 개혁의 물결을 보면서 일상에 염증을 느끼고 뉴욕으로 갔다. 1973년부터 1982년까지 뉴욕 유엔 본부에서 통역과 번역 일을 하면서 첫 소설 『사볼타 사건의 진실』(1975)을 발표했다. 이 작품은 당시 에스파냐의 정치적 변화와 맞물려 유례없는 성공을 거두었으며, 멘도사는 명실공히 현대 에스파냐 문단의 대표적인 작가로 자리 잡았다. 그 밖의 작품으로 『경이로운 도시』(1986), 『납골당의 미스터리』(1979), 『올리브 열매의 미로』(1982), 『전대미문의 섬』(1989), 『구르브 연락 없다』(1991), 『대홍수가 일어난 해』(1992), 『가벼운 코미디』(1996), 『미용실에서 생긴 일』(2001), 『예수를 부탁해요, 폼포니오』(2008), 『고양이 싸움. 마드리드 1936』(2010) 등이 있다. 그의 작품은 발표될 때마다 특유의 문학성과 대중성으로 에스파냐 언어권에서만 수백만 부의 판매고를 올리는 한편, 대부분의 작품이 영화, TV 드라마, 연극으로 각색되었다. 에스파냐 언어권 최고의 소설에 수여되는 '비평 상'(1976)을 비롯해 프랑스의 '최고 외국 도서 상'(1998), '올해의 작가 상'(2002), '플라네타 상'(2010) 등을 수상했다. '현대 소설의 대부', '오늘날 가장 에스파냐 작가다운 작가'로 평가된다.

257 야콥을 둘러싼 추측들

Mutmassungen über Jakob Uwe Johnson

우베 욘존 손대영 옮김

독일 분단 문학의 시작을 알린 "두 독일의 작가" 우베 욘존
의문의 죽음을 맞이한 철도원과 그를 둘러싼 분단 독일의 차가운 현실

"두 독일의 작가" 우베 욘존의 데뷔작. 독일 분단 문학의 시작이자 고전으로 널리 알려진 이 작품은 동독의 슈타지(국가안전부 소속의 비밀경찰)가 서독의 NATO에서 일하는 통역원을 첩자로 포섭하기 위해 벌이는 비밀공작과 그 와중에 의문의 죽음을 맞이한 철도원 야콥에 대한 이야기이다. 형식상 건조한 문체, 반(反)소설적 요소로 욘존 특유의 '비판적 중립'의 입장을 철저히 따르고 있으며, 내용상 분단과 냉전이라는 정치적 현실에 부딪힌 개인의 심리를 예리하게 파헤친다. 욘존은 데뷔작인 『야콥을 둘러싼 추측들』을 통해 파편화된 사실과 주관적인 추측 속에서 과연 무엇이 진실인지를 물으면서 독자들을 1950년대 냉전 시대의 한복판으로 끌어들인다.

▶ 20세기 가장 위대한 장편 소설 중 하나. ─《쥐트도이체 차이퉁》
▶ 대(大)테마는 대작가를 필요로 한다. 지금 최초로 그 대테마를 예술의 선 위에서 분석한 사람이 바로 우베 욘존이다. ─**발터 옌스**

258 왕자와 거지

마크 트웨인 김욱동 옮김

삶의 경험을 통해 스스로 창작을 익힌 천부적인 작가 마크 트웨인
순수한 눈에 비친 불합리한 사회상을 풍자적으로 그려 낸 수작

문학의 영역을 넘어 미국의 상징이 된 국민 작가 마크 트웨인의 대표작『왕자와 거지』는 어린 시절 누구나 한 번은 읽어야 할 고전으로 인정받고 있다. 트웨인은 제도 교육이 아닌 삶의 경험들과 독서 체험을 통해 스스로 창작을 익힌 천부적인 소설가로 헤밍웨이, 포크너, 샐린저 등 이후 현대 미국을 대표하는 작가들에게 큰 영향을 미쳤다. 이 작품은『톰 소여의 모험』이나『허클베리 핀의 모험』처럼 미국적인 토대에서 탄생한 다른 대표작들과 달리 16세기 영국을 배경으로 하고 있다. 하지만 작가 특유의 익살과 재치, 날카로운 비판 의식과 따뜻한 인간애가 여느 작품에 비할 바 없이 훌륭하게 들어차 있다.

▶ 지금까지 어린이들을 위해 쓰인 책 가운데 가장 훌륭한 책. ― **해리엇 비처 스토**

▶ 마크 트웨인의 작품들은 아직 태어나지 않은 미래의 수많은 사람들에게 기쁨을 줄 것이며, 그와 그의 작품들은 미국 문학에서 영속적인 유산으로 지속될 것이다.
　　― **윌리엄 태프트(미국 27대 대통령)**

259 존재하지 않는 기사

Il cavaliere inesistente Italo Calvino

이탈로 칼비노 이현경 옮김

육체와 의식, 행동과 의지가 균형을 이룬 완전한 인간이란 어떤 존재인가?
『반쪼가리 자작』, 『나무 위의 남작』에 이은 '선조 3부작'의 완결판!

오래전 한낱 떠돌이였던 아질울포는 겁탈당하려던 소프로니아를 구해 주고 기사 작위를 받았다. 그 후 오로지 존재하고 싶다는 굳은 열망과 이념만으로 백색 갑옷 속에 머물게 된 아질울포는 자신의 존재를 증명하기라도 하듯 엄격한 규격과 규율을 따르며 하루하루를 보낸다. 어느 날 자신이 소프로니아의 아들이라고 주장하는 청년이 나타나고, 소프로니아의 처녀성을 지킴으로써 비로소 기사로 존재할 수 있었던 아질울포는 진실을 밝히기 위해 길을 떠난다. 『존재하지 않는 기사』는 존재하되 존재하지 않는 기사, 존재를 증명하려 하지만 인정받지 못하는 청년 등이 펼치는 기이한 모험을 통해 육체와 의식, 행동과 의지가 균형을 이룬 완전한 인간이란 과연 어떤 존재인지에 대해 묻는다.

▶ 칼비노는 전후의 모든 이탈리아 작가들 가운데 가장 모험적인 인물이다.
　　　　　—《파이낸셜 타임스》
▶ 칼비노는 비범하리만치 정교하고 아름답게 상상의 세계를 그려 내는, 극소수 작가 중 하나다. —고어 비달

260·261 눈먼 암살자

The Blind Assassin Margaret Atwood

● 《타임》 선정 현대 100대 영문소설
● 부커 상 수상 작가

마거릿 애트우드 차은정 옮김

현대 캐나다 문학을 이끄는 여성 작가 마거릿 애트우드의 대표작
요동치는 20세기를 지나 온 여인의 삶과 가족사가 담긴 회고록

세계가 주목하는 캐나다 문학의 거장 마거릿 애트우드는 뛰어난 상상력과 독창적인 서술 방식이 빛나는 훌륭한 소설들을 창작해 왔다. 『눈먼 암살자』는 이러한 작가적 재능이 최대로 발휘된 걸작으로 애트우드에게 세계적인 명성을 안겨 주었다. 팔십 대의 화자 아이리스가 죽음을 앞두고 작성하는 회고록과 스물다섯에 사망한 그녀의 여동생 로라의 이름으로 출간된 소설 「눈먼 암살자」가 교차하는 가운데 사랑과 욕망, 희생과 배반이 뒤얽힌 비밀스러운 드라마가 펼쳐진다. 다층의 서술 구조와 소설 속 소설이라는 형식을 통해 감추어진 진실을 서서히 폭로하는 이 작품은 2000년 출간 당시 "새로운 세기에 나온 첫 번째 위대한 소설"로 평가되며 부커 상과 해미트 상을 받았다.

▶ 대담하게 상상하고 현명하게 실행한 작품. ─《커커스 리뷰》
▶ 환상적인 손놀림과 마법 같은 재능으로 진실에 눈먼 사람들의 이야기를 훌륭하게 끌어냈다. ─《선데이 타임스》

262 베니스의 상인

The Merchant of Venice William Shakespeare

● 서울대 권장도서 100선

윌리엄 셰익스피어 최종철 옮김

사랑과 우정, 돈과 명예, 법률과 유대인 문제를 둘러싼 희비극
사랑의 시험과 목숨을 건 모험, 그 속에 기막힌 반전이 숨어 있는 걸작

『베니스의 상인』은 셰익스피어가 32세 무렵이던 1596~1597년에 쓴 비교적 초기 작품으로, 주인공인 '베니스의 상인' 안토니오 외에도 유대인 샤일록과 지혜로운 여성 포서까지 모든 인물의 개성이 돋보이는 희비극이다. 1605년에 초연된 후 지금까지 수없이 공연되었으며, 각각의 인물의 시선으로 다양한 해석이 이루어졌다. 또한 1914년 무성 영화로 처음 만들어진 이래로 2004년 알 파치노와 제러미 아이언스 주연으로 영화화되기까지 수차례 스크린으로 옮겨졌다. 기존에 번역된 '셰익스피어 4대 희극'과 『로미오와 줄리엣』, 『한여름 밤의 꿈』과 마찬가지로 연세대 최종철 명예 교수가 셰익스피어의 원문에 충실하게 운문으로 번역하여 그 의미가 한층 더 깊다.

▶ 샤일록의 대사는 셰익스피어 최고의 대사 중 하나이다. 강력하고 해롭고 부정적인 그의
　말은 결코 잊히지 않는다. — **해럴드 블룸**

▶ 포서는 이 희극을 전체적으로 통제하면서 조정하는 인물이다. 그녀가 이런 위치에 설 수
　있는 가장 커다란 이유는 그녀의 성품에 있다. — **최종철, 「작품 해설」에서**

---

263 말리나

Malina Ingeborg Bachmann

잉에보르크 바흐만 남정애 옮김

자아 안에 존재하는 타자, 여성 안에 존재하는 남성,
소통의 불완전함에 대한 진지한 통찰을 담아낸 바흐만의 대표작

바흐만의 대표작 『말리나』는 언어 철학에 기반을 두고 사회와 개인, 자아와 타자, 여
성성과 남성성에 대해 고찰한 실험적 장편 소설이다. 작가인 '나'와 '나'에게 있어 인
생의 의미인 연인 이반, 그리고 '나'와 한집에서 지내며 '나'를 돌보고 꾸짖고 위로하
는 수수께끼의 남자 말리나 사이의 미묘한 관계성과 심리적 갈등을, 맥락 없이 오
가는 단편적인 대화와 의미 없이 흐르는 듯한 일상적 풍경 속에 절묘하게 녹여 낸
이 작품은 언어가 전할 수 있는 것의 한계와 진정한 소통의 불가능성을, 역설적으
로 인물들이 나누는 대화를 통해 보여 주고 있다. 『말리나』는 영원히 하나가 될 수
없는 자아와 타자의 문제를 지극히 예리한 시선으로 포착, 그에 따른 인간의 절망
을 진정한 어조로 이야기한다.

▶ 이 책은 흥미롭고 아름다우며 무엇보다도, 제어할 수 없는 정열이 담겨 있다.
　—《쥐트도이체 차이퉁》
▶ 『말리나』는 버지니아 울프와 사뮈엘 베케트의 최고 작품에 비견할 만하다. —《뉴욕 타임스》

264 사볼타 사건의 진실

La verdad sobre el caso Savolta Eduardo Mendoza

에두아르도 멘도사 권미선 옮김

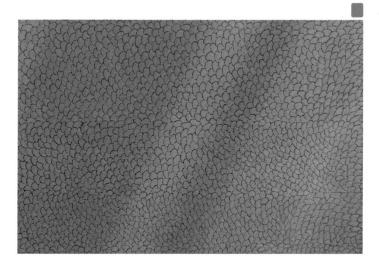

껍데기뿐인 명분과 타락한 사랑으로 얼룩진 악몽 같은 세상,

정의가 사라진 시대를 살아 내야만 하는 인간의 일그러진 욕망

1차 세계 대전의 광풍 속에서 급성장한 군수 기업 사볼타를 배경으로, 경찰 조서, 신문 기사, 편지 등의 형식을 활용한 독창적인 소설 기법을 활용한 멘도사의 데뷔작이자 대표작. 1917년 스페인 총파업 투쟁이라는 격동의 시대를 무대로 노사 갈등, 그로 인해 벌어진 살인 사건을 긴박한 추리 형식으로 담아낸다. 무너져 버린 꿈을 부활시키려고 아등바등하는 늙은 변호사, 그의 꼭두각시로 평생을 탕진한 젊은 사업가, 세상을 곁눈질만 하며 사는 무기력한 사무직 노동자, 생존을 위해서는 사랑도 배신할 수 있는 집시 여인 등, 서로 다른 계층과 출신의 사람들이 사라진 편지 한 장으로 시작된 비극에 휘말려 가는 미스터리 속에 비정한 역사의 소름 끼치는 일면이 드러난다.

▶ 스페인 민주화 과도기의 사회상을 고발한 작품. — 《엘 문도》

▶ 미스터리와 로맨스가 결합된 이 독창적인 작품은 우리에게 윤리와 정치에 대한 통찰을 제시한다. — 《퍼블리셔스 위클리》

"에두아르도 멘도사"의 다른 책들

265 뒤렌마트 희곡선 노부인의 방문·물리학자들

Der Besuch der alten Dame·Die Physiker Friedrich Dürrenmatt

프리드리히 뒤렌마트 김혜숙 옮김

부조리한 현실을 희극으로 재현해 낸 작가 프리드리히 뒤렌마트
현대 사회의 병폐와 개인의 좌절을 고발하는 위악적인 풍자와 통렬한 해학

불온한 상상력과 날카로운 비판 의식으로 현대 시민 사회의 허상을 정면에서 고발한 작가 프리드리히 뒤렌마트. 그의 대표 희곡을 모은 이 책에 수록된 작품은 최대의 성공작이기도 한 「노부인의 방문」과 「물리학자들」로, 충격적인 설정과 기괴하고 과장된 전개, 인간 본성을 그대로 노출한 인물 군상을 통해 오늘을 살아가는 우리가 느끼는 개인과 사회 사이의 괴리를 예리하게 파헤쳐 보여 준다. 2차 세계 대전 이후 인간성에 대한 믿음이 상실된 세계를 그대로 반영한 이 작품들은 고전적인 의미의 비극이 의미를 잃어버린 불투명한 오늘의 세계를 희극으로 묘사하는 '희비극 기법'을 도입해 개인의 비극을 희극의 언어로 이야기하고 있다.

▶ 뒤렌마트는 현실 인식과 영민한 재능, 오랜 철학적 천착, 그리고 세월을 통해 숙성된 능력을 가진 철학자이자 시인이었다. ─ **아서 밀러**

▶ 우아한 풍자 정신으로 조율해 낸 묵시적 경고. ─ **《뉴욕 타임스》**

266 이방인

L'Etranger Albert Camus

● 노벨 문학상 수상 작가

알베르 카뮈 김화영 옮김

20세기의 지성이자 실존주의 문학의 대표 작가 알베르 카뮈
억압적인 관습과 부조리를 고발하며 영원한 신화의 반열에 오른 작품

1942년 『이방인』이 처음 발표되었을 때, 카뮈는 알제리에서 태어난 젊은 무명작가에 불과했다. 낯선 인물과 독창적인 형식으로 현대 프랑스 문단에 이방인처럼 나타난 이 소설은 출간 이후 한순간도 프랑스 베스트셀러 목록에서 빠진 적이 없는 걸작이 되었다. 두 차례에 걸친 세계 대전을 겪으며 정신적인 공허를 경험한 당대 독자들에게 카뮈는, "영웅적인 태도를 취하지 않으면서 진실을 위해서는 죽음도 마다하지 않는" 뫼르소라는 인물을 통해 관습과 규칙에서 벗어난 새로운 인간상을 제시한다. 현실에서 소외되어 이방인으로 살아가는 현대인이 죽음을 앞두고 비로소 마주하는 실존의 체험을 강렬하게 그린 이 작품은 아직까지도 전 세계 독자들 사이에서 고전 중의 고전으로 살아 숨 쉬고 있다.

▶ 『이방인』은 엄격한 질서를 갖춘 고전 작품으로, 부조리와 관련해서, 그리고 부조리에 맞서 쓰인 책이다. — **장폴 사르트르**

▶ 카뮈는 신화가 되었다. 그를 인정하느냐 안 하느냐는 이제 별 의미가 없다. — **롤랑 바르트**

"알베르 카뮈"의 다른 책들

267_페스트 김화영 옮김 **343_시지프 신화** 김화영 옮김 **383_반항하는 인간** 김화영 옮김

알베르 카뮈
Albert Camus

1913년 11월 7일 알제리의 몽도비에서 아홉 남매 중 둘째로 태어났다. 포도 농장 노동자였던 아버지가 전쟁에 징집되어 목숨을 잃은 뒤, 가정부로 일하는 어머니와 할머니 아래에서 가난하게 자란다. 하지만 학교에서는 선생님의 각별한 총애를 받으며 재능을 키우다, 장학생으로 선발되어 대학에 갈 기회를 얻는다. 알제 대학 철학과 재학 시절, 생계를 위해 여러 가지 일을 하면서도 창작의 세계에 눈을 떠 가는데, 무엇보다 이 시기에 장 그르니에를 만나 그를 사상적 스승으로 여긴다. 1934년 장 그르니에의 권유로 공산당에도 가입하지만 내면적인 갈등을 겪다 탈퇴한다. 교수가 되려고 했으나 건강 문제로 교수 시험에 응시하지 못하고, 진보 일간지에서 신문 기자 일을 한다. 1942년에 『이방인』을 발표하면서 이름을 널리 알렸으며, 에세이 『시지프 신화』, 희곡 『칼리굴라』 등을 발표하며 왕성한 작품 활동을 한다. 1947년에는 칠 년여를 매달린 끝에 탈고한 『페스트』를 출간하는데, 이 작품은 즉각적인 선풍을 일으키고 카뮈는 '비평가상'을 수상한다. 마흔네 살의 젊은 나이로 노벨 문학상을 수상하지만, 그로부터 삼 년 후인 1960년 1월 4일 미셸 갈리마르와 함께 파리로 떠나다가 자동차 사고로 목숨을 잃었다.

이방인

페스트

시지프 신화

반항하는 인간

267 페스트

La Peste Albert Camus

● 노벨 문학상 수상 작가

알베르 카뮈 김화영 옮김

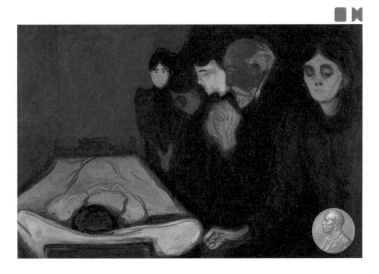

위험이 도사리는 폐쇄된 도시에서 극한의 절망과 마주하는 인간 군상
죽음이라는 엄혹한 인간 조건 앞에서도 억누를 수 없는 희망의 의지

조용한 해안 도시 오랑에서 언젠가부터 거리로 나와 비틀거리다 죽어 가는 쥐 떼가 곳곳에서 발견된다. 정부 당국이 페스트를 선포하고 도시를 봉쇄하자 무방비 도시는 대혼란에 빠진다. 공포와 죽음, 이별의 아픔 등 극한의 절망적인 상황을 그려 낸 이 작품은 출간 한 달 만에 초판 2만 부가 매진되면서 2차 세계 대전 시기를 경험한 동시대인들에게 큰 공감을 얻어 냈다. 카뮈는 재앙에 대처하는 서로 다른 태도를 극명하게 드러내 보이면서도, 생지옥으로 변해 가는 세계를 거부하며 진리의 길을 가는 인물들을 그려 내 '무신론적 성자'로 칭송받기도 했다. 비극의 소용돌이 속에서 현실을 직시하며 의연히 운명과 대결하는 인간의 모습을 다룬 『페스트』는 20세기 프랑스 문학이 남긴 기념비적인 작품이다.

▶ 카뮈는 살아 있을 때 그렇게도 벗어나고자 했던 바로 그 주춧돌 위에 지금 올라와 있다. ─ **파트리크 모디아노**

▶ 20세기의 가공할 만한 기록들을 돌아볼 때, 우리는 카뮈가 밝혀낸 역사의 도덕적 딜레마를 더 분명하게 이해할 수 있다. ─《가디언》

"알베르 카뮈"의 다른 책들

268 검은 튤립

La Tulipe Noire Alexandre Dumas

알렉상드르 뒤마 송진석 옮김

『삼총사』와 『몬테크리스토 백작』의 작가 알렉상드르 뒤마
그의 모든 것이 집약된 또 하나의 위대한 역작!

『검은 튤립』은 뒤마의 소설 중에서도 보석 같은 작품으로 손꼽힌다. 작지만 밀도가
높고 아름답기 때문이다. 활기찬 대화, 생동감 넘치는 인물들, 험난한 사랑, 그리고
음모와 배신과 계략이라는 뒤마적 주제가 더욱 강렬하게 변주되는, 그야말로 뒤마
의 모든 것이 집약되어 있는 아름답고 흥미진진한 소설이다. 튤립은 독일과 네덜란
드의 부자들 사이에서 큰 인기를 끌었고, 가장 아름다운 튤립을 선발하는 대회는
날이 갈수록 더 많은 상금이 걸렸으며, 엄청난 투기 현상이 일어났다. 바로 이러한
'튤립 파동'을 그린 소설로, '검은 튤립'을 놓고 벌어지는 탐욕과 음모, 그리고 순수한
열정으로 검은 튤립을 창조하려는 인물의 고난과 역경, 사랑을 그린 작품이다.

▶ 뒤마의 이름은 프랑스를 넘어 유럽적이며 유럽을 넘어 세계적이다. 그는 '읽고자 하는 욕
  구'를 창조해 낸다. 사람의 영혼을 파고들어 거기에 씨를 뿌린다. 그곳에는 찬란한 빛과 정
  오의 태양 같은 밝음이 있다. — **빅토르 위고**
▶ 화산의 분출이 재주 있는 관개(灌漑) 기술자의 절묘한 솜씨와 결합되어 있는 것과 같다.
  — **샤를 보들레르**

269·270 베를린 알렉산더 광장

Berlin Alexanderplatz Alfred Döblin

알프레트 되블린 김재혁 옮김

타락한 대도시의 운명에 매몰된 남자가 부르는 자기 인식과 구원의 노래
독일 표현주의 문학의 거장 알프레트 되블린의 대표작

『베를린 알렉산더 광장』은 경제 공황 이후 베를린을 타락과 파괴, 혼돈과 총화로 완벽하게 구현해 낸 소설이다. 작가는 당시 신문 기사나 광고 전단, 소문 따위를 두서없이 나열하는 몽타주 기법, 문장 부호를 생략하고 일관된 어투를 지양하는 다중화법, 주변 세계에 반응하는 인물의 즉흥적인 의식을 재현하는 내적 독백 등 새로운 소설 쓰기 방식을 선보인다. 주인공 프란츠 비버코프는 사 년간의 형무소 생활을 끝내고 나와 바르게 살아가기로 마음먹지만, 유혹과 배신으로 뒤엉킨 냉혹한 대도시는 번번이 그를 넘어뜨린다. 작가는 타락한 대도시의 유혹에 놀아나는 개인의 나약함과 무력함을 고발하는 한편, 시행착오를 거쳐 자신의 잘못을 깨닫고 스스로를 구원하는 한 인간의 진정한 성장에 대해 성찰한다.

▶ 되블린은 당신을 불편하게 만들고, 악몽을 꾸게 할 것이다. ─ **귄터 그라스**

▶ 『베를린 알렉산더 광장』의 비버코프는 새로 칠한 석회 벽에다 악마의 모습을 계속해서 다시 그려야 한다. 악마가 자꾸 새로 나타나 그를 잡아가려 하는 걸 어쩌란 말인가.
─ **발터 벤야민**

271 하얀 성

Beyaz Kale Orhan Pamuk

● 노벨 문학상 수상 작가

오르한 파묵 이난아 옮김

정체성, 동서양 문제, 내가 아닌 다른 사람이 되고자 하는 욕망 등
오르한 파묵의 모든 주제가 집약된 대표작

오르한 파묵은 『하얀 성』으로 "동양에서 새로운 별이 떠올랐다."라는 평을 받으며 전 세계에 그 이름을 알렸다. 또한 카프카, 프루스트, 보르헤스, 마르케스, 이탈로 칼비노, 움베르토 에코 등 최고의 작가들과 비견되는 영예를 얻기도 했다. 『하얀 성』은 이후 그의 작품 전반에 나타나는 동서양 문제와 정체성이라는 주제를 본격적으로 다루고 있다. '나는 왜 나인가?'라는 인간의 근본적인 물음에 동양과 서양이 서로 마주 보는 도시 이스탄불을 통해 진지하게 접근한 것이다. 그는 이러한 '정체성' 문제에 대해 이후 작품들인 『검은 책』, 『내 이름은 빨강』 등을 통해서도 꾸준히 고민해 왔고, 정체성과 동서양 문제를 주제로 한 '색깔 3부작'을 완성했다.

▶ 오르한 파묵, 동양에서 새로운 별이 떠올랐다. ─《뉴욕 타임스》
▶ 터키에서 가장 중요한 작가일 뿐 아니라 전 세계에서도 최고의 작가이다.
  ─《타임스 리터러리 서플먼트》

"오르한 파묵"의 다른 책들

51·52_**내 이름은 빨강** 이난아 옮김 134_**새로운 인생** 이난아 옮김 295·296_**제브데트 씨와 아들** 이난아 옮김 397·398_**검은 책** 이난아 옮김

272 푸시킨 선집 희곡 편·서사시 편

Александр Пушкин Александр Пушкин

알렉산드르 푸시킨 최선 옮김

러시아 사실주의 문학을 확립한 러시아 문학의 아버지 푸시킨
유럽 고전들을 재해석해 인간의 내적 갈등을 예리하게 그린 희곡

러시아 문학의 선구자 알렉산드르 푸시킨은 고대 및 중세 고전들과 동시대 유럽 문학에 영향을 받아 다양한 문학적 시도를 거듭하며 러시아 문학의 토대를 마련했다. 『푸시킨 선집』에 실린 희곡과 서사시 작품들은 푸시킨의 대표작들로 그가 영향을 주고받은 다양한 세계 문학과의 관계가 특히 흥미롭다. 푸시킨은 다양한 역사물과 패러디의 형태로 러시아 사회의 권위주의와 경직성, 종교와 역사 쓰기의 신화화를 비판하고 인간 본성을 심도 있게 탐구했으며 사랑과 생활에 대한 작가 자신의 고뇌까지 진솔하게 녹여 냈다. 『푸시킨 선집』에는 그간 국내에 소개되지 않은 숨은 보석 같은 작품들이 다수 수록되어 푸시킨의 깊고 넓은 작품 세계를 오롯이 접할 수 있을 것이다.

▶ 푸시킨은 근원 중의 근원이다. — **막심 고리키**
▶ 푸시킨에게서는 가장 건조한 산문에서 저절로 놀랄 만한 방식으로 시가 꽃핀다.
— **프로스페르 메리메**

"알렉산드르 푸시킨"의 다른 책들

273·274 유리알 유희

Das Glasperlenspiel Hermann Hesse

● 노벨 문학상 수상 작가

헤르만 헤세 이영임 옮김

십여 년에 걸쳐 완성한 헤세의 마지막 걸작
평생 고민해 온 문제들을 해결하는 과정이자 해답을 담은 헤세 문학의 총체

『유리알 유희』는 헤르만 헤세가 십여 년에 걸쳐 집필한 마지막 역작이다. 사색과 성찰, 즉 "생각의 유희"인 유리알 유희를 통해, '존재의 양극 사이에서 어떻게 조화를 지켜 갈 수 있는가' 하는 문제를 상징적으로 그려 낸다. 그는 두 번의 세계 대전을 겪으면서 인류 최대의 비극을 몰고 온 정신적 문제가 무엇인지를 고민하기 시작했고, 욕망과 금욕, 혼돈과 질서, 삶과 죽음, 동양과 서양, 선과 악 등 양극의 문제를 풀기 위한 평생의 고민을 이 소설 속에 풀어 놓았다. 따라서 이 책은 "그 답을 찾아가는 과정이요 방법론"이다. 1943년에 출간된 이 책은 21세기에도 중요한 화두인 지식 정보 사회, 멀티미디어, 판타지, 가상 현실 등을 중요한 모티프로 삼고 있다는 점에서 가장 현대적인 고전으로 평가받는다.

▶ 숭고한 작품, 가장 순수한 사고가 만들어 낸 보물이다. — **토마스 만**

▶ 21세기에 쓰인 가장 중요한 책. —《**타임스**》

"헤르만 헤세"의 다른 책들

275 픽션들

Ficciones Jorge Luis Borges

호르헤 루이스 보르헤스 송병선 옮김

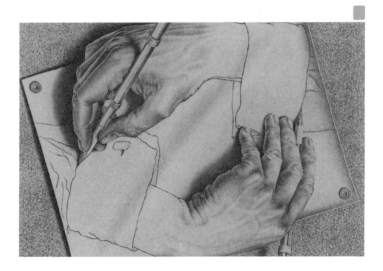

현대 소설의 패러다임을 창조한 '천재' 보르헤스의 경이로운 미학 세계
20세기 문학의 명제를 예지한 거장이 창조한 정교한 이야기의 미궁

20세기 주요 현대 사상을 견인한 선구자이자, 오늘날에도 여전히 전 세계 지식인과 작가 들의 마르지 않는 영감의 원천인 호르헤 루이스 보르헤스의 대표작 『픽션들』. 특히 국내 중남미 문학의 권위자 송병선 교수의 번역은, 허구적 이야기의 참맛을 느낄 수 있도록 스토리텔링에 초점을 맞추고 비감정적이고 건조한 작가의 문체적 특성을 되살려, 보다 현재적이고 새로운 '오늘의 보르헤스'와 만나는 기회를 선사한다. 이 작품집은 1941년 발표한 「두 갈래로 갈라지는 오솔길들의 정원」과 1944년 발표한 「기교들」에 수록된 열일곱 편의 단편을 모은 소설집으로, 일생 동안 단 한 편의 장편 소설도 남기지 않은 것으로 유명한 단편 전문 작가 보르헤스의 문학적 정수를 보여 준다.

▶ 보르헤스의 문장을 읽고 나는 내가 지금까지 익숙하게 생각한 모든 사상의 지평이 산산이 부서지는 것을 느꼈다. ─ 미셸 푸코

▶ 나는 내일이면 죽을 것이다. 그러나 나는 미래에 다가올 세대들에게 하나의 상징이 될 것이다. ─ 호르헤 루이스 보르헤스

"호르헤 루이스 보르헤스"의 다른 책들

호르헤 루이스 보르헤스
Jorge Luis Borges

1899년 아르헨티나의 부에노스아이레스에서 태어났다. 정규 교육 대신 영국계 외할머니와 가정 교사에게 교육을 받았으며, 어려서부터 놀라운 언어적 재능을 보였다. 1919년 스페인으로 이주, 전위 문예 운동인 '최후주의'에 참여하면서 본격적인 문학 활동을 시작한 그는 부에노스아이레스에 돌아와 각종 문예지에 작품을 발표하며, 1931년 비오이 카사레스, 빅토리아 오캄포 등과 함께 문예지 《남쪽》을 창간, 아르헨티나 문단에 새로운 물결을 가져왔다. 한편 아버지의 죽음과 본인의 큰 부상을 겪은 후 보르헤스는 재활 과정에서 새로운 형식의 단편 소설들을 집필하기 시작한다. 『픽션들』(1944)과 『알레프』(1949)로 문단의 주목을 받으며 세계적인 명성을 얻기 시작한 그는 이후 많은 소설집과 시집, 평론집을 발표하며 문학의 본질과 형이상학적 주제들에 천착한다. 1937년부터 근무한 부에노스아이레스 시립도서관에서 1946년 대통령으로 집권한 후안 페론을 비판하여 해고된 그는 페론 정권 붕괴 이후 아르헨티나 국립도서관 관장으로 취임하고 부에노스아이레스 대학에서 영문학을 가르쳤다. 1980년에는 세르반테스 상, 1956년에는 아르헨티나 국민 문학상 등을 수상했다. 1967년 66세의 나이에 처음으로 어린 시절 친구인 엘사 밀란과 결혼하였으나 삼 년 만에 이혼, 1986년 개인 비서인 마리아 코다마와 결혼한 뒤 그해 6월 14일 제네바에서 사망하였다.

276 신의 화살

Arrow of God Chinua Achebe

● 부커 상 수상 작가

치누아 아체베 이소영 옮김

아프리카 문학사의 새로운 전기를 마련한 작가 치누아 아체베
나이지리아 식민 역사를 주체적으로 조망한 '아프리카 삼부작'의 대단원

1964년에 발표된 『신의 화살』은 부커 상을 받은 『모든 것이 산산이 부서지다』, 나이지리아 국가상을 받은 『더 이상 평안은 없다』에 이어 나이지리아 식민 역사를 주체적으로 재조명한 '아프리카 3부작'의 마지막 작품이다. 치누아 아체베는 『신의 화살』에서 식민지하 혼돈 가운데 부족의 정신적 지도자가 중심을 잃고 몰락하는 모습을 통해 피할 수 없는 변화에 현명하게 대처하지 못하고 반목과 분쟁 속에서 예정된 파국을 맞는 식민지 전통 사회의 비극적 행보를 처연하게 그려 냈다. 그는 이 작품으로 아프리카 문학에 수여하는 뉴 스테이츠먼 족 캠벨 상의 최초 수상자가 되었고 그해 노벨 문학상 후보에 올랐다.

▶ 치누아 아체베는 20세기 가장 위대하고 마술적인 작가다. — **마거릿 애트우드**
▶ 까다롭고 정밀한 제도 없이 몇 차례의 짧은 붓놀림으로 실제 인간의 삶 전체를 이끌어 내는 아체베의 인물 창조 능력은 탁월하다. — 《타임》

277 빌헬름 텔·간계와 사랑

Wilhelm Tell·Kabale und Liebe Friedrich Schiller

프리드리히 실러 홍성광 옮김

진보적 휴머니즘과 인간의 내적 자유에 대한 미학적 고찰이 담긴 작품
독일 문학을 절정으로 이끈 고전주의 문학의 거장 실러

실러는 시민 사회로 향하는 과도기 독일의 작가이자 역사가, 철학자로 괴테와 더불어 고전주의 문학 이론을 확립하고 독일 문학의 전성기를 주도했다. 실러 최후의 대작인 「빌헬름 텔」은 명사수 텔의 전설을 압제자의 폭정에 맞서 자유를 수호하는 스위스 민중의 투쟁기로 발전시킨 고전주의 대표 희곡이다. 「간계와 사랑」은 신분이 다른 연인의 비극적인 사랑 이야기로 당대 귀족 사회의 타락과 모순을 날카롭게 비판한 시민 비극이다. 『빌헬름 텔·간계와 사랑』은 섬세한 시적 대사와 긴장감 넘치는 극적 구성, 작품 전체를 관통하는 역사적, 미학적 통찰력과 비판 의식으로 시대마다 다양한 해석을 낳으며 꾸준히 그 가치를 인정받고 있다.

▶ 실러의 작품은 음악가에게 극히 어렵다. 작곡가는 시인을 뛰어넘을 줄 알아야 하는데 누가 실러의 작품을 뛰어넘을 수 있겠는가? — **베토벤**

▶ 실러가 발전하며 다른 사람이 되어 감에 따라 자유의 이념도 달라졌다. 젊었을 때는 육체적 자유가 그를 사로잡아 이를 작품에 반영했고 말년에는 정신적 자유에 몰입했다. — **괴테**

278 노인과 바다

The Old Man and the Sea Ernest Hemingway

- 노벨 문학상 수상 작가
- 《뉴스위크》 선정 100대 명저
- 퓰리처 상 수상 작가

어니스트 헤밍웨이 김욱동 옮김

절제된 문장으로 강렬하게 그려 낸 한 노인의 실존적 투쟁과 불굴의 의지
인간과 자연을 긍정하고 진정한 연대의 가치를 역설한 수작

『노인과 바다』는 감정을 절제한 강건체와 사실주의 기법을 바탕으로 하면서도 서정시 못지않은 다양한 상징과 독특한 전지적 화법을 활용해 작품의 깊이를 더한 헤밍웨이 문학의 결정판이다. 헤밍웨이는 이 작품으로 퓰리처상을 수상했으며 1954년 그가 노벨 문학상을 수상하는 데도 『노인과 바다』가 지대한 기여를 했다. 헤밍웨이의 마지막 소설이기도 한 이 작품에는 작가 고유의 소설 수법과 실존 철학이 짧은 분량 안에 집약돼 있다. 파멸할지언정 패배하지는 않겠다는 주인공 산티아고의 의지에는 작가적 생명력을 재확인하려는 헤밍웨이의 열정과 허무주의를 넘어 인간과 삶을 긍정하려는 성숙한 태도가 투영되어 있다.

▶ 『노인과 바다』는 우리 시대 작가가 쓴 작품 중에서 가장 훌륭한 작품으로 인정받게 될 것이다. — 윌리엄 포크너
▶ 내러티브 기법에 대한 장악력, 현대적 스타일에 미친 영향력은 대단하다.
— 스웨덴 한림원 노벨상 선정 이유

"어니스트 헤밍웨이"의 다른 책들

어니스트 헤밍웨이
Ernest Hemingway

1899년 7월 21일 미국 일리노이주의 오크파크에서 태어났다. 고등학교 졸업 후 《캔자스시티 스타》의 수습기자로 일하다 1차 세계 대전 당시 적십자 부대의 앰불런스 운전병으로 이탈리아 전선에 투입되었다. 휴전 후 《토론토 스타》에서 기자로 일하던 중 1921년 특파원 자격으로 파리로 건너가 거트루드 스타인, F. 스콧 피츠제럴드, 에즈라 파운드 등과 교류했다. 이후 세계 각지를 여행하고 여러 전쟁을 취재하며 다양한 경험을 소재로 소설 창작에 전념했다. 전후 세대의 모습을 그린 『태양은 다시 떠오른다』(1926)로 '길 잃은 세대'의 대표 작가로 부상했으며, 전쟁 문학의 명작으로 꼽히는 『무기여 잘 있어라』(1929)를 통해 전 세계적으로 큰 반향을 일으켰다. 스페인 내전을 다룬 서사시적 장편 소설 『누구를 위하여 종은 울리나』(1940) 이후 이렇다 할 작품 없이 작가 생명이 끝났다는 비판까지 들었으나, 십여 년 만에 발표한 『노인과 바다』(1952)로 이듬해 퓰리처 상 수상에 이어 1954년 노벨 문학상까지 수상하며 작가로서의 명성을 회복했다. 이후 1959년부터 건강이 악화되면서 우울증, 알코올 중독에 시달리다 1961년 7월 2일 아이다호 케첨의 자택에서 엽총으로 삶을 마감했다.

279 무기여 잘 있어라

A Farewell to Arms Ernest Hemingway

● 노벨 문학상 수상 작가

어니스트 헤밍웨이 김욱동 옮김

전쟁의 허무 속에서 사랑의 진정한 의미를 깨달아 가는 청년의 이야기
전쟁 소설과 연애 소설의 한계를 넘어 존재에 대한 통찰을 담아낸 명작

헤밍웨이 스스로 "내가 쓴 『로미오와 줄리엣』"이라 밝힌 연애 소설이자 깊은 존재
론적 성찰을 담은 대작. 대표적인 전쟁 소설답게 전장과 후방의 대조적인 상황, 전
쟁에 임하는 사람들의 각기 다른 생각 등을 구체적이고 사실적으로 묘사하고 있으
며, 전쟁에 대한 냉소와 비판이 작품 곳곳에 짙게 깔려 있다. 원제 'A Farewell to
Arms'의 'Arms'는 무기를 뜻하기도 하고, 두 팔을 뜻하기도 한다. 주인공은 단독 강
화 조약으로 전쟁(무기)에 안녕을 고하는 동시에 사랑하는 여인의 두 팔에도 안녕
을 고함으로써 삶의 본질과 사랑의 가치를 통감하는 것이다. 전쟁의 허무 속에서
삶과 사랑의 진정한 의미를 깨달아 가는 한 청년의 애절하고 감동적인 이야기는 지
금도 전 세계 독자들의 꾸준한 사랑을 받고 있다.

▶ 나는 이 소설이 비극이라는 사실 때문에 불행하지는 않았다. 삶이란 한 편의 비극이라고
　믿고 있고 오직 한 가지 결말로밖에는 끝날 수 없다는 사실을 잘 알기 때문이다. ― **헤밍웨이**
▶ 『로미오와 줄리엣』만큼이나 불운한 이들의 사랑 이야기는 '새로운 낭만주의'라고 부를 만한
　위업이다. ―《**뉴욕 타임스**》

280 태양은 다시 떠오른다

The Sun Also Rises Ernest Hemingway

● 노벨 문학상 수상 작가

어니스트 헤밍웨이 김욱동 옮김

헤밍웨이가 스물일곱 살에 완성한 첫 장편 소설
'길 잃은 세대'의 시대적 불안과 상실감을 그린 대표작

『태양은 다시 떠오른다』는 세계 대전 후 삶의 방향을 상실한 사람들을 그린 헤밍웨이의 첫 번째 장편 소설로, 삼 년 후에 발표한 두 번째 소설『무기여 잘 있어라』와 함께 자전적 요소가 강한 작품이다. "만취 상태로 보낸 기나긴 주말"로 표현되는 이 시기를 배경으로, 헤밍웨이는 자신과 주변인들이 겪었던 혼돈과 방황을『태양은 다시 떠오른다』속에 그려 내고 있다. '길 잃은 세대'를 다룬 이 작품은 출간 후 미국 문단뿐 아니라 사회 전체에 큰 충격을 가져다주었고, 헤밍웨이는 미국 문단을 이끌어 갈 젊은 작가로 부상했다. 스물일곱의 헤밍웨이가 쓴 이 소설은 '헤밍웨이 문학'이라는 산을 오르려는 사람들이 반드시 넘어야 할 첫 번째 관문이라고 할 수 있다.

▶ 우리 시대의 로맨스이자 안내서. 헤밍웨이야말로 진짜 작가이다. ─ F. 스콧 피츠제럴드

▶ 날렵하고 견고하며 탄탄한 내러티브로 전달되는 놀라운 이야기. ─《뉴욕 타임스》

"어니스트 헤밍웨이"의 다른 책들

281 알레프

El Aleph Jorge Luis Borges

호르헤 루이스 보르헤스 송병선 옮김

불멸의 거장 보르헤스가 남긴 '영원'과 '순간'에 대한 이야기
익숙했던 세계의 지평이 무너져 내리는 가장 충격적인 문학 체험

보르헤스를 대표하는 열일곱 편의 단편이 수록된 소설집 『알레프』는 보르헤스의 소설을 말할 때 빼놓을 수 없는 극한의 사고 실험과 추리 소설적 기법, '변화'와 '반복'이라는 세계관이 응집된 단편집으로, 『픽션들』과 더불어 그를 세계적 작가의 반열에 올려놓은 대표작일 뿐만 아니라 20세기의 패러다임을 바꾸는 데 지대한 공헌을 한 작품집이다. 이 책을 펼친 순간 독자는 시간과 공간에 대한 확고한 믿음이 일순 사라져 버리는 순간을 만난다. 무한이 한 점으로 응집되는 순간, 영원이 찰나로 집중되는 순간, 바로 그 전율의 순간을 책장 가운데에서 마주치는 것이다. 이 현기증 나도록 다채롭고 환상적인 이야기들은 본격적인 단편 소설의 문법 안에서 우리가 살아가는 세계에 대한 충격적인 전환을 보여 준다.

▶ 그는, 그 누구보다 소설의 언어를 혁신적으로 만들어 냈다. — J. M. 쿳시
▶ 글쓰기란 인도된 꿈에 지나지 않는다. — **호르헤 루이스 보르헤스**

"호르헤 루이스 보르헤스"의 다른 책들

282 일곱 박공의 집

The House of the Seven Gables Nathaniel Hawthorne

너새니얼 호손 정소영 옮김

고택에서 벌어지는 의문의 죽음들에 얽힌 인간의 탐욕과 선입관
유럽의 지붕을 벗어나 미국 문학 고유의 목소리를 끌어낸 작가 호손

미국 낭만주의 문학의 선구자 너새니얼 호손의 대표적인 장편 소설. 호손의 일관된
문학적 화두인 인간 근원의 악과 죄, 응보라는 문제가 전작보다 심화되고 극화되었
으며, 권선징악적인 해피엔드의 구조가 흡사 동화에 가까운 느낌을 준다. 탐욕과
위선의 문제를 통해 변화하는 19세기 미국의 사회상을 면면히 드러내어 『주홍 글
자』만큼이나 미국 문학사의 중요한 위치를 점하고 있으며, 환상과 암시, 추리 등의
장르적 요소가 가미된 독특한 구조는 H. P. 러브크래프트의 작품에 직접적인 영향
을 줄 정도로 현대 환상 문학에도 크게 기여했다는 평가를 받는다.

▶ 인간의 다양한 삶 전체에 대한 모호한 잡음과 막연한 메아리로 가득한 거대하고 풍부한
  작품이자, 위대한 소설의 진정한 몸짓. —**헨리 제임스**

▶ 호손은 미국이 낳은 몇 안 되는 명백한 천재 중 하나다. —**에드거 앨런 포**

283 에마

Emma Jane Austen

제인 오스틴 윤지관, 김영희 옮김

제인 오스틴의 길지 않은 작가 생활의 절정기에 나온 작품
발랄한 독신주의자가 사랑을 통해 진정한 자기 인식에 도달해 가는 과정

남녀의 사랑과 결혼을 열정적으로 탐구하여 『오만과 편견』, 『이성과 감성』 등 로맨스 소설의 걸작들을 탄생시킨 영국의 대표 여성 작가 오스틴은 "묘사와 정서의 진실을 통해서 일상의 평범한 일과 인물 들을 흥미롭게 만드는 빼어난 솜씨를 지닌" 작가로 평가받는다. 『에마』는 그녀의 작품들 중에서도 인간의 심리와 사고 과정을 가장 정교하게 다룬 작품으로, 자기밖에 모르는 이기적인 여주인공 에마가 인격적 결함들을 극복하고 진정한 자아와 사랑을 동시에 거머쥐는 과정을 유머러스하면서도 더없이 사랑스럽게 그려 낸다. 1996년 영화로도 제작되어 큰 사랑을 받았으며, '《옵서버》 선정 인류 역사상 가장 훌륭한 책', 'BBC 선정 가장 많이 읽은 책 100권'에 뽑히기도 했다.

▶ 영국 소설의 위대한 전통은 제인 오스틴에서 비로소 시작된다. ─ F. R. 리비스
▶ 그녀는 산문계의 셰익스피어다. ─ 토머스 매콜리

284·285 죄와 벌

Преступление и наказание Фёдор Достоевский

표도르 도스토옙스키 김연경 옮김

러시아의 대문호 도스토옙스키가 팔 년간의 유형 후 발표한 대작
20세기 문학, 철학, 심리학에 하나의 '사건'으로 기록된 소설

『죄와 벌』은 도스토옙스키가 사형 선고에 이은 팔 년간의 유형 생활 후 두 번째로 발표한 작품이다. 전작 『지하로부터의 수기』에서 싹튼 새로운 '인물 유형'과 소설 기법이 이 소설에서 만개하여, 인간의 가장 깊은 곳에 숨겨진 심리가 낱낱이 파헤쳐진다. 도스토옙스키 스스로 『죄와 벌』은 "범죄에 대한 심리학적 보고서"라고 밝혔듯, 죄와 속죄에 대한 다양한 인식들이 팽팽하게 갈등하고 교차한다. 이 소설은 도스토옙스키가 작가로서의 성숙기에 정점을 찍을 수 있게 했고, 또한 조이스, 헤밍웨이, 고리키, 버지니아 울프, 토마스 만, 헨리 밀러, D. H. 로렌스를 비롯한 위대한 작가들에게 커다란 영감을 주었다.

▶ 도스토옙스키는 근대 작가 그 누구보다 위대하다. — 제임스 조이스
▶ 그의 소설은 오직 순수하게 영혼의 재료로만 빚어낸 작품들이다. — 버지니아 울프

286 시련

The Crucible Arthur Miller

● 퓰리처 상 수상 작가

아서 밀러 최영 옮김

집단 안에서 희생당하는 개인의 비극을 고발한 거장 아서 밀러
고발하는 자와 고발된 자의 일그러진 인간 본성이 그려 낸 비극적 초상

현대 희곡의 거장 아서 밀러의 대표작으로 꼽히는 『시련』은 1950년대 미국의 공산
주의자 색출 운동인 매카시즘의 광풍 한가운데 발표된 시대의 역작으로, 당시 미국
사회의 왜곡된 모습을 1690년대 어느 폐쇄적인 공동체에서 일어난 마녀 사냥에 투
영하여 사회적으로 큰 반향을 일으켰다. 개인적 이익과 사회적 이념이 결부되어 집
단적 광기로 번져 나갈 때 드러나는 인간 본성의 가장 추악한 진실을 생생하게 보
여 준 이 작품은 매카시즘 열기에 대한 통렬한 풍자로, 사상을 의심받은 작가를 법
정에 세운 당대 최고의 문제작임과 동시에, 오늘날까지 전 세계 무대 위에 상연되고
영화화되어 독자의 사랑을 받으며 문학이 사회에 제기할 수 있는 가장 준엄한 고발
의 목소리로 여전히 살아 있는 메시지를 전하고 있다.

▶ 극작가는 자신이 몸담은 나라 안에서 살아가는 존재다. 만일 그럴 수 없다면 그곳을
 떠나야 한다. — **아서 밀러**
▶ 아서 밀러는 자신의 작품에 대하여 지극히 드문 성실함을 견지한 작가이다. — **해럴드 핀터**

"아서 밀러"의 다른 책들

민음사 세계문학전집

287 모두가 나의 아들

All My Sons Arthur Miller

● 퓰리처 상 수상 작가

아서 밀러 최영 옮김

현대적 비극의 완성자 아서 밀러의 대표적 사회 비판극
현대 사회 안에서 개인이 겪는 '죄의식의 마비'를 정면에서 조명한 걸작

1차 세계 대전을 배경으로, 한 군수업자와 그 일가의 몰락을 통해 전쟁과 자본 논리에 의해 붕괴되는 인간 양심의 문제를 통렬하게 고발한 『모두가 나의 아들』은 당시 평단과 관객 모두의 격찬을 받으며 아서 밀러의 이름을 당대 최고의 극작가 반열에 올렸다. 자수성가한 사업가 조 켈러가 저지른 '사소한 죄악'이 초래한 비극을 다룬 이 작품에서 등장인물들은 양심의 문제로 인해 고통받는다. 평화로운 켈러 일가의 일상 가운데 아버지 조 대신 수감된 동업자의 폭로로 인해 어느 날 불현듯 잊으려 했던 과거가 유령처럼 되살아나고, 가족은 결국 충격적인 진실에 눈을 뜨고 파국에 직면하게 된다.

▶ 아서 밀러는 아메리칸드림을 운명에 대한 잘못된 야망, 피할 길 없는 침체, 현실이 미망을 일깨우는 순간의 붕괴로 우리를 인도한 일종의 저주로 보았다. ─《타임》
▶ 사람이 자신과 함께 살아가는 사람들을 위해 저야 할 책임에 대해 강력한 신념을 가진 작가. ─《뉴욕 타임스》

288·289 누구를 위하여 종은 울리나

For Whom the Bell Tolls Ernest Hemingway

● 노벨 문학상 수상 작가
●《뉴스위크》선정 100대 명저

어니스트 헤밍웨이 김욱동 옮김

비관주의에서 낙관주의로, 개인주의에서 공동체 의식으로 발전하는
헤밍웨이의 세계관을 이해하는 열쇠가 되는 소설

헤밍웨이 자신이 직접 경험한 전쟁의 잔혹함과 비인간적인 모습을 고발한 대작. 미국 현대 문학의 개척자라 불리는 헤밍웨이는 1차 세계 대전 후 삶의 좌표를 잃어버린 '길 잃은 세대'를 대표하는 작가이다.『누구를 위하여 종은 울리나』는 그의 소설 중 가장 방대한 작품으로, 1936년 발발한 스페인 내전을 배경으로 한 웅대한 현대의 서사시라 할 수 있다. 헤밍웨이는 통신사 특파원 자격으로 내전을 취재한 후 그 경험을 살려 이 소설을 썼다. 자신이 체험한 전쟁의 잔혹함과 비인간적인 모습을 생생하게 묘사하는 한편으로, 이전 작품에서는 드러나지 않던 공동의 가치나 연대의 중요성을 부각시켰다.『누구를 위하여 종은 울리나』는 보다 긍정적이고 원숙해진 헤밍웨이의 사회의식이 처음으로 발견되는 작품이다.

▶ 헤밍웨이가 쓴 가장 풍부하고, 가장 깊이 있고, 가장 진실한 소설. —《뉴욕 타임스》
▶ 이 소설은 개별적인 작품으로도 찬란한 빛을 내뿜지만 작가의 문학관이나 세계관의 변화를 이해하는 데도 아주 중요하다. —**김욱동,「작품 해설」에서**

"어니스트 헤밍웨이"의 다른 책들

290 구르브 연락 없다

Sin noticias de Gurb Eduardo Mendoza

에두아르도 멘도사 정창 옮김

에스파냐의 거장 에두아르도 멘도사가 바르셀로나에 바치는 유쾌한 찬가
사라진 동료 구르브를 찾아 좌충우돌하는 외계인의 지구 탐사 일지

지구를 찾아온 외계인을 주인공으로 한 독특한 소설. 전통적인 서사 구조에 패러
디 기법과 SF 요소를 더해 대도시 바르셀로나의 혼돈과 무질서, 요지경 같은 도시
인의 삶을 해학적으로 그려 낸다. 시종일관 가볍고 유쾌한 어조로 당시 올림픽을
앞두고 있던 고향 바르셀로나의 부조리하고 우스꽝스러운 모습을 가볍게 조롱하는
동시에 경이에 찬 외계인의 시선으로 바르셀로나의 명소와 명사, 역사적 사건 등을
세심하게 훑어 보인다. 출간 즉시 베스트셀러에 올랐으며, 독특한 서사 기법과 수사
법이 주는 재미는 물론 문학적 가치를 인정받아 에스파냐 정규 교과서에 수록되고
자국 내 15세 이상 필독 도서로 선정되었다.

▶ 위대한 책. 문학적 항우울제. ─《코즈모폴리턴》
▶ 멘도사의 흠 없는 서술 기법은 타의 추종을 불허한다. ─ **앙드레 크라벨(영화감독)**

"에두아르도 멘도사"의 다른 책들

291~293 데카메론

Decameron Giovanni Boccaccio

조반니 보카치오 박상진 옮김

신의 세계에서 인간의 세계로 급변하는 근대의 문학적 선구자 보카치오
초서, 셰익스피어 등 세기의 문호들에게 영감을 준 이탈리아 대표 문학

이탈리아 르네상스 문학의 태동을 이끌어 낸 『데카메론』은 보카치오가 당시 전 유럽을 휩쓴 페스트의 참상을 직접 목격하고 이를 통해 혼돈과 불안 속에서 절대적인 도덕과 신성함이 무너진 현실을 직시하여, 모든 인간이 자유롭게 자신의 욕망과 현세적 삶을 추구하는 근대적 세계관을 담은 걸작이다. 열 명의 젊은 남녀가 페스트를 피해 피렌체 교외로 가서 자연을 벗 삼아 어울리며 다양한 주제 아래 열흘 동안 100편의 이야기를 주고받는 내용으로, 기발한 재치와 거침없는 욕망, 생동하는 삶의 진면모를 숨김없이 드러내 보여 준다. 초서의 『캔터베리 이야기』와 셰익스피어의 작품들을 비롯한 후대의 수많은 고전이 탄생하는 데 큰 영향을 준 작품이다.

▶ 보카치오는 당대 문학의 흐름을 가장 순수한 방식으로 교양 있게 완성했다. — **헤겔**
▶ 『데카메론』은 『신곡』을 인간 세계로 확장했다. — **비토레 브란카**

294 나누어진 하늘

Der geteilte Himmel Christa Wolf

크리스타 볼프 전영애 옮김

사회주의 이상과 사랑 사이에서 갈등하는 한 여인을 통해
분단의 아픔과 베를린 장벽 건설 전후 동독 사회의 모순을 다룬 문제작

『나누어진 하늘』은 1963년 발표된 크리스타 볼프의 대표작으로 사회주의 리얼리즘의 기본 틀을 유지하면서도 동독 체제의 현실을 다양하게 조명함으로써 빼어난 문학성을 인정받았다. 여러 군상들을 통해 동독의 부조리와 모순을 냉철하게 묘사하는 동시에 물질적 가치를 척도로 삼는 서독 사회를 비판해 출간 당시 동독과 서독 모두에서 큰 논쟁을 불러일으켰으며, 크리스타 볼프는 단숨에 동독 문학의 기수로 발돋움했다. 이상적인 사회주의 국가 건설과 연인에 대한 사랑 사이에서 번민하는 주인공 리타를 통해 거대한 역사적 흐름에 휘말린 개인의 상처와 아픔을 생생하게 그려 낸 『나누어진 하늘』은 독일 분단 문학을 상징하는 기념비적 작품이다.

▶ 크리스타 볼프는 용기 있는 작가였다. — **마르셀 라이히라니츠키**
▶ 동과 서가 중무장하고 이데올로기적으로 단단하게 대치하던 시대에 그녀는 경계를 뛰어넘고 극복하는 책들을 썼다. — **귄터 그라스**

295·296 제브데트 씨와 아들들

Cevdet Bey ve Oğulları Orhan Pamuk

● 노벨 문학상 수상 작가

오르한 파묵 이난아 옮김

작가가 되기로 결심한 오르한 파묵이 오 년에 걸쳐 완성한 첫 소설
파묵 문학 세계의 시발점을 알려 주는 신호탄 같은 작품

『제브데트 씨와 아들들』은 파묵이 소설가가 되기로 결심한 지 오 년 만에 완성한
그의 첫 소설이다. 그는 1905년부터 1970년까지, 정치적, 사회적으로 극심한 변화
속에 있던 터키에서 살아가는 젊은이들을 그린다. 특히 파묵 자신의 가족과 주변
사람들, 무엇보다 자기 자신의 모습이 많이 반영된 작품이다. 격변하는 사회 속에
서 '어떻게 살아야 하는가'를 고민하고 현실과 이상 사이에서 갈등하는 젊은이들에
게서 청년 파묵의 방황과 성장을 엿볼 수 있다. 이후 그가 노벨 문학상을 수상하기
까지, 작가로서의 야심 찬 첫출발이자, 서로 긴밀하게 이어지는 그의 작품 세계로
이끄는 열쇠가 되는 작품이다.

▶ 위대한 성공. 주저하지 않고 내가 가장 좋아하는 20세기 터키 소설 사이에 넣겠다.
　── 페티 나지

▶ 나의 모든 소설은 이전에 발표한 소설 속에서 태어난다. 『제브데트 씨와 아들들』에 나오는
　젊은이들에게서 『고요한 집』이 탄생했고, 『고요한 집』에 나오는 파묵에게서 『하얀 성』이
　나왔다. ── 오르한 파묵

"오르한 파묵"의 다른 책들

51·52_내 이름은 빨강 이난아 옮김 134_새로운 인생 이난아 옮김 271_하얀 성 이난아 옮김
397·398_검은 책 이난아 옮김

297·298 여인의 초상

The Portrait of a Lady Henry James

헨리 제임스 최경도 옮김

인습의 제약에서 벗어나 자유롭고 독립적인 삶을 꿈꾸는 한 여인이
현실의 시련 속에서 성숙해 가는 과정을 그린 19세기 미국 소설의 걸작

이모부 터쳇 씨의 막대한 유산을 상속받은 젊고 아름답고 똑똑한 미국 여성 이사벨은 유럽을 여행하며 인생의 가능성을 마음껏 펼쳐 보려다 미국인 길버트 오스먼드를 만나게 된다. 1881년 출간된 『여인의 초상』은 19세기 미국 문학을 대표하는 작품으로 꼽힌다. 무엇보다도 헨리 제임스는 이 소설에서 등장인물의 심리와 인물들 사이 갈등에 대한 밀도 높은 묘사를 통해 살아 움직이는 삶의 진실을 포착, 리얼리즘의 정수를 보여 준다. 주인공 이사벨의 내면 변화를 섬세하게 추적, 자신의 운명에 맞서는 한 인간의 모습을 실감 나게 그려 낸 『여인의 초상』은 인간 의식의 흐름을 집중적으로 조명함으로써 20세기 현대 소설이 나아갈 방향을 제시한 모범적 작품이다.

▶ 헨리 제임스는 같은 세대 작가 중 가장 지적인 인물이다. — **T. S. 엘리엇**
▶ 제임스의 문학 세계는 양탄자 무늬처럼 복합적이며 매혹적이다. — **츠베탄 토도로프**

"헨리 제임스"의 다른 책들

299 압살롬, 압살롬!

Absalom, Absalom! William Faulkner

● 노벨 문학상 수상 작가

윌리엄 포크너 이태동 옮김

인간의 어두운 본성, 비도덕적인 폭력, 죄악에 대한 집요한 탐색
순수함과 인간성이 짓밟히는 과정을 서트펜가의 비극을 통해 형상화한 작품

1833년 미국 남부의 소읍에 토머스 서트펜이 야만인과 다름없어 보이는 흑인 스무 명과 납치해 온 듯한 프랑스인 건축가를 대동하고 나타난다. 인디언 부족에게서 넓은 땅을 구입한 그는 흑인들을 데리고 저택을 짓기 시작한다. 『압살롬, 압살롬!』은 남북 전쟁에서 패배한 남부가 무너지는 과정을 악으로 점철된 서트펜가의 비극을 통해 형상화한 작품이다. 포크너는 성(性)과 인종 문제, '남부의 과거와 현재, 시간, 인간의 본성, 영원 등 자신이 끈질기게 추구했던 주제를 이 소설 속에 집약시켜 "도스토옙스키보다 도착적이다."라는 평가를 받기도 했다. 발표 당시에는 긴 문장과 모호한 단어, 어두운 표현으로 널리 이해받지 못했으나, 지금은 미국 문학사뿐 아니라 세계 문학사에서 최고의 작품으로 평가받고 있다.

▶ 남부가 낳은 최고의 작가 포크너는 끊임없이 인간의 본성을 좇았다. — 랠프 엘리슨

▶ 『압살롬, 압살롬!』은 인간의 삶과 그것의 의미를 찾을 수 있는 시간이라는 숲을 주제로 한 소설이다. — 《뉴욕 타임스》

"윌리엄 포크너"의 다른 책들

300 이상 소설 전집

이상 권영민 책임 편집

근대 한국의 위기를 살아 낸 사람들의 혼란스럽고 불안한 내면과
뿌리 뽑힌 도시인, 소외된 지식인의 불안, 공포, 절망에 대한 치열한 탐구

'천재', '광인', 혹은 '모던 보이'라고 불리는 이상은 시인으로도 잘 알려져 있지만 실험적 구성과 파격적 문체를 통해 식민지 근대 한국과 그 시기를 살아 낸 사람들의 혼란스럽고 불안한 내면 심리를 형상화한 훌륭한 소설가이기도 하다. 이상은 사회 존재 기반, 삶의 배경 없이 추상적으로만 존재하는 소설 속 등장인물들을 통해, 뿌리 뽑힌 도시인과 소외된 지식인의 억압된 충동, 그리고 감추어진 욕구를 폭로하며 그들의 무의식을 처절하게 드러내고자 했다. 실험성과 전위성으로 인해 오늘날에도 다양한 비평 담론과 논쟁을 야기하는 이상의 소설은 그 문학적 존재 자체만으로도 여전히 현실에 대한 엄청난 충격이자 도전이라고 할 수 있을 것이다.

▶ 나는 죽지 못하는 실망과 살지 못하는 복수, 이 속에서 호흡을 계속할 것이다. 나는 지금 희망한다. 그것은 살겠다는 희망도 죽겠다는 희망도 아무것도 아니다. 다만 이 무서운 기록을 다 써서 마치기 전에는 나의 그 최후에 내가 차지할 행운은 찾아와 주지 말았으면 하는 것이다. 무서운 기록이다. 펜은 나의 최후의 칼이다. ─ **이상**

301~305 레 미제라블

Les Misérables Victor Hugo

빅토르 위고 정기수 옮김

「장 발장」으로도 잘 알려진, 19세기 프랑스 대문호 빅토르 위고의 대표작
자기희생과 속죄를 통해 성인(聖人)으로 거듭나는 한 인간의 거룩한 이야기

『레 미제라블』은 빅토르 위고가 삼십오 년 동안 마음속에 품어 오던 이야기를 십칠
년에 걸쳐 완성해 낸 세기의 걸작이다. 워털루 전쟁, 왕정복고, 폭동이라는 19세기
격변을 다룬 역사 소설이자 당시 사람들의 지난한 삶과 한을 담은 민중 소설이며,
사상가이자 시인으로서의 철학과 서정이 담긴 작품이기도 한 이 소설은 그 자체로
"하나의 거대한 세계"나 다름없으며 인간 삶과 세상을 아우르는 모든 것이 이 작품
속에 담겨 있다. 프랑스에서 성경 다음으로 많이 읽힌다는 이 작품은 몇 세기에 걸
쳐 오늘날까지 수없이 영화, 뮤지컬, 어린이들을 위한 번안판으로 변주되며 사랑받
아 온 19세기 프랑스 최고의 위대한 소설이라고 할 수 있다.

▶ 한 인간의 작품이라기보다 자연이 창조해 낸 작품. ― **테오필 고티에**
▶ 가장 위대한 아름다움. 이 소설은 하나의 세계요, 하나의 혼돈이다. ― **귀스타브 랑송**

306 관객모독

● 노벨 문학상 수상 작가

페터 한트케 윤용호 옮김

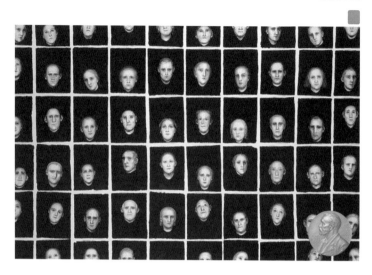

치열한 언어 실험을 통해 글쓰기의 새 영역을 연 작가 페터 한트케
파격적인 언어로 현실의 위선과 부조리를 드러낸 문제작

무대 위 등장인물은 배우 넷이 전부고 극을 이끄는 줄거리나 사건은 없다. 배우들은 관객을 향해 직접 말하고 배우와 관객, 무대와 객석, 연극과 현실 사이 경계는 사라진다. 급기야 배우들은 관객들을 "여러분" 대신 "너희들"이라 부르며 거친 욕설을 퍼붓는다. 1960년대 정체된 독일 문학을 날카롭게 비판하며 문단에 등장한 한트케는 「관객모독」을 통해 완전히 새롭고 독창적인 문학의 가능성을 보여 줌으로써 명성을 얻었다. 한트케는 「관객모독」에서 전통적 연극의 요소들을 뒤엎고, 내용과 형식에서 분리된 언어 자체의 가능성을 실험한다. 관객들에게 온갖 욕설을 퍼부음으로써 현대 사회의 허위와 위선을 조롱하고 풍자한 「관객모독」은 희곡 역사에서 가장 도발적인 작품 중 하나다.

▶ 페터 한트케가 없는 독일 문학은 상상할 수 없다. —《디 차이트》
▶ 지금까지의 모든 방법에 대한 거부가 내 첫 희곡의 작법이었다. — **페터 한트케**

307 더블린 사람들

Dubliners James Joyce

제임스 조이스 이종일 옮김

타락하고 마비된 더블린 사회의 모습과 인간들의 엇나간 욕망을
예리하게 포착한 제임스 조이스 문학의 출발점이자 정수

열다섯 편의 단편으로 이루어진『더블린 사람들』은 더블린에서 살아가는 온갖 인
물들의 욕망과 위선, 환멸을 다양한 관점에서 그려 낸다.『더블린 사람들』은 조이스
의 다른 소설들을 이해하는 데 필수적인 작품으로, 예술성과 대중성을 동시에 갖
춘 몇 안 되는 단편집 중 하나로 평가받는다. 조이스는『더블린 사람들』에서 각기
다른 주제와 소재, 그리고 다양한 문체와 기법을 보여 주는 단편들을 한데 엮어
20세기 초 더블린의 풍경을 사실적으로 그릴 뿐만 아니라, 인물들 내면 의식에 잠
재한 삶의 진실을 상징적이고 강렬하게 표현해 낸다. 정체되고 마비된 도시 더블린
에 대한 애증을 잘 형상화한『더블린 사람들』은 조이스의 문학적 출발점이자 조이
스 문학의 핵심은 담은 작품이다.

▶ 조이스는 현대 문학의 아버지다. ─ 윌리엄 포크너
▶ 조이스의 대단한 현미경은 흘러가는 순간을 멈춰 세우고 포착해서 우리에게 보여 준다.
　─ 밀란 쿤데라

"제임스 조이스"의 다른 책들

308 에드거 앨런 포 단편선

Edgar Allan Poe Edgar Allan Poe

에드거 앨런 포 전승희 옮김

어긋나고 음습한 세계관, 이야기마다 서린 광기, 어두운 상상력으로
이성과 감성의 틈을 날카롭게 파고든 에드거 앨런 포의 대표 단편들

에드거 앨런 포의 작품들은 그로테스크한 소재를 가지고 이성과 감성, 현실과 초현실, 일탈과 순응 사이의 간극을 아슬아슬하게 넘나든다. 특히 그는 이성만으로는 설명되지 않는 인간 심리의 복합성에 대해 탁월하고 합리적인 통찰을 보여 준 작가이다. 정체성의 위기, 정신 분열, 광기, 위반과 일탈의 심리 묘사에서 보이는 포의 독창성과 선구성은 20세기를 이끈 작가들에 의해 수없이 인용되었다. 「검은 고양이」, 「어셔가의 몰락」, 「도둑맞은 편지」 등을 비롯해 그의 대표작으로 평가받는 단편 열네 편을 망라한 이 단편선을 통해 세계 문단의 변방이었던 미국 문학에 유럽 낭만주의의 영향을 받은 새로운 흐름을 이끈 에드거 앨런 포가 추구했던 문학 세계와 예술적 지향점을 분명하게 엿볼 수 있다.

▶ 포의 작품에는 내가 쓰고 싶었던 모든 것이 있다. — **샤를 보들레르**
▶ 포는 인간 정신의 천장과 음습한 지하 통로를 찾아가는 탐험가이다. — **D. H. 로렌스**

309 보이체크·당통의 죽음

Woyzeck·Dantons Tod Georg Büchner

게오르크 뷔히너 **홍성광 옮김**

시대를 앞선 파격적인 형식과 삶의 본질을 꿰뚫는 강렬한 언어로
독일 현대극의 선구자가 된 게오르크 뷔히너의 대표 희곡들

소외된 하층민 보이체크를 주인공으로 내세워 부조리한 사회상을 가감 없이 그려
낸 미완성 희곡 「보이체크」는 전통 희곡의 완결된 기승전결 구조에서 벗어나 단편적
인 장면들을 나열함으로써 현대 희곡의 '열린 형식'을 선구적으로 보여 주었다. 뷔히
너의 첫 희곡 「당통의 죽음」은 프랑스 대혁명을 배경으로 삶과 혁명에 대한 회의에
빠진 혁명가 당통을 그린다. 보다 나은 사회의 건설이라는 본래 목적에서 벗어나 광
기로 치닫는 혁명을 묘사하는 동시에, 회의하는 혁명가이자 감각적 쾌락주의자인
당통을 통해 삶과 죽음 사이에서 고뇌하고 방황하는 인간의 전형을 제시한다. 이
두 희곡은 모순된 현실 속에서 삶의 현실을 잃은 인간의 모습을 인상적으로 표현한
뷔히너 문학의 정수이자 현대극의 선구적 작품이다.

▶ 뷔히너는 철두철미한 혁명가였다. — **알프레트 되블린**
▶ 어느 날 밤 나는 뷔히너를 펼쳤다. 「보이체크」에서 보이체크가 의사와 함께 있는 장면이
　나왔다. 나는 마치 벼락을 맞은 것 같았다. — **엘리아스 카네티**

310 노르웨이의 숲

ノルウェイの森 村上春樹

무라카미 하루키 양억관 옮김

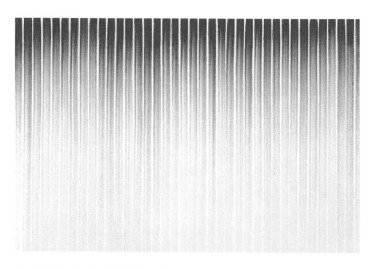

한 사람을 사랑한다는 것, 한 시대를 살아간다는 것에 대하여
현대인의 고독과 청춘의 방황을 선명하게 포착한 현대 일본 문학의 대표작

와타나베는 고등학교 시절 친한 친구 기즈키, 그의 여자 친구 나오코와 언제나 함께였다. 그러나 그 행복한 시간은 기즈키의 갑작스러운 자살로 끝나 버린다. 열아홉 살이 된 와타나베는 도쿄의 대학에 진학하기 위해 고향을 떠나고, 역시 도쿄로 올라온 나오코와 특별한 연민과 애정을 나눈다. 한편 같은 대학에서 만난 미도리는 나오코와는 전혀 다른 매력의 소유자로, 와타나베의 일상에 거침없이 뛰어 들어온다. 1960년대 말 고도 성장기 일본을 배경으로, 개인과 사회 사이의 금방이라도 무너질 듯한 관계와 손을 뻗으면 잡을 수 있을 것처럼 생생한 청춘의 순간을 그려낸 이 작품은 1987년 발표된 이래 전 세계적인 '무라카미 하루키 붐'을 일으키며 오늘에 이르기까지 청춘의 영원한 필독서로 사랑받고 있다.

▶ 무라카미 하루키 특유의 상징적인 가능성이 가득한, 살아 있는 묘사들이 영롱하고 섬세한 구조를 이룬 작품. ―《가디언》
▶ 『노르웨이의 숲』은 무라카미 하루키만의 명징한 표식을 보여 준다. ―《뉴욕 타임스》

"무라카미 하루키"의 다른 책들

311 운명론자 자크와 그의 주인

Jacques le fataliste et son maître Denis Diderot

드니 디드로 김희영 옮김

18세기를 대표하는 철학가이자 소설가인 디드로 문학의 열쇠
자크와 그의 주인의 여정을 따라 이어지는 삶과 사회, 예술에 대한 성찰

자크와 그의 주인은 목적지도 이유도 모르는 여행을 하는 중이다. 주인은 여행의 무료함과 피로를 덜기 위해 자크에게 이야기를 청하고, 자크는 자신의 사랑 이야기를 하기 시작하지만 예상치 못한 사건과 모험으로 그의 이야기는 자꾸만 중단된다. '말하는 자유'를 통해 지배 계급인 주인 곁에서 자유를 실행하는 자크가 행동하는 지식인의 표상이라면 주인은 그와 같은 행동의 필요성을 인지하면서도 무력감과 나태에 빠진 회의적인 지식인을 대변한다. 디드로는 자크와 주인의 입을 빌려 자신이 처한 세계에 질문을 던진다. 『운명론자 자크와 그의 주인』은 휴머니즘을 향한 열정과 에너지를 끊임없이 분출하고 사회와 예술에 대해 지칠 줄 모르는 성찰을 수행하는 디드로 문학의 열쇠라 할 수 있을 것이다.

▶ 오늘날 내가 보기에 18세기의 가장 위대한 소설. 『운명론자 자크와 그의 주인』이 빠진 소설의 역사는 이해될 수 없을 뿐만 아니라 불완전해질 것이다. ─ **밀란 쿤데라**

▶ 『운명론자 자크와 그의 주인』 그리고 이 작품에 나오는 자크야말로 가장 프랑스적인 인물이 아닌가. ─ **김희영,「작품 해설」에서**

312·313 헤밍웨이 단편선

Ernest Hemingway Ernest Hemingway

● 노벨 문학상 수상 작가

어니스트 헤밍웨이 김욱동 옮김

20세기 미국 문학을 개척한 작가 어니스트 헤밍웨이

전후 미국의 다양한 군상을 하드보일드 필치로 담아낸 헤밍웨이 문학의 출발점

헤밍웨이는 구체적인 상황과 인물의 행동을 건조하고 사실적인 분위기로 묘사하면서도 인물의 내면을 직접적으로 드러내지 않는다. 표면적인 사건 묘사를 통해 인물의 심리를 유추할 수 있도록 하는 이러한 스타일은 각각 '하드보일드 문체', '빙산 이론'이라 이름 붙여져 에드거 앨런 포, F. 스콧 피츠제럴드, 오 헨리 등과 더불어 헤밍웨이를 미국 단편 소설의 중요 작가로 자리매김하는 데 기여했다. 한편 끔찍한 전쟁을 겪고 다시 일상으로 돌아온 사람들의 내면에 도사린 허무와 방황을 그려 낸 이러한 단편 소설들은 이후 『태양은 다시 떠오른다』, 『무기여 잘 있어라』 등 주요 장편 소설의 모태가 되어 헤밍웨이의 문학적 명성을 높였다.

▶ 내러티브 기법에 대한 장악력, 현대적 스타일에 미친 영향력은 대단하다.
　　— 스웨덴 한림원 노벨상 선정 이유

▶ 헤밍웨이야말로 진짜 작가이다. — **F. 스콧 피츠제럴드**

314 피라미드

The Pyramid William Golding

● 노벨 문학상 수상 작가
● 부커 상 수상 작가

윌리엄 골딩 안지현 옮김

폐쇄적인 영국 마을을 배경으로 한 소년의 성장을 통해
개개인의 욕망과 위선, 사회의 계급 구조를 꿰뚫고 풍자한 작품

1967년에 출간된 『피라미드』는 1920년대 가상의 영국 마을에서 펼쳐지는 성장과 사랑 그리고 냉혹한 현실의 이야기다. 서로 독립된 듯하면서도 곳곳에서 연결된 세 에피소드는 보수적인 관습, 폐쇄적인 계급 '피라미드'에 따른 차별과 멸시 등 현실의 어두운 단면을 가감 없이 드러낸다. 대표작 『파리대왕』에서 인간의 악한 본성을 집중 조명했던 골딩은, 이 소설에서 한 마을 공동체에서 벌어지는 비극과 희극을 동시에 표현하며 삶을 더 깊이 성찰한다. 자전적 경험을 토대로 인간의 욕망과 위선, 영국 사회의 계급 문제라는 내밀한 문제의식을 경쾌하면서도 날카롭게 형상화한 『피라미드』는 골딩의 문학 세계를 이해하는 데 빼놓을 수 없는 작품이다.

▶ 골딩은 성장하고 나이 드는 과정에서 겪는 모든 고통을 절묘한 기교로 묘사한다. 그는 우리에게 가장 희극적인 이야기들을 선사한다. ─《데일리 텔레그래프》
▶ 반복해서 마음에 떠오르는 소설. ─《가디언》

"윌리엄 골딩"의 다른 책들

315 닫힌 방·악마와 선한 신

Huis Clos · Le Diable et le Bon Dieu Jean-Paul Sartre

장폴 사르트르 지영래 옮김

위대한 철학가, 사르트르 문학의 핵심을 담은 대표 희곡들
"타인은 지옥"이라는 사르트르 실존주의 사상의 참모습을 밝혀 줄 최고의 작품

작가 개인의 애정 생활, 혹은 독일 점령 체험을 극화했다고 해석되는 「닫힌 방」은
"지옥은 바로 타인들"이라는 작가의 실존주의 명제를 극명하게 보여 주며 사르트르
의 희곡들 중 가장 성공적인 작품이라는 평가와 함께 오늘날까지 세계 각지에서 상
연되고 있다. 한편 사르트르가 자신의 희곡 중 가장 아끼는 작품이라고 알려진 「악
마와 선한 신」은 '인간'과 '절대'의 관계를 탐구하며 혼란스러운 사회, 양극화된 세상
에서 무너지지 않는 하나의 '윤리'를 제시한다. 사르트르의 대표 희곡 두 편을 엮은
이 선집은 프랑스 현대 실존주의 철학과 문학을 이끌었던 거장 사르트르 사상의 총
체를 담고 있는 필독서라 할 수 있을 것이다.

▶ 우선 모든 사랑은 신에게 맞서는 것입니다. 두 사람이 서로 사랑하자마자 그들은 신에게 맞
　서서 서로를 사랑하는 겁니다. — **장폴 사르트르**

316 등대로

To the Lighthouse Virginia Woolf

● 《뉴스위크》 선정 100대 명저
● 《타임》 선정 현대 100대 영문소설
● BBC 선정 꼭 읽어야 할 책

버지니아 울프 이미애 옮김

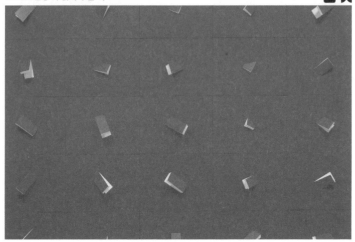

조이스, 프루스트와 어깨를 나란히 하는 20세기 모더니즘 문학의 기수
'의식의 흐름' 기법으로 인간 본성과 삶의 진실을 규명한 버지니아 울프 최고의 소설

1927년 출간된 『등대로』는 작가가 전작들에서 선보인 '의식의 흐름' 기법을 발전시키고 완성한 소설로, 울프 문학의 정점에 선 작품이다. 울프는 평범한 사건에 인물 저마다의 시점을 투영하고, 발화와 생각, 대화와 설명을 명확히 구분 짓지 않는 화법을 구사함으로써, 인간 내면에서 끊임없이 생성되는 의식의 흐름을 부각한다. 특히 모순적이고 다층적인 램지 부인의 존재는 그 자체로 젊은 세대 여성이자 예술가로서의 삶의 진로를 모색한 울프 문학의 핵심 주제이다. 명민한 철학자이나 위압적인 아버지 아래에서 지낸 쓰라린 유년의 추억이 고스란히 녹아 있는 『등대로』는 버지니아 울프의 작가 세계를 이해하는 데 결코 빼놓을 수 없는 작품이다.

▶ 『등대로』에서 인물의 감정을 다루는 울프의 방식은 압도적이다. ─《가디언》
▶ 『등대로』는 길고 부드러운 꿈을 꾸는 듯한 시적 산문이다. ─《퍼블리셔스 위클리》

317·318 한국 희곡선

송영, 허규 외 양승국 엮음

해방 이전부터 1990년대까지를 아우르는 한국 대표 희곡 16편
뛰어난 문학성과 연극성으로 한국 희곡사의 이정표가 된 작품들

『한국 희곡선』에 실린 16편의 희곡들은 송영의 「호신술」(1932)로 시작해 이강백의 「영월행 일기」(1995)까지 육십여 년을 아우르며 한국 현대사의 중요한 분기점들을 보여 준다. 이 작품들에서는 일제 강점기와 한국 전쟁을 거쳐 산업화와 현대화에 이르기까지 급격한 변화와 혼란의 시기를 배경으로 온갖 인물들의 욕망과 꿈, 사랑 그리고 좌절과 몰락이 펼쳐진다. 한국 전통 문화와 가치관 그리고 서양의 자본주의적 문화와 가치관의 충돌, 황금만능주의 세태, 학생 운동과 노동 운동 탄압, 전쟁으로 인한 비극 등 현대사의 여러 현상들은 열여섯 명의 대가들에 의해 무대로 옮겨져 때로는 진지하게 비판되고, 때로는 우스꽝스럽게 풍자되기도 하며, 한편에서는 눈물을, 다른 한편에서는 웃음을 자아낸다.

▶ 이 선집에 실린 작품들 대부분은 처음 발표된 이후 꾸준히 거듭 공연되어 온 것들이다. 따라서 독자들은 이 희곡들을 통해서 희곡 읽기의 재미를 얻을 수 있을 뿐 아니라 한국 현대 연극의 흐름을 잘 이해할 수 있을 것이다. — **양승국**, 「엮은이의 말」에서

319 여자의 일생

Une Vie Guy de Maupassant

기 드 모파상 이동렬 옮김

19세기 프랑스 문학을 주도한 모파상의 대표 장편 소설
꿈 많던 한 지방 귀족 여인이 겪는 인생의 명암을 적나라하게 묘파해 낸 수작

『여자의 일생』은 모파상의 첫 장편 소설로, 19세기 프랑스 문학의 걸작으로 평가된다. 작가는 평범한 행복을 꿈꾸던 여인이 겪는 인생의 굴곡을 간결한 문체로 그려 냄으로써, 생의 허무와 고독을 오롯이 전달한다. 또한 노르망디의 목가적인 풍경은 작품에 시적인 정취를 부여할 뿐 아니라, 아름답지만 무심한 자연의 큰 흐름 속에서 살아가는 인간 존재의 무력함을 부각한다. 모파상의 염세주의적 세계관에 뿌리를 둔 『여자의 일생』은 인간 삶을 관조적으로 바라보는 작가의 성숙한 시선과 삶의 짙은 비애가 녹아 있는 명작이다.

▶ 『레 미제라블』 이후 최고의 프랑스 소설. ─ 레프 톨스토이
▶ 모파상은 간결한 문체 이면에 휴머니티를 간직한 작가다. ─ 《타임스 리터러리 서플먼트》

"기 드 모파상"의 다른 책들

민음사 세계문학전집

320 의식

Rituelen Cees Nooteboom

세스 노터봄 김영중 옮김

네덜란드를 대표하는 거장 세스 노터봄의 문학적 구심점이 되는 작품
20세기 서양 문명사회의 이면을 관찰하는 날카로운 철학적 시선

『의식』은 세스 노터봄이 첫 소설『필립과 다른 사람들』이후 기자와 여행 작가로 활동하다 이십여 년 만에 발표한 소설로, 출간 이후 전 세계에 크나큰 반향을 일으키며 세스 노터봄을 거장의 반열로 올려놓았다. 동서양의 대표적 의식인 가톨릭교의 미사 전례 의식과 다도를 소재로 한 이 작품은, 20세기의 다양한 역사적 흐름을 아우르며 공허한 현대 사회에서 각자의 의식을 통해 해답을 갈구하는 세 인물의 방황을 그렸다. 물질적인 발전이 정점을 이루었던 시대, 발전에 뒤따르는 성찰의 부재로 인해 정신적인 결핍을 겪는 인간 군상의 모습을 강렬하고 짜임새 있는 구성으로 담아낸『의식』은 끝없는 레일 위를 빠르게 질주하듯 보낸 지난 세기를 반성하는 기념비적인 작품이다.

▶ 세스 노터봄은 20세기 현대 작가들 중에서 단연 감수성이 강하고 누구도 흉내 낼 수 없는 목소리를 내는 작가로 우뚝 서 있다. ─《뉴욕 타임스》
▶ 『의식』 속의 묵시론적 환상에 응답하는 도전적인 어조는 전례 없이 독창적이다.
─《프랑크푸르터 알게마이네 차이퉁》

"세스 노터봄"의 다른 책들

194_필립과 다른 사람들 지명숙 옮김

321 육체의 악마

Le Diable au Corps Raymond Radiguet

레몽 라디게 원윤수 옮김

스무 살에 생을 마감한 천재 작가 레몽 라디게가 17세에 발표한 심리 소설
한 소년의 위험한 사랑과 열정, 그리고 전쟁 앞에 내몰린 인간 내면에 대한 통찰

열여섯 소년 '나'에게 전쟁은 기나긴 여름 방학과도 같이 지루한 것이었다. 하지만 전쟁터에 나간 군인의 아내 마르트를 만난 후 '나'는 그 전에는 느껴 보지 못했던 새로운 감정과 마주한다. 1차 세계 대전 종전 오 년 후에 출간된 이 작품은 소년과 군인 아내의 비도덕적 사랑을 주제로 했다는 점, 그 이야기를 쓴 작가가 열일곱 살에 지나지 않는다는 점에서 당시 프랑스 사회를 충격에 빠뜨렸다. 사춘기 소년의 자기 중심적인 욕망, 손에 잡히지 않는 충동, 모순되지만 솔직한 내면 심리를 섬세하고도 간결하게 묘사한 라디게는 이 작품을 통해 전쟁으로 확산된 무위(無爲), 허무주의 속에 내몰린 인간의 불안정한 심리를 훌륭하게 그려 내며 프랑스 고전주의 소설을 새롭게 부활시킨 동시에 완성해 냈다.

▶ 라디게는 자신의 청춘의 모습을 있는 그대로 우리에게 보여 준다. — **프랑수아 모리아크**

▶ 소년에서 청년이 되는, 가장 크게 동요를 겪는 과도기의 영혼을 흔들림 없이 응시하고 해부하는 청춘 소설의 선구적 작품. — **원윤수, 「작품 해설」에서**

L'Éducation Sentimentale Gustave Flaubert

귀스타브 플로베르 지영화 옮김

음악적인 문체 실험으로 20세기 누보로망의 전범이 된 작품
예술가도 혁명가도 되지 못한 젊은 몽상가의 열정과 고뇌를 그린 자전 소설

파리로 상경한 시골 청년 프레데리크 모로는 연상의 여인 마리 아르누에게 반한다. 프레데리크는 1848년 혁명, 나폴레옹 쿠데타 등 역사적 사건에서 멀찌감치 떨어진 채 아르누 부부의 집을 드나들며 내밀한 연정을 키운다. 『감정 교육』은 플로베르가 청년 시절 구상하여 『마담 보바리』의 성공으로 문학적 절정기에 이르렀을 때 소설의 미래에 대한 고민을 담아 완성한 대표작이다. 이 작품은 영웅과는 거리가 먼 평범하고 소심한 주인공, 교훈과 선악 판단을 배제한 서술, 음악적이고 균형 잡힌 문체로 모더니즘과 누보로망 작가들에게 소설이 나아가야 할 방향을 보여 준 현대 문학의 모대다. 『감정 교육』은 플로베르의 미학이 집약된 걸작이자 불안한 현대를 살아가는 우리 모두의 초상이다.

▶ 나는 플로베르의 초라하고 어설픈 자식이다. 『감정 교육』에 전적으로 굴복하고 말았다.
　　—**프란츠 카프카**
▶ 플로베르 없는 프루스트도 조이스도 없다. —**블라디미르 나보코프**

324 불타는 평원

El Llano en llamas Juan Rulfo

후안 룰포 정창 옮김

평생 단 두 권의 소설을 발표해 전설로 남은 작가 후안 룰포
향토색 짙은 풍경과 서정적인 언어로 그려 낸 삶의 애환과 폭력의 속성

후안 룰포는 마르케스, 푸엔테스 등이 주도한 '붐 세대'보다 앞서 라틴 아메리카 현대 소설의 토대를 마련한 멕시코 문단의 거장이다. 『불타는 평원』은 그가 발표한 모든 단편을 수록한 작품집으로 빈곤한 삶의 굴레를 이어 가는 민중의 모습을 라틴 아메리카의 독특한 지역성과 결합하여 녹여 낸 것이 특징이다. 특히 룰포는 작품들 속에서 의식의 흐름 기법, 다층적인 시점, 과거와 현재의 혼재 같은 20세기 현대 문학사의 큰 특징이 되는 경향을 한발 앞서 다루었다. 평생 단 두 권의 책을 통해 오랜 역사 속에서 고착된 인류의 보편적이고 부정적인 속성인 가난과 폭력에 대해 새로운 방식의 언어로 그려 낸 그는 20세기 라틴 아메리카 현대 문학이 정점에 올라서는 데 초석이자 기둥이 되었다.

▶ 『불타는 평원』은 멕시코 민중들의 삶, 그리고 그들이 살고 있는 땅과 깊이 연관된 인물들에 대한 잊을 수 없는 이야기로, 라틴 아메리카 문단의 가장 중요한 작품 중 하나이다. ─《뉴욕 타임스》

▶ 룰포의 소설은 20세기 세계 문학의 걸작 중의 하나일 뿐 아니라, 영향력이 가장 큰 작품 중의 하나이다. ─**수전 손태그**

"후안 룰포"의 다른 책들

325 위대한 몬느

Le Grand Meaulnes Alain-Fournier

알랭푸르니에 박영근 옮김

단 한 편의 소설로 문학사에 길이 남은 알랭푸르니에의 자전적 이야기
신비롭고도 아름답게 그려 낸 청춘의 방황과 사랑

부모님이 직접 가르치는 기숙 학교에서 사는 쇠렐은 병약하고 조용한 소년이다. 어느 날 키가 크고 다부지며 강한 몬느가 전학 오는데, 그는 곧바로 학생들의 선망이자 경계의 대상이 된다. 치기 어린 마음에 몰래 기숙사를 빠져나간 몬느는 어떤 영지의 성에 이르러 이본을 만나 사랑에 빠진다. 유년 시절을 향한 동경, 잃어버린 삶으로 돌아가고자 하는 욕망과 신비로움으로 가득한 모험, 어른이 되어도 언제나 그러한 모험을 갈망하는 청춘을 이야기하는 이 소설은 현실에 깊게 뿌리내리고 있는 꿈과 환상을 매혹적으로 그려 낸다. 세계 대전 시기의 암울한 현실 속에서 만나는 소년들의 매력적인 모험은, 알랭푸르니에가 탄생시킨 『위대한 몬느』의 진짜 세계이자 전 세계 청춘들을 위로하는 해방과 자유의 세상이다.

▶ 문장의 정확성이나 신비로운 세계의 전개, 구성의 치밀함에 있어 원숙함을 제대로 보인 작품으로서 군더더기가 전혀 없다. 청춘의 꿈, 참을 수 없는 욕망, 절대적인 행복, 신비와 비현실에 대한 지칠 줄 모르는 갈망으로 가득 찬 작품. —『라 루스』

326 라쇼몬 아쿠타가와 류노스케 단편선

羅生門 芥川龍之介

아쿠타가와 류노스케 서은혜 옮김

예술의 이상향을 꿈꾼 불세출의 천재 아쿠타가와 류노스케
일본 근대 문학을 견인하며 독보적이고 독창적인 작품 세계를 펼친 작가

아쿠타가와 류노스케는 탁월한 천재성과 지성으로 근대 문학을 이끌며 일본 문학사에 유일무이한 존재로 뚜렷한 자취를 남긴 작가이다. 그는 주로 이지적이고 합리주의적인 단편 안에 인간의 심연과 예술에 대한 열망을 선명하게 투영했다. 이 책에 수록된 「라쇼몬」, 「지옥변」, 「신들의 미소」, 「다네코의 우울」 등 총 열네 편의 작품들은 단편 소설이 보여 줄 수 있는 영역을 최대로 확장하고 있다. 종교에서부터 민담, 개인의 내면에서부터 사회의 부조리, 자연주의에서 환상 문학까지 아우르는 아쿠타가와 류노스케의 폭넓은 작품 세계는 인간사와 그 저변에 흐르는 인간 본연의 심리를 가장 순수하고 문학적인 언어로 그려 낸 영원한 단편 문학의 고전으로 남을 것이다.

▶ 아쿠타가와 류노스케는 문학계에 유례없는 작가가 될 것이다. — **나쓰메 소세키**
▶ 진실이란 얼마나 주관적인지를 조명하는 가운데 통찰력과 예리한 독창적 지성을 빛내는 작가. — **《가디언》**

민음사 세계문학전집

327 반바지 당나귀

L'Âne Culotte Henri Bosco

앙리 보스코 정영란 옮김

감미롭고 심오한 상상 세계를 통해 평생 영생을 모색한 앙리 보스코의 대표작
경이와 신비 속에 소용돌이치는 세계, 지상 낙원을 꿈꾸는 인간 정신의 모험

낙원 혹은 천국의 상징인 아몬드나무 꽃가지를 피워 내는 작업에 혼신의 정열을 바치는 노인 시프리앵, 그 정원의 매력에 이끌려 든 호기심 많은 소년과 소녀, 마을의 영적 아버지인 본당 신부, 그에게 낙원의 꽃을 전해 주는 당나귀, 오늘날에도 여전히 신의 축복을 기다리는 마을 페이루레. 이 모두는 잃어버린 낙원을 향한 향수와 영원성에 대한 갈망, 초월을 향한 꺼지지 않는 갈증과 내밀히 연대되어 있다. 동화나 아름다운 성장 소설처럼 보이는 간결한 이야기는 사실은 신비와 몽상을 넘나드는 경이로운 세계를 그린다. 이 상상 세계를 통해 작가는 우리가 정녕 원하고 기다리고 자연에 귀 기울인다면 이 땅에서 진정한 낙원과 우정을, 혹은 그 예표를 만날 수 있음을 시사한다.

▶ '가장 위대한 몽상가', 보스코를 따라감으로써 우리는 그의 꿈들 속에 간직되어 있는 유년 시절 몽상의 깊이를 발견할 수 있다. ─**가스통 바슐라르**

▶ 보스코의 세계는 세계와 영혼, 인간과 사물들, 크고 작은 모든 것들이 신비로운 화음의 끈으로 묶인 채 어울려 진동한다. ─**정영란, 「작품 해설」에서**

328 정복자들

Les Conquérants André Malraux

앙드레 말로 최윤주 옮김

20세기 프랑스의 행동하는 지성 앙드레 말로의 대표작
인간의 실존을 강렬하고도 간결한 문체로 규명한 르포르타주 문학의 수작

『정복자들』은 앙드레 지드와 함께 레지스탕스를 지휘했고, 프랑스 식민지였던 인도차이나의 독립을 지원했으며, 스페인 내전 때는 공화파 공군을 조직했던 실천하는 지식인 앙드레 말로의 철학이 고스란히 담긴 소설이다. 격동의 중국 혁명기를 배경으로 거대한 운명 앞에서 흔들리는 나약한 인간 존재의 비극을 그려 낸 이 소설은 박진감 있는 속도로 진행되는 하드보일드한 문장을 통해 철학적 사유의 깊이를 더욱 부각하는 성과를 거둔 르포르타주 문학의 수작이자 모더니즘 글쓰기의 전범이다. 계급 투쟁과 반제국주의 문제 너머, 인간의 의지와 숙명이라는 원초적 고민을 그린 『정복자들』은 사변적 감상주의로 치우치지 않는 성숙한 통찰이 돋보이는 말로 문학의 출발점이다.

▶ 작가 자신의 체험을 역사와 문명의 문맥으로 옮기는 데 앙드레 말로만큼 뛰어난 소설가는 없었다. ─ **카를로스 푸엔테스**
▶ 『정복자들』의 가린은 니체가 꿈꿨던 초인에 가장 가까운 인물이다. ─ **앙드레 지드**

329·330 우리 동네 아이들

نجيب محفوظ أولاد حارتنا

● 노벨 문학상 수상 작가

나지브 마흐푸즈 배혜경 옮김

아랍 문학을 세계 문학의 반열에 올려놓은 노벨 문학상 수상 작가
유대교, 기독교, 이슬람교 속 역사를 알레고리 기법으로 집대성한 대작

마흐푸즈는 『우리 동네 아이들』에서 유대교, 기독교, 이슬람교의 성서와 코란 속에
등장하는 일화를 한 마을의 역사로 탈바꿈시킨다. 자발라위는 하느님을, 아드함과
우마이마, 이드리스는 각각 아담과 이브, 사탄을 상징하는데, 이들의 후손은 지배
층의 부당한 억압 속에서 고통당하다 예수와 무함마드를 상징하는 선지자를 주도
로 혁명을 일으킨다. 이들의 이야기는 아랍 고유의 독특한 문화적 배경과 섞여 다
층적인 은유를 이끌어 낸다. 마흐푸즈는 몇 세대에 걸친 기나긴 세월을 통찰력 있
게 꿰뚫으며 인간 역사와 종교가 걸어온 길을 멀리 되돌아보는 한편, 반복된 폭력
의 역사 속에서도 끝까지 평화를 포기하지 말라는 희망의 메시지를 던진다.

▶ 현실을 통찰력 있게 꿰뚫는 동시에 지난 일을 어렴풋이 떠올리게 하는 뉘앙스가 풍부한
  작품으로 인류 전체가 공감할 만한 아랍 고유의 서사 예술을 구현했다.
  —스웨덴 한림원 노벨상 선정 이유
▶ 선과 악이 뒤섞인 광경을 인간의 문자만으로 훌륭하게 묘사해 낸 작가. —《뉴욕 타임스》

331·332 개선문

Arc de Triomphe Erich Maria Remarque

에리히 마리아 레마르크 장희창 옮김

불안과 고통 속에서도 살고 사랑하고 희망했던 사람들의 삶을
따뜻하게 그려 낸 반전(反戰) 소설이자 망명 문학의 대표작

2차 세계 대전 발발 무렵, 불안과 절망으로 가득한 파리. 강제 수용소에서 탈출하여 파리로 망명한 라비크는 조앙 마두와 운명적으로 만나고 두 사람은 사랑에 빠진다. 『개선문』은 전운이 감도는 유럽의 마지막 피난처, 파리에서 살아가는 평범한 사람들의 이야기다. 라비크와 조앙의 사랑을 중심으로, 교통사고를 당한 후 두 다리 대신 보험금을 택한 소년, 하루 벌어 하루를 사는 유곽 아가씨들의 천진한 모습, 고향으로 돌아가 카페를 차리고 결혼을 하겠다는 소박한 꿈을 꾸는 술집 마담과의 우정 등의 이야기가 이 작품 전체에서 따뜻하게 생동한다. 『개선문』을 통해 레마르크는 불안과 절망, 고통 한가운데에서야말로 더욱 소중하게 여겨야 할 것이 바로 사랑과 우정, 평범한 삶의 순간순간임을 깨닫게 한다.

▶ 레마르크는 갔지만 『개선문』은 남았고, 라비크와 조앙 마두의 사랑, 라비크와 모라소프의 우정은 따뜻한 불씨로 더욱 생생하게 살아남았다. 『개선문』은 사랑과 우정과 친절이야말로 인간성의 꺼질 수 없는 불길임을 증언하는 작품이다.

— 장희창, 「작품 해설」에서

"에리히 마리아 레마르크"의 다른 책들

333 사바나의 개미 언덕

Anthills of the Savannah Chinua Achebe

● 부커 상 수상 작가

치누아 아체베 이소영 옮김

권력이라는 정치적 유혹 속에서 펼쳐 나가는 올바른 개인들의 투쟁
혼란 가운데에 피어나는 희망의 새싹을 통해 화합을 꿈꾸다

국가를 위해 헌신하려는 목표를 갖고 아프리카 캉안에서 영국으로 건너가 함께 공부한 친구 사이인 샘, 이켐, 크리스. 그러나 이들의 관계는 귀국 후 샘이 쿠데타를 통해 권력을 장악하자 어그러지고 만다. 현재 신문사 편집장인 이켐, 그리고 공보처 장관인 크리스는 나라의 미래를 걱정하지만, 이들의 우려에도 불구하고 상황은 점점 암울해져 간다. 『모든 것이 산산이 부서지다』, 『더 이상 평안은 없다』, 『신의 화살』로 서구 사회가 아프리카 지역에 침입해 오던 19세기 말 20세기 초의 혼돈을 다루어 온 치누아 아체베. 그는 『사바나의 개미 언덕』에서 20세기 후반, 쿠데타를 통해 권력을 장악한 독재자로 인해 암울한 정치적 상황에 직면한 아프리카의 위기를 세밀하게 묘사한다.

▶ 아체베는 아프리카 문학의 아버지이다. ─《가디언》
▶ 아체베는 『사바나의 개미 언덕』에서 아프리카인의 경험적 이데올로기와 정치적 의제에 대한 이야기를 통해 독자를 인간의 보편적 지혜 속으로 이끌고 들어간다. ─《워싱턴 포스트》

334 게걸음으로

Im Krebsgang Günter Grass

● 노벨 문학상 수상 작가

귄터 그라스 장희창 옮김

노벨 문학상 수상 작가이자 '행동하는 양심' 귄터 그라스
그가 독일 문단의 금기를 깨고 밝히는 1945년 피란선 침몰 사건

『게걸음으로』는 독일 문단에서 금기시되었던 피란선 구스틀로프호 침몰 사건을 다
루어 독일뿐만 아니라 전 세계에 큰 충격을 안겼던 문제작이다. 1945년 1월, 독일
피란민 9000여 명을 태우고 항해 중이던 구스틀로프호는 러시아 잠수함이 발사한
어뢰 세 발을 맞고 침몰한다. 선장 넷을 비롯해 1000명 남짓만이 살아남은 이 사고
의 희생자 대부분은 여성과 어린아이 들이었다. '구스틀로프호의 침몰'은 신나치주
의 확산과 더불어 정치적으로 이용될 우려가 있는 사건이었다. 귄터 그라스는 정치
적 함의나 해석에서 살짝 비켜서서 '게걸음'과 같은 방식으로, 옆으로 걸으면서 느릿
느릿하게, 머뭇거리는 듯하지만 이 사건의 모든 면을 살펴보며 나아간다.

▶ 귄터 그라스는 독일 피란민 참사라는 민감한 주제를 다룸으로써 국가적 금기를 깼다.
　— BBC
▶ 독일 좌파의 양심 그라스는 이 작품에서 처음으로 2차 세계 대전 당시 희생되었던
　독일인의 고통에 따뜻한 시선을 보낸다. — 《가디언》

"귄터 그라스"의 다른 책들

32·33_양철북 장희창 옮김 **63·64_넙치** 김재혁 옮김 **119_텔크테에서의 만남** 안삼환 옮김

335 코스모스

Kosmos Witold Gombrowicz

비톨트 곰브로비치 최성은 옮김

인간의 의식과 무의식을 그로테스크한 환상의 세계로 펼쳐 낸 작품
기묘한 웃음, 아름다움 뒤의 허상, 쓰디쓴 조소로 가득한 철학 소설

주인공이자 화자인 '나'(비톨트)는 바르샤바를 떠나 잠시 머물 곳을 찾다가 자코파
네라는 한적한 곳의 외딴집에서 하숙을 하게 된다. 집주인 레온 부부, 그들의 딸 레
나와 하녀, 그리고 그 집까지 '나'에게는 낯설고 기이하게 느껴진다. 숲속에서 목격
한 목매달린 참새와 하녀의 입에 난 상처, 레나의 하얀 다리는 '나'의 머릿속을 맴돌
며 현실과 환상을 뒤섞고, '나'의 내면에서는 작은 균열이 일어나기 시작한다. 곰브
로비치는 인물의 인식만으로 가장 현실적인 배경을 극단적인 비현실로 치환하여 소
설이라는 장르의 경계를 무한히 확장시켰다. 나아가 일상적인 언어만으로 인간의
불안과 미성숙을 그려 내면서 푸코, 바르트, 들뢰즈, 라캉 등 20세기 철학을 문학
이라는 형식으로 재현했다는 평가를 받았다.

▶ 곰브로비치는 분석적이면서 동시에 유물론적인 전혀 새로운 유형의 소설을 창조해 냈다.
　ㅡ 장폴 사르트르
▶ 곰브로비치야말로 모더니즘 시대의 대표적인 작가이며, 동시에 포스트모더니즘 시대를 예
　시한 선구자였다고 단언할 수 있을 것이다. ㅡ 최성은, 「작품 해설」에서

"비톨트 곰브로비치"의 다른 책들

336 좁은 문·전원교향곡·배덕자

La Porte Étroite·La Symphonie Pastorale·L'Immoraliste André Gide

● 노벨 문학상 수상 작가

앙드레 지드 동성식 옮김

'현대의 양심' 앙드레 지드 대표 소설 선집
교리에 대한 자유로운 해석과 문학적 상상력을 통해 만나는 진정한 해방과 구원

외사촌 누나 알리사를 흠모하는 제롬은, 그녀와 함께 신에게 이르는 것이야말로 자신에게 주어진 길이자 두 사람의 운명이라고 생각한다. 하지만 동생 쥘리에트가 남몰래 제롬을 사랑하고 있음을 알게 된 알리사는 자신의 사랑을 오로지 주님에게 바칠 것을 다짐한다. 『좁은 문』은 그 파격적인 내용과 반종교적 서술로 프랑스 문단과 사회에 큰 파문을 일으킨 동시에 오랫동안 독자들의 사랑을 받았다. 지드는 성경과 교리에 대한 자유로운 해석과 문학적 상상력, 그리고 자아 완성을 통해 구원과 해방에 도달할 수 있다는 신념으로 불멸의 예술 세계를 구축해 낸다. 지드의 대표 소설을 엄선한 이 작품집을 통해 '신이 존재하지 않는 인간 사회의 인도자' 지드의 진정한 목소리를 만나 볼 수 있을 것이다.

▶ 나는 오늘 죽을지 모른다. 나의 모든 작품은 『좁은 문』 뒤에서 사라질 수도 있다.
 사람들은 오직 『좁은 문』만 생각하게 될지도 모른다. ─ **앙드레 지드**

▶ 우리 시대 가장 위대한 작가 중 하나. ─ **프랑시스 잠**

"앙드레 지드"의 다른 책들

337·338 암 병동

Раковый корпус Александр Солженицын

- 노벨 문학상 수상 작가
- 《타임》 선정 현대 100대 영문소설

알렉산드르 솔제니친 이영의 옮김

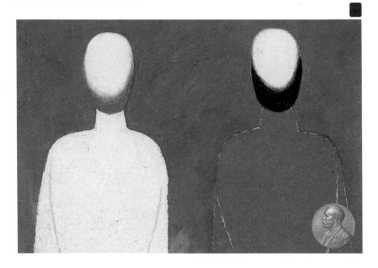

**비정한 현실을 버텨 오다 상처 입고 병들어 버린 사람들
죽음에 직면한 그들에게서 발견하는 웃음과 삶에 대한 희망을 그린 대작**

1955년 중앙아시아 어느 암 병동. 노인부터 십 대 소년, 유형수부터 고위 공무원까지, 모두 암에 걸려 같은 병실에 머물고 있다. 각자의 사회적 지위가 환자복을 입는 순간 사라져 버리자, 이들은 지난 삶을 털어놓거나 우연히 알게 된 치료법을 공유하고, 스탈린 사후 급변하는 정치 상황에 대해 격론을 벌인다. 솔제니친은 27세에 '반소 선동'과 '반소 조직' 창설 활동이라는 죄목으로 팔 년 형을 선고받아, 죄수와 유형자 신분으로 강제 노동 수용소와 병원 생활을 했다. 이 시기의 경험은 그의 대표작 『암 병동』의 소재가 되었다. 특히 『암 병동』에서는 1953년 스탈린이 사망한 후 이어졌던 소련 내부의 혼란과 비극, 나아가 복잡다단한 인간 사회의 자화상을 병원이라는 폐쇄된 공간을 배경으로 그려 냈다.

▶ 최고 수준의 문학적 사건. —《타임》
▶ 『암 병동』은 스탈린 사망 직후 시기를 그리면서, 국가라는 병동에서는 희생자나 집행인이나 모두 갇힌 신세이며 똑같이 불구가 되어 버렸다고 선언한다. —《뉴욕 타임스》

"알렉산드르 솔제니친"의 다른 책들

339 피의 꽃잎들

Petals of Blood Ngũgĩ wa Thiong'o

응구기 와 시옹오 왕은철 옮김

현대 아프리카 문학을 대표하는 작가 응구기 와 시옹오
제국주의와 식민주의의 광풍에 휘말린 아프리카를 처절하게 고발하는 작품

신도시 개발이 한창인 케냐의 작은 마을 뉴 일모로그, 정재계 유명 인사 세 명이 창녀촌 주인인 완자의 저택에서 한꺼번에 방화로 죽는 사건이 발생한다. 경찰은 이 사건의 용의자로 무니라, 압둘라, 카레가를 구금하고 그중 초등학교 교장인 무니라에게 지난 일을 일기 형식으로 기록하게 한다. 응구기 와 시옹오는 서구의 아프리카 탄압, 식민 지배에 대한 저항, 식민지의 문화 충돌 등을 소재로 작품을 써 왔다. 『피의 꽃잎들』은 자본주의와 부패한 권력자들에게 농락당하는 농민과 지식인의 처절한 삶을 기록하고, 식민 지배자였던 백인 세력과 야합하여 민중을 배신하고 그 위에 군림하는 기회주의자들을 고발한다. 시옹오는 이 작품에서 고통받는 민중을 대변하며 그들의 상처를 어루만지고 있다.

▶ 야심적이고 신랄하고 열정적인 작품. —《뉴요커》
▶ 놀라운 정치 선언문인 동시에 고뇌에 찬 절망적인 외침…… 폭탄선언과도 같은 소설.
　—《위클리 리뷰》

340 운명

Sorstalanság Imre Kertész

● 노벨 문학상 수상 작가

임레 케르테스 <u>유진일 옮김</u>

홀로코스트 생존자 임레 케르테스가 십여 년간 집필한 자전적 대표작
가장 비인간적인 공간 속에서도 가장 존엄한 인간성에 대한 명징한 성찰

부다페스트에 사는 열네 살 소년 죄르지는 어느 날 갑자기 타고 있던 버스에서 끌려 나와 사랑하던 모든 것으로부터 떨어져 인류가 상상할 수 있는 최악의 장소인 아우슈비츠 강제 수용소로 향한다. 아우슈비츠를 거쳐 부헨발트와 차이츠로 이동하면서 소년은 지금까지 알고 있던 세계의 대척점에 선 가스실의 비참과 잔혹한 노동, 인간 이하의 생존 조건 가운데에서 그 모든 것을 견디는 법을 체득해 나간다. 실제로 소년 시절 아우슈비츠와 부헨발트, 차이츠 강제 수용소를 경험한 작가는 오늘을 사는 우리에게 홀로코스트의 참상이 남긴 의미를 재조명한다. 비인간적 세계에서 인간이 인간으로 성립하기 위한 조건이 무엇인지 예리하게 고발한 『운명』은 2차 세계 대전이 낳은 가장 성찰적인 작품 중 하나로 꼽는다.

▶ 야만적이고 제멋대로인 역사에 맞선 한 개인의 취약한 경험을 지켜 내려 한 작가.
　— **스웨덴 한림원 노벨상 선정 이유**

"임레 케르테스"의 다른 책들

341·342 벌거벗은 자와 죽은 자

The Naked and the Dead Norman Mailer

● 퓰리처 상 수상 작가

노먼 메일러 이운경 옮김

노먼 메일러가 실제 전쟁 경험을 통해 써 내려간 리얼리즘 문학의 정수
군대 조직의 일상을 통해 전쟁의 참혹함을 심도 깊게 고발하는 소설

2차 세계 대전이 막바지에 이를 무렵, 일본군이 점령한 남태평양의 작은 섬 아노포페이에 커밍스 소장이 이끄는 미군이 상륙 작전을 감행한다. 사병 한 명이 전투 중 공포에 질려 참호 밖으로 뛰쳐나갔다가 폭탄에 맞아 사망하자, 소대원들은 그제야 전쟁의 참상을 현실로 느끼기 시작한다. 전쟁 속에서 느끼는 인간의 무력감과 좌절에 대한 정서는 소설이 내는 반전(反戰)의 울림과 공명한다. 전쟁에 대한 비극적이고 무자비할 정도로 사실적인 묘사를 통해 미국 사회, 더 나아가 인간 사회에 대한 통찰을 담은 이 소설은 대중과 평단의 폭발적인 반응을 불러일으켰으며, 모던 라이브러리 선정 20세기 최고의 영문 소설 100선에 이름을 올리기도 했다.

▶ 잔인하고, 고통스러우며, 놀라울 만큼 사색적인 소설. ─《뉴스위크》
▶ 2차 세계 대전에 관한 최고의 소설. ─《타임》

"노먼 메일러"의 다른 책들

158 밤의 군대들 권택영 옮김

343 시지프 신화

Le Mythe de Sisyphe Albert Camus

● 노벨 문학상 수상 작가

알베르 카뮈 김화영 옮김

『이방인』의 사상적 단초가 되는 실존적 문제에 대한 강렬한 통찰
부조리에 반항하는 진정한 방법으로서 '긍정'과 '행복'을 역설한 철학적 산문시

알베르 카뮈가 『이방인』과 같은 해에 발표한 『시지프 신화』는 그의 문학적 기반이 되는 사상의 단초를 그리스 신화의 시시포스 이야기로 풀어 나간 철학 에세이로, 소설 『이방인』, 희곡 「칼리굴라」와 함께 '부조리 3부작'을 이룬다. 그는 신의 저주에 의해 영원히 산 밑에서 위로 바위를 밀어 올리는 삶을 살아야 하는 시지프의 운명을 부조리한 세계에 던져진 인간의 삶에 빗대, 인간이 할 수 있는 최선의 반항은 자살이 아니라 그 삶을 끝까지 이어 나가는 것임을 밝힌다. 카뮈가 한결같이 강조하는 것은 살아 있다는 명징한 의식과 반항에 대한 열정이다. 『시지프 신화』는 실존적 비극에 대한 '영원한 혁명'의 윤리로 독자의 뇌리에 깊이 남을 것이다.

▶ 카뮈는 『시지프 신화』의 논리적 틀을 활용하여 소설 『이방인』의 채석을 위한 '열쇠'를 찾아냈다. ─ **올리비에 토드**(카뮈 전기 작가)

▶ 『시지프 신화』는 의식의 차원으로 옮겨 놓은 일종의 '영원한 혁명'의 윤리다.
─ **김화영**, 「작품 해설」에서

344 뇌우

雷雨 曹禺

차오위 오수경 옮김

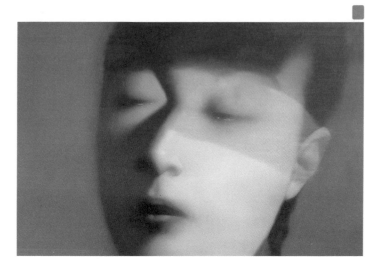

중국 근대극의 창시자, 중국의 입센이라 불리는 차오위의 대표작
한 가정의 거실에서 펼쳐지는 봉건 시대의 모순과 비극적인 욕망의 드라마

근대극을 확립한 극작가 헨리크 입센에 비견되며 중국 문학사에서 근대극의 창시
자라는 평가를 받는 차오위의 대표작 『뇌우』는 4막짜리 희곡으로, 조우씨와 루씨
두 집안의 얽히고설킨 갈등을 통해 1920년대 봉건 질서가 지배하던 시대 중국 사회
의 모순을 보여 준다. 하루라는 짧은 시간적 배경과 거실이라는 한정된 공간적 배
경 속에서 당시 봉건 사회가 품고 있던 모순을 극화하여 표현한 이 작품은 모순된
사회 속에서 스스로를 발견하고자 했던 이들과 스스로를 방어하고자 했던 이들의
치열한 서사를 통해 당시 중국 사회에서 뜨거운 반향을 이끌어 냈다. 장이머우 감
독의 영화 「황후화」를 통해 각색, 영화화되는 등 다양한 장르에서 재해석되며 여전
히 매력적인 작품으로 사랑받고 있다.

▶ 내가 쓴 것은 한 편의 시였다. ― 차오위
▶ 차오위는 현실 개혁에 대한 열정과 이상에 대한 동경으로 리얼리즘 문학을 선택하였고
　 자신의 성향에 따라 시적 리얼리즘을 구현하였다.― 오수경, 「작품 해설」에서

345 모옌 중단편선

莫言 莫言

● 노벨 문학상 수상 작가

모옌 심규호, 유소영 옮김

가장 중국적인 '환각 리얼리즘'을 탄생시킨 작가 모옌
역사를 배경으로 민담의 색채를 입은, 모옌의 대표 중단편

모옌은 중국 전통의 민담과 설화를 세계적인 이야깃거리로 탄생시키며 "야성과 광기의 이야기꾼"이라는 평가를 받은 현대 중국 문학의 거장이다. 이 중단편선은 중국의 대약진 운동, 반우파 투쟁, 문화 대혁명으로 이어지는 역사적 사건들로 배경을 소묘하고, 민담과 습속의 화려한 색채를 입힌 이야기들로 모옌 문학의 진수를 보여 준다. 모옌은 '환각 리얼리즘'이라는 문학적 관점을 통해 시공을 가진 세계를 창조해 내는데, 그곳이 바로 이 책의 배경인 '가오미 둥베이 향'이다. 중국의 역사와 설화 그리고 작가의 기억과 상상이 교차하는 이곳은, 끊임없이 새로운 이야기들을 토설해 내는 모옌 문학의 원천이다.

▶ 환각 리얼리즘을 민간 구전 문학과 역사, 그리고 동시대와 융합시킨 작가.
　　— 스웨덴 한림원 노벨상 선정 이유
▶ 모옌은 중국 설화인(說話人)의 전통을 이어받은 것처럼 끊임없이 이야기를 토설할 수 있는 막강한 입심을 지니고 있다. — 심규호, 「작품 해설」에서

───────────────────────────────

"모옌"의 다른 책들

364_개구리 심규호, 유소영 옮김

346 일야서

日夜書 韓少功

한사오궁 심규호, 유소영 옮김

중국 문화 혁명기, 지식 청년의 삶을 그린 '지청 문학'의 대표 작가 한사오궁
혁명의 증인이 된 한 세대를 추적한, 격동하는 중국 근현대사의 생생한 보고서

『일야서』는 중국에서 1950년대 출생한 세대들이 문화 혁명이라는 역사의 격변기를
지나 청년에서 중년으로 한 세대를 살아 낸 인생의 회고록이다. 세계 문학사에서
매우 특별하게도 한 세대의 정신사를 탐구한 지청 문학의 선구자, 한사오궁. 역사의
질곡과 시대의 전환을 몸소 겪어 낸 근현대사의 산증인이자 위화, 모옌과 함께 현
대 문학 최고의 거장으로 꼽히는 그의 최근작 『일야서』는 중국 지청 문학의 정수라
할 수 있다. 밝음과 어둠, 이상과 현실, 혁명과 세속의 시대가 교차하는 『일야서』 속
기억들은 격변기를 살아온 동시대 독자들을 뜨겁게 위로함과 동시에 '인간성이란
무엇인가.'라는 역사의 근본적인 질문을 무겁게 던지고 있다.

▶ 이 소설은 한 편의 기인록 같기도 하고 영웅전 같기도 하다. 역사와 현실에 대해 대단히
　뛰어난 개괄력을 보여 준다. ─ **거페이**

▶ 혹자는 『일야서』를 '인성'에 대한 심근, 즉 '인성의 뿌리 찾기'라고 말한 바 있는데, 이에
　동의한다. ─ **심규호, 「작품 해설」**에서

347 상속자들

The Inheritors William Golding

● 노벨 문학상 수상 작가
● 부커 상 수상 작가

윌리엄 골딩 안지현 옮김

네안데르탈인과 호모 사피엔스의 비극적인 대면을 통해
인간을 규정하는 핵심 속성인 폭력과 이기심에 대해 탐구한 수작

윌리엄 골딩은 『상속자들』에서 사물을 표면적으로 인식하고 현재 시점에서만 이해할 뿐 논리적으로 사고하거나 정교한 언어로 표현할 능력이 없었던 네안데르탈인의 시선에서, 그들의 감각과 경험을 단순하지만 아름답게 독자에게 전달한다. 순진무구한 네안데르탈인의 시선에서 바라본 호모 사피엔스는 지적, 육체적으로 진화했지만 철저히 타자화되어, 그들의 후손인 인류, 즉 독자에게 철저한 '낯설게 하기'의 체험을 제공한다. 문명의 옷을 입고 야만성을 끊임없이 자행해 온 인류 역사와, 특히 참혹한 살육을 초래했던 2차 세계 대전 이후의 허망한 폐허를 목도한 골딩은 인간이 앞으로 어떤 모습으로 살아가야 하는지의 윤리적인 문제에 대한 고민을 이 작품에 담아내고 있다.

▶ 짧지만 강렬하고 다층적인 의미로 다가오며, 읽을 때마다 점점 더 진가를 발휘하는 작품.
　—《가디언》

▶ 사실적인 설화 예술의 명쾌함과 함께 현대 인간의 조건을 신비스럽게 조명하여 다양성과 보편성을 보여 주었다. —스웨덴 한림원 노벨상 선정 이유

"윌리엄 골딩"의 다른 책들

348 설득

Persuasion Jane Austen

제인 오스틴 전승희 옮김

'지난 1000년간 최고의 문학가'에 셰익스피어에 이어 꼽힌 제인 오스틴
결혼을 둘러싼 불안에 대해 여성이 느끼는 감정을 탁월하게 묘사한 작품

앤은 가세가 기울어 가는 귀족 월터 엘리엇 경의 둘째 딸로, 해군 장교 웬트워스와
약혼했다가 서로 어울리지 않는다는 주위의 만류에 설득당해 파혼했다. 팔 년 후
웬트워스와 재회하게 된 앤은 은근한 기대로 설렌다. 『설득』은 구시대적 여성관을
비판하고 평등한 양성 관계를 긍정적인 모범으로 내세우면서, 기존 지배층의 무능
과 새로이 대두하는 계층인 해군의 유능함을 대비함으로써 당시에 진행되던 커다
란 사회적 변화를 개인들의 연애와 결혼 이야기를 통해 자연스레 드러낸다. 이 소설
은 직업적, 경제적 사회 활동에서 배제된 채 결혼을 통해서만 존엄을 유지할 수 있
었던 그 시대의 여성이 결혼이라는 일생일대의 문제를 두고 방황하는 모습을 통해
여성의 입장과 감정을 대변한다.

▶ 여성의 자존감은 제인 오스틴의 발명품이라고 해도 과언이 아니다. —《가디언》
▶ 『설득』의 주인공 앤 엘리엇은 제인 오스틴이 창조한 여성 인물들 중 가장 흥미로운 인물일
  것이다. —골드윈 스미스

"제인 오스틴"의 다른 책들

88 **오만과 편견** 윤지관, 전승희 옮김 132 **이성과 감성** 윤지관 옮김 283_**에마** 윤지관·김영희
옮김 363_**노생거 사원** 윤지관 옮김 366 **맨스필드 파크** 김영희 옮김

349 히로시마 내 사랑

Hiroshima Mon Amour Marguerite Duras

마르그리트 뒤라스 방미경 옮김

프랑스 현대 문학의 거장 마르그리트 뒤라스가 쓴 영화사에 길이 남을 걸작
과거와 현재가 교차하며 영상과 문학이 한데 어우러져 이룬 독특한 미학적 성취

프랑스 현대 문단에서 독특한 글쓰기로 주목받던 작가이자 영화 「연인」, 「모데라토 칸타빌레」의 원작 작가인 뒤라스가 시나리오를 맡고, 1950년대 후반 프랑스 누벨바그 영화를 대표하는 알랭 레네 감독이 연출한 영화 「히로시마 내 사랑」의 시나리오. 과거와 현재, 평온한 풍경과 폐허의 영상을 교차해 등장시키는 방식으로 히로시마라는 구체적인 공간에서 덧없는 사랑을 하는 남녀의 감정을 포착한다. 이야기 자체보다 도드라지는 이미지와 문장의 리듬, 외부에 예민하게 반응하는 감각과 의식의 흐름, 가식과 위선을 거부하는 삶의 태도 등, 당대의 규범을 거침없이 뛰어넘는 소설가와 영화감독이 만나 탄생시킨 이 아름다운 시나리오이자 문학-영상 작품은 독자의 마음에 조용한 파문을 일으킨다.

▶ 예술성과 장인 정신을 섬세하게 융합시킨 작품. ―《뉴욕 타임스》

▶ 히로시마에서 시작된 이 러브 스토리는 진정한 의미에서 최초의 현대적 로맨스 영화이다. ―《텔레그래프》

"마르그리트 뒤라스"의 다른 책들

350 오 헨리 단편선

O. Henry O. Henry

● 퓰리처 상 수상작가

오 헨리 김희용 옮김

"미국의 모파상"이라 불리는 단편 소설의 귀재 오 헨리
다정한 유머와 예기치 못한 반전의 페이소스로 펼쳐 낸 휴먼 드라마

오 헨리의 작품 세계에서 가장 큰 비중을 차지하는 것은 뉴욕을 배경으로
소시민들의 일상 속에서 벌어지는 에피소드다. 그는 대도시에서 살아가는
다양한 인간 군상을 관찰하고 상상하여 비정한 세상 속에서도 가끔씩 벌어지는
공명의 순간을 포착한다. 특히 일정한 형식의 플롯과 반전을 통한 뜻밖의 결말은
오 헨리 단편의 가장 큰 특징으로, 이후 현대 미국 단편 소설의 전통에 지대한
영향을 미쳤다. 오 헨리의 작품에서 느껴지는 인간에 대한 깊은 관찰에서 비롯된
애정 그리고 그의 유머와 페이소스가 지닌 스펙트럼 넓은 보편성은 시공을
초월해 현재까지도 전 세계 독자들의 공감을 이끌어 내고 있다.

▶ 워싱턴 어빙이 단편 소설을 '전설화'했고, 에드거 앨런 포가 '표준화'했으며, 너새니얼
  호손이 '우화화'했다면, 오 헨리는 그것을 '인간화'했다. —《뉴욕 타임스》
▶ 오 헨리는 도시의 세속적인 일상 속에서 '낯선 아름다움'이라는 새로운 광맥을 찾아냈다.
  — 체사레 파베세

351·352 올리버 트위스트

Oliver Twist Charles Dickens

● BBC 선정 꼭 읽어야 할 책

찰스 디킨스 이인규 옮김

빈자와 노동자의 편에서 사회의 부조리를 꼬집는 풍자 소설의 고전이자
삶의 역경 속에서도 선한 의지를 믿는 어른들을 위한 동화

셰익스피어와 함께 영국을 풍미하고 특히 19세기 대중과 노동자에게 엄청난 인기를 구가했던 찰스 디킨스의 대표작 『올리버 트위스트』는 실제 삶의 경험을 바탕으로 창작되었다. 디킨스는 부유한 환경에서 태어났으나 아버지가 빚으로 수감된 후 구두약 공장에서 하루 열 시간씩 일했다. 열두 살의 어린 나이에 직접 겪은 빈곤과 열악한 노동 환경에 대한 인식이 후일 소설 창작의 토대가 되었다. 산업 혁명 이후 새롭게 시행된 구빈법의 폐단과 탁상행정을 주도하며 빈민들의 삶을 더욱 열악하게 만든 '공리주의'의 한계를 신랄하게 풍자한 이 소설은 이십 대의 디킨스를 일약 영국의 스타로 만들었다. 어두운 뒷골목을 헤매면서도 삶에 대한 충만한 희망을 지닌 소년 올리버의 인생 역정은 당시 영국 사회의 커다란 위안이자 오늘날까지도 독자들의 마음을 울리는 어른들의 동화가 되어 다양한 예술 장르에서 사랑받고 있다.

▶ "그는 가난하고 고통받고 박해받는 자들의 지지자였으며 그의 죽음으로 세상은 영국의 가장 훌륭한 작가 중 하나를 잃었다." — **찰스 디킨스 묘비명**

"찰스 디킨스"의 다른 책들

353~356 전쟁과 평화

Война и мир Лев Николаевич Толстой Лев Толстой

● 《뉴스위크》 선정 100대 명저
● BBC 선정 꼭 읽어야 할 책

레프 톨스토이 연진희 옮김

**역사와 삶, 영웅과 민중, 힘과 숭고에 대한 현대의 『일리아스』이자
사랑을 통해 성장하는 젊은이들의 놀라운 초상**

『전쟁과 평화』는 1805년부터 1820년까지 약 십오 년의 시간과 러시아라는 광활한 공간을 배경으로 자연의 섭리와 인간의 역사를 그려 낸 톨스토이의 대표작이다. 559명의 등장인물, 큰 전쟁에 얽힌 방대한 서사에 자연스러운 리듬을 부여하는 작법뿐 아니라 피비린내 나는 전장에서 인간들의 운명을 냉엄하게 내려다보는 시선은 『일리아스』에 비견되는 서사시적 웅장함을 느끼게 한다. 지독한 허무주의자 안드레이, 부유하고 방탕한 상속자 피에르, 치명적인 유혹에 빠진 나타샤가 저마다의 시련을 극복하고 자기 안의 우주적 자아를 발견하는 과정은 각 인물들의 성장기인 동시에 전쟁과 수치를 겪으며 새로운 정체성을 자각해 나가는 러시아 자체의 성장 소설이기도 하다.

▶ 우리 시대 가장 방대한 서사시이자 현대의 『일리아스』. ─ 로맹 롤랑
▶ 톨스토이는 모든 소설가를 통틀어 가장 위대한 소설가다. 『전쟁과 평화』의 작가를 달리 어떤 이름으로 부를 수 있겠는가? ─ 버지니아 울프

"레프 톨스토이"의 다른 책들

89·90_부활 연진희 옮김 **219~221_안나 카레니나** 연진희 옮김

357 다시 찾은 브라이즈헤드

Brideshead Revisited Evelyn Waugh

● 《뉴스위크》 선정 100대 명저
● BBC 선정 꼭 읽어야 할 책

에벌린 워 백지민 옮김

두 청춘의 숨결을 앗아 갈 치명적인 우정과 함께, 옥스퍼드의 여름 방학이 시작되다
랜덤 하우스 선정 20세기 100대 영문 소설, '영국 문단의 파란' 에벌린 워 대표작

에벌린 워는 2차 세계 대전에 참전 중 '지금이 아니면 영영 쓸 수 없는 소설'을 떠올리고, 육 개월의 휴가를 받아 이 작품을 썼다. 1945년 출간된 이 소설이 막대한 성공을 거두며 전후 영국 문단에 아름다움과 속됨, 교리와 자유, 결혼과 사랑에 대한 자전적인 질문을 던진다. 1차 세계 대전 이후 불꽃놀이처럼 터졌다 사라진 경제 부흥기를 배경으로 옥스퍼드에 입학한 청년들의 아슬아슬한 활기와, 2차 세계 대전에 참전해 지난날을 돌아보는 중년 장교의 담담한 회고가 대조되는 이 작품은 드라마와 영화로 수차례 재해석되며 청춘의 로맨티시즘과 고뇌를 상징하는 하나의 아이콘이 되었다.

▶ 20세기를 대표하는 영어 산문의 대가. —《타임》

"에벌린 워"의 다른 책들

237_한 줌의 먼지 안진환 옮김

358 아무도 대령에게 편지하지 않다

El coronel no tiene quien le escriba Gabriel García Márquez

● 노벨 문학상 수상 작가

가브리엘 가르시아 마르케스 송병선 옮김

라틴 아메리카 문학을 대표하는 현대의 거장 가르시아 마르케스
민중의 슬픔과 고통을 웃음과 풍자로 승화시킨 마법 같은 걸작!

가르시아 마르케스는 압박을 견디며 살아온 민중의 삶을 묘사하면서 직접적인 투쟁과 폭력성을 끌어들이기보다는, '수탉'으로 대변되는 마을 전체의 희망과 '대령'으로 대변되는 순수함을 통해 정치적 테마를 탁월하게 담아낸다. 주인공인 대령은 가난과 고독 속에서도 인간적 품위를 잃지 않기 위해 노력한다. 그는 아내와 자신의 입에 들어갈 음식도 없는 상황에서 싸움닭을 돌보며 닭과 자신을 동일시하고, 점차 마을 사람들의 정치적 희망의 대변자가 된다. 우리는 그의 모습을 통해 가난과 고통 속에서도 명예를 지키기 위해 애쓰는 민중의 자존심과 품위를 엿보게 되고, 이는 잊지 못할 감동을 준다.

▶ 마르케스는 누구도 구사할 수 없는 시적이고 마법적인 언어로 이 책을 썼다.
　　　— **살만 루슈디**

▶ 거장의 걸작. 그는 강력한 글로 우리를 매료시킨다. — 《**뉴 스테이츠먼**》

359 사양

斜陽 太宰治

다자이 오사무 유숙자 옮김

자기 파멸의 상징, 다자이 오사무 문학의 전모가 가장 잘 드러난 역작
일본의 패전과 몰락 계급의 비극을 여성의 목소리로 그린 페미니즘적 작품

다자이 오사무 생전에 가장 큰 사랑을 받은 『사양』(1947)은 당시 '사양족'이라는 유행어를 낳을 정도로 일본 사회에 커다란 반향을 일으켰다. 사랑과 혁명을 쟁취하기 위해 강인하고 자립적인 삶을 선택하는 여성 주인공의 독백은, 다자이 문학 하면 으레 떠올리게 되는 어둡고 파멸적인 세계관과 달리 희망적인 빛을 품고 있으며 시적인 감동까지 선사해 준다. 여성 독백체로 이어지는 『사양』은 가와바타 야스나리로부터 "다자이 오사무의 문장 중에 여성을 가장 탁월하게 그려 낸 역작"이라는 평을 받기도 했다. 또한 시적이고 탐미적인 문장으로 산문보다는 거의 시에 가깝다는 평도 있다. 『사양』은 패전 후의 혼란을 넘어서서 현대인의 고독과 그럼에도 불구하고 삶을 향해 돌진하는 용기를 그려 내며 무뢰파, 데카당스의 한계를 넘어서는 저력을 과시한다.

▶ 다자이 오사무의 문장 중에서 여성을 가장 탁월하게 그려 낸 역작. ─ **가와바타 야스나리**

▶ 다자이의 생생한 묘사, 천재적 필력은 독자들의 영혼을 바로 매료시킨다. 도저히 벗어날 방법이 없다. ─ **오쿠노 다케오**

"다자이 오사무"의 다른 책들

360 좌절

A kudarc Imre Kertész

● 노벨 문학상 수상 작가

임레 케르테스 한경민 옮김

홀로코스트 생존자이자 노벨 문학상 수상 작가, 임레 케르테스
대표작 『운명』이 세상에 출간되기까지 좌절과 희망을 담은, 책에 대한 책

"우리가 그동안 헝가리 문학계의 보석을 알아보지 못했다." 헝가리 사회는 임레 케르테스의 노벨 문학상 수상으로 찬탄과 부끄러움을 동시에 느꼈다. 한평생 주류 문단의 무관심과 경제적 어려움에 시달렸던 노작가는 일흔두 살에 그의 역작 '운명 삼부작'을 통해, 잊혀 가는 홀로코스트의 참상을 완전히 새로운 방식으로 세계인의 가슴에 새겨 넣었다. 『좌절』은 삼부작 중 두 번째 작품으로, 기나긴 투쟁과 좌절 끝에 자신의 운명을 객관적으로 바라보게 되는 한 인간의 존엄을 보여 준다. 이후 『청산』을 발표하여, 총 사부작이 완성되었다.

▶ 야만적이고 제멋대로인 역사에 맞선 한 개인의 취약한 경험을 지켜 내려 한 작가.
— 스웨덴 한림원 노벨상 선정 이유

"임레 케르테스"의 다른 책들

361·362 닥터 지바고

Доктор Живаго Борис Пастернак

● 노벨 문학상 수상 작가

보리스 파스테르나크 김연경 옮김

러시아 문학의 황금기를 계승한 천재 시인, 파스테르나크
20세기 초 혁명의 시대, 유폐된 지식인의 고백이자 시어로 쓴 연애 소설

『닥터 지바고』는 파스테르나크에게 노벨 문학상의 영예를 주고 또한 그 영예를 거부하도록 만든 작품이다. 1958년 그는 노벨 문학상 수상자로 선정되지만, 그의 작품이 사회주의 혁명에 부정적이라는 이유로 추방당할 위기에 놓이자 수상을 포기했기 때문이다. 그러나 파스테르나크는 20세기 초 격변하는 정치 상황을 통해 당대 지식인의 고뇌뿐 아니라 혁명을 겪으며 어른이 된 '소년 소녀들'의 이야기를 그리고자 했다. 그 방증으로 데이비드 린 감독에 의해 각색된 동명의 영화가 전 세계적인 흥행에 성공하는 등, 『닥터 지바고』는 오늘날에도 다양한 예술 장르에서 재해석되며 꾸준히 사랑받는 명작의 반열에 올랐다.

▶ "동시대의 서정시와 러시아 서사문학의 위대한 전통을 계승했다."
　　— 스웨덴 한림원 노벨상 선정 이유

▶ "『닥터 지바고』는 사랑의 책이다. 그 엄청난 사랑을 다른 존재에게로 널리 퍼뜨리는 그런 책이다." — 알베르 카뮈

363 노생거 사원

Northanger Abbey Jane Austen

제인 오스틴 윤지관 옮김

셰익스피어에 이어 '지난 1000년간 최고의 문학가'로 꼽힌 제인 오스틴
이십 대에 탈고한 첫 소설이자, 이후 창조될 '여성 주인공'들의 원형을 엿볼 수 있는 작품

『노생거 사원』은 오스틴이 이십 대에 완성했으나, 그녀 사후에 발표된 첫 장편 소설
이다. 당시에 유행하던 로맨스 소설의 수동적인 여주인공이 아닌 솔직하고 당찬 '캐
서린'의 시선을 통해 고향에서 바스로, 바스에서 다시 노생거 사원으로 이어지는
첫 여정을 그려 냈다. 소설의 군데군데에서 '캐서린'은 소설 장르에 대해 호기심을
드러내는데, 이는 단지 소설이 허무맹랑한 옛이야기가 아니라 세계의 다양한 면모
를 보여 주고 한 주체의 진실한 성장을 돕는다는 작가의 생각을 드러낸다. 이렇듯
『노생거 사원』은 젊은 오스틴의 소설가로서의 자의식과 이후 『오만과 편견』의 '엘리
자베스'로 이어지는 여성 주인공의 성장 서사를 엿볼 수 있는 주요한 작품이다.

▶ 제인 오스틴의 위트는 그녀가 가진 취향의 완벽함에 필적한다. — 버지니아 울프
▶ 여성의 자존감은 제인 오스틴의 발명품이라고 해도 과언이 아니다. — 《가디언》
▶ 제인 오스틴은 문학의 로제타 스톤이다. — 애너 퀸들런

"제인 오스틴"의 다른 책들

364 개구리

蛙 莫言

● 노벨 문학상 수상 작가

모옌 심규호, 유소영 옮김

하늘에서 내리는 비를 가둘 수 없듯, 여자가 아이를 낳는 일도 절대 막아서는 안 된다
국가를 위한 개인의 희생은 어디까지 정당화될 수 있는가

1970년대 본격적으로 논의되어 수십 년간 지속된 산아 제한 정책은 인구 팽창이
심각한 문제로 대두되던 시기 중국의 사회적, 경제적 필요에 의해 시행되었지만 생
명 윤리와 관련된 다양한 논란을 낳았고 특히 많은 여자아이가 호적에 오르지 못
한 채 '어둠의 자식'으로 남는 등 또 다른 사회 문제를 야기했다. 2012년 노벨 문학
상 수상 당시, 중국 민간 문화를 바탕으로 '환각 리얼리즘'을 탄생시켰다는 평가를
받은 모옌은 『개구리』에서 다산의 상징인 '개구리' 토템을 모티프로 하여, 경제 발전
이라는 명분 아래 생명의 탄생조차 법으로 옭아매는 역사적 흐름 속에서도 꿋꿋이
살아 숨 쉬는 민중의 생명력을 찬미한다.

▶ 『개구리』는 생명의 본질을 추구하면서 인간성에 대한 뜨거운 사랑을 보여 준다.
　　— 마오둔 문학상 선정 위원회

▶ 중국인에게 가장 민감한 주제를 다룬 대담한 소설. —《차이나 데일리》

365 마왕

Le Roi des Aulnes Michel Tournier

미셸 투르니에 이원복 옮김

20세기를 뒤흔든 전쟁의 광기를 신화와 상징으로 드러낸 역작
식인귀를 만났을 때 우리는 어둠의 마왕을 따를 것인가, 아니면 구원으로 향할 것인가

『마왕』은 미셸 투르니에의 두 번째 소설로, 괴테의 유명한 발라드 「마왕」에 영감을
준 요정들의 왕이라는 게르만 신화와 유럽의 식인귀 신화, 그리고 소년 예수를 어깨
에 태우고 강을 건너게 한 성 크리스토프의 생애가 중첩되어 있다. 투르니에는 이러
한 모티프를 통해 나치 치하 독일에서 자행된 소년병 동원과 생체 실험 등의 참상을
낱낱이 고발한다. 아벨 티포주는 달콤한 말로 소년을 유혹해 죽음에 이르게 하는
마왕처럼 아이들을 사냥하여 나치에게 바치는 식인귀가 되지만, 수용소에서 탈출
한 유태인 소년 에프라임을 만난 이후 아이를 구제하려는 희생적 의지를 드러낸다.
티포주를 일깨워 황금별이 빛나는 밤하늘을 바라보게 하는 에프라임을 통해 투르
니에는 전 세계 독자들에게 인간성과 생명 회복의 가능성을 보여 준다.

▶ 뛰어나고 원숙한 대가의 면모를 풍기는 작품. ―《가디언》

▶ 전후 출간된 최고의 소설 중 하나. ―《뉴 스테이츠먼》

▶ 형제 살해 전쟁에서 비롯된 가장 기묘하고 잊히지 않는 이 소설에서는 풍부한 질감과
　눈을 멀게 할 정도의 심오함, 그리고 활력 넘치는 창조력이 느껴진다. ―《선데이 타임스》

"미셸 투르니에"의 다른 책들

366 맨스필드 파크

Mansfield Park Jane Austen

제인 오스틴 김영희 옮김

세익스피어의 뒤를 이어 '지난 1000년간 최고의 문학가'로 꼽힌 제인 오스틴
섬세하고 탁월한 필체와 위트가 빛을 발하는, 풍자와 심리 묘사의 보고

『맨스필드 파크』는 제인 오스틴의 작품들 중에서도 자전적 요소가 강한 작품으로, 삶에 대한 깊은 성찰을 통해 자신을 찾아 나가며 사랑을 꿈꾸는 패니의 성장기를 담아냈다. 19세기는 여성의 자유로운 연애가 허락되지 않았고, 결혼을 통해 집안 간의 결속을 공고히 하는 분위기였기에 오스틴이 작품 속에서 묘사하는 여성들의 당당한 솔직함은 오늘날 더욱 빛을 발한다. 제인 오스틴은 특유의 경쾌한 유머 감각과 풍자를 가미해 당시 신분제의 세속적 분위기를 희화화하는 가운데, 답답한 현실에 안주하며 살아가는 당시 여성의 모습과 대비되는 패니의 지혜롭고 사랑스러운 '자아 찾기' 과정을 다채로운 문체에 담아 독자들에게 안내해 준다.

▶ 그 어떤 소설가도 인간의 가치에 대한 완벽한 의미를 제인 오스틴보다 더 잘 살리지 못할 것이다. ─ 버지니아 울프
▶ 제인 오스틴은 모든 작가들이 꿈꾸는 별과 같은 존재다. ─ 조앤 K. 롤링
▶ 여성의 자존감은 제인 오스틴의 발명품이라고 해도 과언이 아니다. ─《가디언》

367 이선 프롬

Ethan Frome Edith Wharton

● 퓰리처 상 수상 작가   **이디스 워튼** 김욱동 옮김

도덕과 윤리의 이름으로 억압해 버린, 우리 내면의 슬픈 자화상
최초의 여성 퓰리처 상 수상 작가, 이디스 워튼의 자전적 작품

이디스 워튼의 작품 중에서도 가장 널리 읽히는 『이선 프롬』은 도덕과 인습이라는 집단적 억압에 맞선 개인의 내면세계를 섬세하게 포착했다. 주인공 이선은 사회적 의무를 대변하는 지나와 개인의 자유를 상징하는 매티 사이에서 그동안 자신이 '죽음 속의 삶'을 살아왔음을 깨닫고 절망한다. 1911년 출간과 동시에 도덕적 논란에 휩싸인 이 작품은 작가 자신의 삶이 투영된 자전 소설로, 유서 깊은 뉴욕의 상류층 가문 출신이었던 워튼은 일찍 사교계에 데뷔해 결혼한 뒤 애정 없는 결혼 생활과 작가적 야심 사이에서 갈등했다. 1970년대 이후 페미니즘 열풍을 타고 본격적으로 재조명된 이 소설은 섬세한 심리 묘사와 파격적인 결말로 회자되며 수차례 연극과 영화로 재탄생했다.

▶ 워튼은 20세기를 통틀어 가장 뛰어난 작가 중 하나다. ─《옵서버》

▶ 나는 이 책이 뿜어내는 암울한 분위기를 좋아한다. 혼자만 즐기고 싶어 다른 사람들에게 발견되지 않았으면 좋겠다고 생각할 정도로. ─**테닝**

368 여름

Summer Edith Wharton

● 퓰리처 상 수상 작가

이디스 워튼 김욱동 옮김

최초의 여성 퓰리처 상 수상 작가, 이디스 워튼이 쓴 성장 소설
미국 문단에서 여성의 성적 열정을 다룬 최초의 본격 문학

『여름』은 1차 세계 대전이 막바지에 이르렀을 무렵, 피난민을 돌보며 전쟁의 상처를 수습하던 워튼이 단 몇 주 동안의 휴식기에 써 내려간 작품이다. 비극적인 전쟁의 한가운데에서도 "창작의 희열이 정점에 이르러" 집필했다고 알려진 이 소설은 미국 문단에서 젊은 여성의 성장을 다룬 최초의 본격 문학으로, 주인공인 채리티가 연인과의 사랑을 통해 자신의 과거를 대면하고 미래를 향해 나아가는 과정을 그렸다. 성장의 요소로서 특히 여성의 성적 열정을 전면에 내세운 이 소설은 인습과 전통에 맞서 자신의 욕망을 직면하는 여성을 묘사하여 미국 사회에 커다란 충격을 안겼다. 감각적인 문장 속에 대자연의 성장과 여주인공의 정신적인 성숙을 교차시킨 『여름』은 작가 워튼이 가장 애착을 가진 작품으로도 알려져 있다.

▶ 여성의 성적 열정을 솔직하게 다룬 최초의 작품. ─ **신시아 그리핀 울프**

▶ 지금까지 미국 문학이라는 산에서 헨리 제임스가 이디스 워튼보다 약간 위쪽 봉우리를 차지했다면 이제 동등한 위치에 서게 될 것이다. ─ **고어 비달**

369~371 나는 고백한다

Jo confesso Jaume Cabré

자우메 카브레 권가람 옮김

개인사의 비극을 통해 '악'의 본질을 드러낸 수작
악의 씨앗을 심은 자는 누구이며 그 열매는 어느 식탁에 놓였는가

이 소설은 '악이란 무엇인가'라는 오래된 질문에 대한 가장 내밀한 응답이다. 주인공 아드리아가 바이올린에 숨겨진 비밀을 통해 한 사건의 가해자, 피해자와 모두 연결된 상황은 화해 불가능한 역사적 사실의 중심에서 살아가야 하는 인간 실존의 문제를 생생하게 드러낸다. 아드리아는 바이올린을 배움으로써 교양을 갖춘 지식인으로 성장하지만, 그것은 타인의 고통을 대가로 얻어진 악의 열매다. 작가는 이처럼 1940년대 유럽에 심긴 악의 씨앗이 역사를 관통해 아드리아의 개인적 생애에 뿌리내리는 과정을 보여 주며 '악'의 유전(遺傳)에 주목했다. 그리고 '악이란 무엇인가' 하는 질문이 이 시대를 살아가는 우리의 경험에서 출발해야 한다는 사실을 작품 곳곳에서 역설하고 있다.

▶ 인간과 악의 문제에 대해 고찰한 기념비적 작품. —《가디언》
▶ 그 복잡 미묘함을 통해 우리의 세계관을 변화시킬 힘을 지닌 소설. —《엘 문도》

372~374 태엽 감는 새 연대기

ねじまき鳥クロニクル 村上春樹

무라카미 하루키 김난주 옮김

하루키의 작품 세계에서 분수령이 된 걸작 장편 소설
잃어버린 시간을 되찾기 위해 폭력의 역사와 맞서는 존재의 기록

잃어버린 아내를 되찾으려는 남자의 분투와 실재했던 폭력의 역사를 교차하여 촘촘하게 짜 내려간 이 소설은 일본뿐 아니라 해외에서도 큰 반향을 불러일으켰다. 『태엽 감는 새 연대기』는 일본 내에서만 227만 부(2002년 기준) 이상 판매되었고 1995년 요미우리 문학상을 수상했다. 지금까지 35개 이상의 언어로 번역되었고 국제 IMPAC 더블린 문학상 후보에 오르며 무라카미 하루키를 세계적 작가의 반열에 올려놓았다. 이 책은 하루키의 장편 소설 중 가장 실제 역사에 천착한 작품이다. 위기의 시대를 살아가는 현대인의 황폐한 내면과 공허하고 기만적인 미디어 및 정치 세계를 드러내는 대작이다.

▶ 마치 꿈같은 강렬함, 무라카미 하루키는 천재다. ─《시카고 트리뷴》
▶ 무라카미 하루키의 예술 세계에서 가장 주요한 모험이 되는 작품. 대담하고 관대한 책.
　 ─《뉴욕 타임스》
▶ 놀라운 작품. 무엇과도 비교할 수 없다. ─《옵서버》

"무라카미 하루키"의 다른 책들

375·376 대사들

The Ambassadors Henry James

헨리 제임스 정소영 옮김

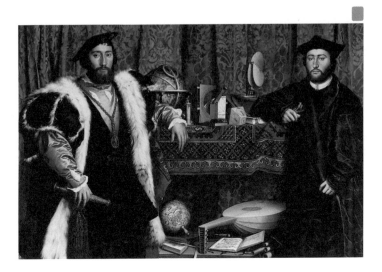

작가 스스로 "어느 모로 보나 가히 최고"라고 평한 후기 문제작
누군가를 온전히 돕는다는 것, 삶을 충실히 '보는' 것에 대한 세밀한 성찰

『대사들』은 헨리 제임스의 후기 걸작에 해당하며, 주제나 구성 면에서 예술적 완성도가 가장 완숙하게 드러난 작품으로 평가받는다. 작가의 분신이라 할 만한, 중년 남성 스트레더를 주인공으로 내세워, 주변 인물들의 인상과 의식의 망을 조밀하게 묘사해 독자의 눈앞에 드라마처럼 펼쳐지게 한 제임스 특유의 심리적 사실주의 기법이 이 책의 백미다. 특히 구세대가 놓친 삶다운 삶의 가치를 채드로 대변되는 이후 세대가 '지금' 누리기를 바라는 스트레더의 의지, 그래서 자신이 가진 모든 걸 잃어도 삶의 총체성을 '보는' 주체가 되었음에 만족하는 그의 진정성이 독자에게 깊은 여운을 남긴다.

▶ 동시대 작가 중 가장 지적인 인물. ― T. S. 엘리엇

▶ 생존한 작가 중 헨리 제임스보다 더 높은 기준을 가진 작가나 그보다 더 한결같이 위대한 성취를 이룬 작가는 없다. ― 버지니아 울프

▶ 헨리 제임스 이후 소설은 완전히 새로워졌다. ― 존 밴빌

"찰스 디킨스"의 다른 책들

377 족장의 가을

El otoño del patriarca Gabriel García Márquez

● 노벨 문학상 수상 작가

가브리엘 가르시아 마르케스 송병선 옮김

『백년의 고독』에 쏟아진 전 세계 문학계의 찬사를 뒤로한 채 팔 년간 몰입한 대작
권력의 연대기를 환상적 시어(詩語)에 담은 1970년대 라틴 아메리카 최고의 소설

가르시아 마르케스는 이 작품을 발표하며 제임스 조이스의 『율리시스』와 버지니아
울프의 『댈러웨이 부인』의 문학적 기법, 즉 시간과 의식의 흐름을 언어로 무질서하
게 형상화하는 방식에 많은 영향을 받았다고 밝혔다. 그의 언급처럼 숫자 구분조
차 되어 있지 않은, 단 여섯 개의 난해한 장들로 구성된 이 대작은 "비어 있고, 움직
이며, 예측 불허"인 텍스트다. 특히 이 소설의 마지막 장은 72쪽에 걸쳐 단 하나의
문장으로 전개되는데, 구두점과 문법을 무시한 채 서술되면서도 충만한 시적 운율
로 숨 가쁘게 읽히는 단어들 속에 '마술적 사실주의'를 넘어 첨예한 현실과 의식의
흐름을 극단적으로 대칭시킨 마르케스 문학의 또 다른 경지가 숨 쉬고 있다.

▶ 『족장의 가을』은 나의 대표작이자 최고의 작품이다. — **가브리엘 가르시아 마르케스**

▶ 라틴 아메리카의 다른 중요한 작가들과 마찬가지로 가르시아 마르케스는 빈곤한 계층과
  약자들의 편에 서서 서구의 경제적 착취와 국내의 압제에 강력하게 대항하고 있다.
  — **스웨덴 한림원 노벨상 선정 이유**

"가브리엘 가르시아 마르케스"의 다른 책들

378 핏빛 자오선

Blood Meridian Cormac McCarthy

● 《타임》 선정 현대 100대 영문소설

코맥 매카시 김시현 옮김

매카시 작품 전체를 관통하는 '묵시록적 세계관'의 시원이 되는 작품
서부 개척 신화에 의해 철저히 가려진 미국 역사의 진실을 파헤친 수작

1846년 미국 멕시코 전쟁이 끝난 뒤 미국 서부에서 벌어진 실제 사건을 배경으로
쓰인 『핏빛 자오선』은 미국 남부를 배경으로 쓴 이전 고딕풍 소설들과 결별을 고하
는 문제작이다. 매카시 문학의 시원에 해당하는 이 작품을 필두로, 매카시는 『모두
다 예쁜 말들』, 『국경을 넘어』, 『평원의 도시들』을 포함한 '국경 삼부작'을 완성한다.
"현존하는 미국 작가의 작품 중 가장 뛰어난 미학적 성취라고 해도 과언이 아니다."
라는 해럴드 블룸의 평가가 뒷받침하듯, 『핏빛 자오선』을 통해 매카시는 본격적인
문학적 명성을 얻었으며, 서부 장르 소설을 고급 문학으로 승격시켰다는 찬사와 함
께 대중의 큰 사랑을 받는다.

▶ 『신곡』과 『일리아스』와 『모비 딕』을 합쳐 놓은 듯한…… 비범하고도 숨 막히는 걸작.
　　— 존 밴빌
▶ 지옥 같은 죽음의 세계를 최면을 걸듯 리듬감 있고 고통스럽고 초현실적인 언어를 사용하
여 놀라울 정도로 아름답게 표현해 냈다. — 제인 글리슨 화이트

"코맥 매카시"의 다른 책들

379 모두 다 예쁜 말들

All the Pretty Horses Cormac McCarthy

코맥 매카시 김시현 옮김

쓸쓸하고 잔혹한 땅 멕시코를 배경으로 펼쳐지는 아름답고 잔혹한 서부 묵시록
한 카우보이 소년의 피비린내 나는 모험과 생존 게임, 그 쓰디쓴 성장의 기록

'국경 삼부작'에 속하는 세 편의 이야기는 첫 번째 작품과 두 번째 작품의 주인공들
이 세 번째 작품에서 만난다는 독특한 연결 고리를 지녔다. 그중 첫 번째에 해당하
는 이 작품은 자아를 찾아 떠나는 한 소년, 잔혹한 운명이 펼쳐 놓은 길 위에서 비
극적인 사건들을 통해 자라나는 한 인간의 성장을 담고 있다. 작가는 서부 장르 소
설 안에 짙게 깔린 비극성을 바탕으로 인간이 숙명적으로 안고 가야 하는 어두운
본성과 고독을 그린다.

▶ 이 작품으로 미국의 거의 모든 작가들이 수치심에 빠졌다. 섬세하게 단련된 장인 정신과
  맹렬한 에너지, 고도의 집중력이 낳은 탁월한 작품이다. ─《뉴욕 타임스》

▶ 매카시의 문체는 예술적이다. 폭발적인 화려한 묘사와 함께 깔끔하고도 간결한 대화가
  곳곳을 수놓는다. ─《커커스 리뷰》

▶ 기존 서부물을 능가하는 기개와 끝없는 창의력으로 말, 총격전, 사랑을 이야기하는
  현대의 서부 소설. 『모두 다 예쁜 말들』은 진정한 미국의 원형을 보여 준다. ─《뉴스위크》

"코맥 매카시"의 다른 책들

380 국경을 넘어

The Crossing Cormac McCarthy

코맥 매카시 김시현 옮김

죽음의 질서만이 존재하는 세계에서 어둠에 갇혀 길을 잃은 한 소년의 처절한 모험
세상의 끝에서 한 줄기 빛만이 그의 영혼을 조용히 감싼다

열여섯 살 소년 빌리 파햄은 아버지와 함께 덫을 놓아 멕시코에서 넘어온 늑대를 사
로잡지만, 왠지 모르게 늑대에게 매혹당한다. 빌리는 늑대를 돌려보내기로 결심하
고 국경을 넘는다. 멕시코 땅에 들어서자 그곳 목장 사람들은 빌리에게서 늑대를
빼앗아 투견장에 보내 버린다. 늑대가 상처 입고 죽어 가는 모습을 견디지 못한 빌
리는 늑대를 제 손으로 쏴 죽이고 사체를 비싼 값에 사서 묻어 준다.

▶ 여느 동시대 소설이 감히 건줄 수 없는 걸작이다. 매카시는 멜빌, 헤밍웨이, 잭 런던과 같
   은 대가들의 뒤를 잇는 동시에 현대의 어느 소설과도 다른 독창성을 드러낸다. 결코 잊지
   못할 명장면들이 마음에 영원히 새겨진다. ─《아이리시 타임스》
▶ 절대 음감으로 빚은 듯한 완벽하고 열정적인 문장. 빛나는 상상력으로 가득한 이 책을 집
   어 드는 순간, 책장을 열렬히 넘길 수밖에 없다. 그러나 단 한 문장도 허투루 읽을 수 없다.
   ─《시카고 트리뷴》
▶ '국경 삼부작'은 이번 세기 최고의 문학적 성취로, 미국의 고전이라 할 만하다.
   ─《샌프란시스코 크로니클》
▶ 매카시의 문장은 너무 아름다워 소리 내어 읽어야 마땅하다. ─《선데이 타임스》

381 평원의 도시들

Cities of the Plain Cormac McCarthy

코맥 매카시 김시현 옮김

이 세계는 죽음의 메아리로 만들어졌다
지울 수 없는 핏자국처럼 당신의 가슴에 선연히 남을 거대한 울림

이미 사랑에 실패한 경험이 있는 열아홉 살 존과 동생을 잃은 후 다시는 멕시코 땅을 밟지 않겠다고 다짐했던 스물여덟 살 빌리는 한 목장에서 서로를 깊게 이해하며 형제처럼 지낸다. 어느 날 존은 상처 입은 영혼을 지닌 어린 창녀 막달레나를 본 후 사랑에 빠지고, 욕망은 그를 비극의 구렁텅이로 몰아간다.

반면 과거의 상처 때문에 어떤 것에도 마음을 주지 않는 빌리는 비극의 소용돌이에서 비껴간다. 하지만 빌리는 아무 꿈도 욕망도 품지 못했기에 오히려 삶의 길을 잃는다. 작가는, 꿈을 향해 자신의 목숨까지도 내던진 존과 홀로 살아남은 빌리의 운명이 완성되어 가는 모든 순간을 정밀하게 포착하며 정교하게 구성된 드라마를 구축한다.

▶ 지독한 슬픔과 처연한 아름다움과 함께 힘이 넘치는 이 소설은 문장을 천천히 읽으며 음미해야 한다. 미국 문학의 걸작에 걸맞은 종결이라 아니할 수 없다. —《타임 아웃》

▶ 매카시의 소설은 때로는 간결하면서도 의미심장하고, 때로는 수줍음을 드러내면서도 시적이다. 그는 영혼을 뒤흔드는 힘과 서정적 강렬함으로 작품을 빚어 냈다. 국경 삼부작은 단연코 최고 걸작 중 하나이다. —《데일리 텔레그래프》

382 만년

晚年 太宰治

다자이 오사무 유숙자 옮김

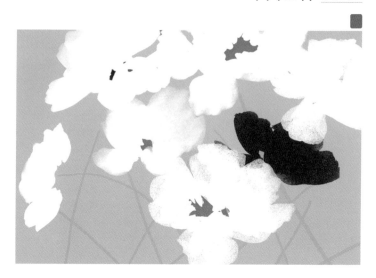

전위적인 시도로 일본 현대 문학의 가능성을 탐색한 청년 다자이의 첫 창작집
흔들리는 존재를 끌어안는 영원한 청춘 문학

다자이 오사무의 첫 번째 창작집 『만년』에는 죽음을 각오한 이십 대 초반의 작가가 유작을 염두에 두고 집필한 열다섯 편의 단편이 실렸다. 대지주의 아들로 태어나 좌익 운동에 가담하면서 태생적인 모순을 안게 된 다자이는 고향 생가와의 불화, 그에 따른 생활고, 자살 기도 후 동반 여성만 죽은 데 대한 죄책감 등 자신의 젊은 날을 뒤흔들었던 일련의 사건과 관계 들을 솔직하고 시적인 언어로 표현했다. 이처럼 고뇌하는 청춘의 모습을 담은 『만년』은 음울하다기보다 오히려 위트 있고 발랄한 분위기로, 글쓰기를 통해 구원받을 수밖에 없는 작가의 숙명, 죽음을 각오했기에 역설적으로 삶 앞에 가장 성실한 한 인간의 자화상을 보여 준다. 이후 전개될 다자이 오사무의 문학 세계를 품은 원형과 같은 작품.

▶ 다자이 오사무는 훌륭한 스토리텔러다. ─ 《북리스트》
▶ 그는 마흔이 되어서도 여전히 불량소년이라, 불량청년도 불량노년도 될 수 없는 남자였다.
　　─ 사카구치 안고
▶ 작품의 배경은 상당히 우울하지만, 『만년』은 결코 어둡고 무겁기만 한 것은 아니다. 고뇌하는 청춘이 녹아 있는 까닭이다. ─ 유숙자, 「작품 해설」에서

383 반항하는 인간

L'Homme Révolté Albert Camus

● 노벨 문학상 수상 작가

알베르 카뮈 김화영 옮김

『시지프 신화』에 이은 알베르 카뮈의 철학적 문제작
프랑스 정신사의 첨예한 스캔들인 '카뮈-사르트르 논쟁'의 불씨가 된 책

『반항하는 인간』(1951)은 『시지프 신화』와 함께 카뮈의 가장 중요한 철학적 저작이다. 카뮈는 이 책을 통해 역사적, 철학적, 정치적 맥락에서의 폭력과 테러를 고찰하며, 이런 상황에서 인류가 어떻게 행동해야 하는지를 구체적으로 직시하고 관찰한다. 카뮈는 특히 국가 테러리즘에 반기를 들며, 오직 국가를 초월한 국제적 평화에 대한 강력한 요구만이 폭력에 대항할 수 있다고 주장한다. 이러한 카뮈의 주장은 프랑스 지성계를 들끓게 했으며, '카뮈-사르트르 논쟁'을 촉발시켰다. 인류 전체를 위협하는, 특정 국가나 집단의 폭력이 정당화되는 시대에 폭력에 대항하는 반항이란 무엇인지를 묻는 카뮈의 질문은 지금도 유효하다.

▶ 중요한 것은 눈앞의 세계가 곧 현실이기에, 이 세계 속에서 어떻게 처신해야 하는가를 아는 일이다. ─ **알베르 카뮈**

▶ 기약하기 어려운 "집단 면역"의 시간을 고대하는 가운데 유령처럼 지내는 오늘, 우리는 카뮈의 말을 다시 한번 뼈아프도록 상기하게 된다. ─ **김화영, 「작품 해설」에서**

"알베르 카뮈"의 다른 책들

384~386 악령

Бесы Фёдор Достоевский

표도르 도스토옙스키 | 김연경 옮김

종교와 국가의 전복을 꾀하는 '악령'을 그려 낸 혁명과 광기의 묵시록
급진주의와 허무주의에 침잠한 젊은이들을 향해 던지는 도스토옙스키의 경고

도스토옙스키는 1869년 모스크바에서 비밀 혁명 조직의 내분으로 일어난 '네차예프 사건'에 충격을 받아 실제 사건을 모티프로 『악령』을 집필하게 된다. 이 작품은 급진주의, 허무주의에 사로잡힌 젊은이들을 향한 경고인 동시에 통렬한 자기반성과 '참회'를 보여 준다. 선과 악, 고해와 악행이 교차하는 주인공 니콜라이의 모순과 악령에 사로잡힌 인간 군상들의 행동이 다채롭게 펼쳐진다. 『악령』은 단순한 정치 비판에서 한 걸음 더 나아가 종교와 선악에 대한 철학적, 형이상학적 고찰을 제시한다. 20세기 철학, 문학, 심리학 전반에 걸쳐 지대한 영향을 끼친 대문호 도스토옙스키의 종교 의식이 가장 잘 드러난 대표작인 동시에 『카라마조프가의 형제들』을 이해하는 열쇠가 되는 작품이다.

▶ 『악령』은 인간이 써낸 가장 충격적인 소설이자 가장 위대한 정치 소설이다. — **오르한 파묵**

▶ 도스토옙스키는 근대 작가 그 누구보다 위대하다. 그는 잊을 수 없는 장면들을 창조해 냈다. — **제임스 조이스**

▶ 20세기의 진정한 예언자는 마르크스가 아니라 도스토옙스키다. — **알베르 카뮈**

"도스토옙스키"의 다른 책들

387 태평양을 막는 제방

Un Barrage Contre Le Pacifique Marguerite Duras

마르그리트 뒤라스 윤진 옮김

삶의 고통 섬세하게 묘사하는 '뒤라스적 글쓰기'의 원형이 되는 작품
서른여섯 뒤라스는 『태평양을 막는 제방』을 일흔의 뒤라스는 『연인』을 쓰다

1950년에 발표한 『태평양을 막는 제방』은 『철면피들』로 대중에게 알려진 뒤라스가 세 번째로 세상에 내놓은 작품이다. 공쿠르 상 후보에 오르기도 한 이 작품은 르네 클레망에 의해 「해벽」(1958)이란 제목으로 영화화되었으며, 작품 속 가족에 대한 묘사로 인해 어머니와 결별의 원인이 되기도 했다. 『태평양을 막는 제방』은 작가 스스로 "두 책은 한 몸"이라 고백할 만큼 자전적 요소와 주제 면에서 『연인』(1984)과 같은 뿌리를 가진다. "열여덟 살에 나는 이미 늙어 있었다."라고 고백한 소설 속 '나'와 쉬잔은 청춘기 사랑과 절망을 동시에 경험한 뒤라스의 분신들이라 할 것이다.

▶ 뒤라스의 글들은 우리로 하여금 광기의 절정을 관찰할 수 있게 한다. — **줄리아 크리스테바**
▶ 가쁜 숨의 헐떡임과 차가운 침묵으로 써 나가는 뒤라스의 목소리에서 그녀가 전하는 글쓰기의 고통과 쾌락을 맛본다. — **윤진, 「작품 해설」**에서

"마르그리트 뒤라스"의 다른 책들

388 남아 있는 나날

The Remains of the Day Kazuo Ishiguro

● 노벨 문학상 수상 작가
● 부커 상 수상 작가

가즈오 이시구로 송은경 옮김

인생의 황혼 녘에야 발견한 일과 사랑의 참된 의미, 그 허망함에 관한 기록
노벨 문학상 수상 작가 가즈오 이시구로 대표작

『남아 있는 나날』은 대를 이어 집사라는 직업에 헌신해 온 '스티븐스'라는 인물을 통해 양차 세계 대전 사이 영국 격변기의 모습과 여행길에서 바라본 1950년대 영국의 사회상을 교차한 작품이다. 한평생 개인적 삶을 포기한 채 주인에 대한 맹목적인 충성심을 키워 온 스티븐스는 달링턴 경이 나치 지지자라는 오명을 쓴 채 최후를 맞이할 때까지도, 주인에 대한 믿음과 존경을 거두지 않는다. 또한 '위대한 집사'를 완성하는 것은 '위대한 주인'이라는 신념을 역설하는데, 이는 영국 계급 사회에 대한 향수와 함께 '직업인은 무엇을 위해 사는가'라는 근본적인 질문을 불러일으킨다. 출간과 동시에 "마술에 가까운"(《뉴욕 타임스》) 작품이라는 찬사를 받은 이 소설은 과거와 현재를 교차하는 단순한 구조 속에 구시대와 신시대의 충돌, 일과 윤리, 위대함과 정직함에 대한 심오한 통찰을 담았다. 1989년 부커 상을 수상했고 제임스 아이보리 감독에 의해 영화화되어 큰 사랑을 받기도 했다.

▶ 소설의 위대한 정서적 힘을 통해 인간과 세계를 연결하고, 그 환상적 감각 아래 묻힌 심연을 발굴해 온 작가. ─ 스웨덴 한림원 노벨상 선정 이유

389 앙리 브륄라르의 생애

Vie de Henry Brulard Stendhal

스탕달 원윤수 옮김

프랑스 대혁명이 분출한 새로운 가치, 시대의 대변혁에 응답한 문학의 변혁
실존의 영역에서 글쓰기로 전이되는 과정을 탐색한 스탕달 문학의 열쇠

스탕달에게 있어서 무엇보다 중요하고 유일한 진실은 객관적 사건의 인식이 아닌, 자아의 체험적 진실이었다. 체험이 곧 진실이었다. 체험적 진실을 환기시키는 감수성이 기억이었다. 감각적으로 환기되는 기억을 통해 되찾은 과거의 행복이 새로운 삶의 토대가 되어 준다고 믿었다. 모든 것이 뒤집히고 또다시 뒤집히는 시대를 살았던 그를 평생 사로잡았던 물음은 '나는 무엇인가'였다. 자신의 존재를 탐구하는 것, 즉 자신을 아는 것이 무엇보다 중요했던 작가가 오십에 이르러 쓰기 시작했던 작품이 바로 『앙리 브륄라르의 생애』이다. 이 작품은 그의 문학 세계를 관통하는 특징들도 모두 품고 있다. 상상 세계와 실존 사이의 끊임없는 왕래, 중심을 벗어난 여담의 즐거움, 그리고 작품의 특별한 자양이 되는 작가의 실제 경험들. 실존의 영역에서 글쓰기로 전이되는 과정을 탐색하며 동시에 표현한 『앙리 브륄라르의 생애』는 스탕달의 문학을 이해하는 열쇠가 되는 텍스트다.

▶ 나는 스탕달의 그 어떤 소설보다 『앙리 브륄라르의 생애』를 사랑한다. — **앙드레 지드**
▶ 예술은 삶의 광경을 재현하는 것이 아니라 하나의 세계관을 표현하는 것이다. — **스탕달**

"스탕달"의 다른 책들

48·49_파르마의 수도원 원윤수, 임미경 옮김 **95·96_적과 흑** 이동렬 옮김

390 찻집

茶館 老舍

라오서 오수경 옮김

북경 서민의 삶을 경쾌하고 해학적인 일상의 언어로 그려 낸 중국 3대 문호 라오서
격동의 중국 근대, 북경의 한 찻집을 무대로 펼쳐지는 민초들의 파란만장한 인생사

『찻집』은 혼돈의 중국 근대를 살아간 북경 서민들의 애환이 담긴 작품이다. 세파에 시달리면서도 대를 이어 가며 꿋꿋이 제자리를 지켜 온 한 찻집이 역사의 격랑 속에 쇠락해 가는 씁쓸한 풍경에는 민초들의 신산한 삶이 서려 있다. 라오서는 중일 전쟁, 군벌의 혼전, 국민당의 부패 통치, 신중국 수립이라는 역사의 흐름을 배경으로 찻집을 드나드는 다양한 인간 군상들과 변화하는 인정세태를 통해 오십여 년 중국 근대의 시대상을 압축적으로 보여 준다. 1958년 초연 이래 2021년 현재까지 총 700여 회 무대에 오른 『찻집』은 명실상부 현대 중국을 대표하는 희곡이다.

▶ 『찻집』은 중국 연극 역사의 보물이다. ─ **차오위**
▶ 나는 『찻집』이 1949년 신중국 수립 이래 최고의 작품이라고 생각한다. ─ **왕멍**

391 태어나지 않은 아이를 위한 기도

Kaddis a meg nem született gyermekért Imre Kertész

● 노벨 문학상 수상 작가

임레 케르테스 이상동 옮김

인류의 비극과 개인의 운명에 대한 성찰이 담긴 '운명 사부작'의 세 번째 작품
인간의 존엄이 말살된 곳에서 지독히 읊조리는 생명의 숭고한 카디시

『태어나지 않은 아이를 위한 기도』는 케르테스의 '운명 사부작' 중 자전적 성격이 가장 짙은 작품이다. 작가는 자신의 불행했던 어린 시절과 아우슈비츠에서 겪었던 사건들, 글쓰기에 대한 철학과 결혼과 이혼 전후의 이야기를 마치 혼잣말처럼 긴 호흡으로 이어 나간다. 운명의 무게에 억눌린 듯한 상실과 슬픔 가득한 갈망, 지독한 회한이 실타래처럼 뒤엉킨 이 소설은 끝내 홀로코스트의 기억을 떨치지 못했지만 오히려 그럼으로써 역사의 진실을 오롯이 드러낸 한 상처받은 영혼의 내밀한 독백이라 할 수 있다.

▶ 야만적이고 제멋대로인 역사에 맞섰던 한 개인의 취약한 경험을 지켜 내려 한 작가.
　─ 스웨덴 한림원 노벨상 선정 이유

"임레 케르테스"의 다른 책들

392·393 서머싯 몸 단편선

William Somerset Maugham William Somerset Maugham

서머싯 몸 황소연 옮김

대중성과 문학성을 동시에 인정받은 20세기 영국 문학의 대표 작가 서머싯 몸
전 세계를 여행하며 명쾌한 필치로 포착해 낸 청춘의 다채로운 순간

『달과 6펜스』를 비롯해 『면도날』, 『인생의 베일』, 『인간의 굴레에서』 등 영문학 최고
걸작의 반열에 올라선 작품들을 발표하고 영국 명예 훈위 칭호를 받은 서머싯 몸.
청춘의 방황과 생의 의미를 깨닫는 여정, 그 속에서 발견해 낸 인간 본성에 대한 통
찰은 서머싯 몸의 작품 전체를 관통하는 주제다. 사랑과 우정, 성공과 실패, 삶과
죽음 등의 선택지들 사이에서 다양한 인간 군상이 서로 공명하며 생의 의미를 깨닫
는 순간을 예리하게 포착해 현실적으로 묘사해 낸다. 명쾌하고 대중적인 필치로 써
내려간 단편들에서 서머싯 몸의 유머 감각은 더욱 빛난다. 블랙코미디와 서스펜스
로 채워진 단편들은 스페인, 프랑스, 사모아섬, 타히티 등 세계 각지를 배경으로 펼
쳐져 더욱 다채로운 독서 경험을 선사한다.

▶ 서머싯 몸은 근대 작가 중 나에게 가장 많은 영향을 끼쳤다. 그는 담백하고 단순하게
이야기를 풀어내는 데 천재적이다. ─ 조지 오웰

394 케이크와 맥주

Cakes and Ale William Somerset Maugham

서머싯 몸 황소연 옮김

달필의 감각으로 개인의 행복과 유희, 쾌락을 탐구한 서머싯 몸
성공과 창작의 곡예에서 균형을 이루며 살아가는 방법은 무엇일까

『케이크와 맥주』는 작가 스스로 작품 속에서 밝히듯, 몸의 최고작으로 평가받는 『인간의 굴레에서』(1915)에서 못다 한 이야기를 풀어낸 작품이다. 『인간의 굴레에서』가 정념에 의한 인간의 내적 예속을 다루었다면, 이 작품에서는 한 작가의 생애를 통해 인간을 구속하는 외적 요인, 사회적 굴레에 초점을 맞춘다. 작품의 제목인 '케이크와 맥주'는 물질적 쾌락, 혹은 삶의 유희를 뜻하는 관용구로 셰익스피어의 희곡 「십이야」에 처음 등장한다.("자네가 도덕적이라고 해서 케이크와 맥주가 더는 안 된단 말인가?") 몸은 이 작품을 통해 유희와 쾌락을 좇는 삶이 얼마나 덧없는지를, 현명한 작가는 마땅히 성공을 경계해야 함을 일깨운다.

▶ 공포감이 점점 커져 갔다. 그것은 누가 봐도 나의 초상화였다. ─ 휴 월폴

▶ 몸이 그려 낸 출세 지향적 문인의 초상은 고문에 가까운 부분이다. 그는 벼락출세한 얼굴 두꺼운 위선적 대중 작가로 그려진다. ─ 버지니아 울프

▶ 만약 자네가 이 작품에서 자네 모습을 보았다면, 우리가 대동소이할 뿐 같은 인간이기 때문일세. ─ 서머싯 몸

395 월든

Walden Henry David Thoreau

헨리 데이비드 소로 정회성 옮김

자연에서 찾는 인간의 자유와 행복, 세기를 넘나든 불멸의 고전,
사상가, 시인, 에세이스트, 자연주의자 소로가 안내하는 월든의 세계

1852년 미국에서 처음 출간된 『월든』은 당시에는 화제를 얻지 못했으나 두 세기가 지난 지금까지 불멸의 고전으로 남아 전 세계 독자들의 크나큰 사랑을 받고 있다. 마하트마 간디, 로버트 프로스트, 마르셀 프루스트 등 수많은 사상가와 문인들에게 지대한 영향을 끼쳤으며, 기후 위기 등 생태계의 극심한 변화를 겪고 있는 오늘날에는 소로가 강조하는 생태 환경의 중요성을 더욱 실감하게 된다. 자유주의자, 생태주의자, 몸으로 실천하는 사상가 소로의 숲, '월든'으로 여러분을 안내한다.

▶ 내 집에는 의자가 세 개 있다. 하나는 고독을 위한 것이고, 또 하나는 우정을 위한 것이며, 나머지 하나는 사람들과 어울리기 위한 것이다. ─ **헨리 데이비드 소로**

▶ 욕심부리지 말고 소박하게 살라는 말에 고개를 갸웃거리는 우리에게 『월든』은 묻는다. 어떻게 사는 것이 진정으로 자유롭고 행복한 삶이냐고. ─ **정회성, 「작품 해설」에서**

396 모래 사나이

Der Sandmann Ernst Theodor Amadeus Hoffmann

E. T. A. 호프만 신동화 옮김

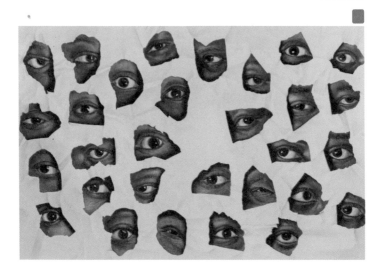

선과 악, 빛과 어둠 등 호프만 문학의 정수가 담긴 신비로운 단편 소설집
환상과 현실 넘나드는 낯설고 친밀한 이야기, 매혹적이고 섬뜩한 환상의 세계

독일 후기 낭만주의의 대표 작가인 E. T. A. 호프만은 환상과 광기와 불안을 소재로 삼아 작품 속에서 환영과 유령과 도플갱어와 악마를 소환한다. 그의 낯설고 섬뜩하고 기이한 소설들은 이성적이고 무미건조한 현실의 법칙을 뒤흔들고, 환상과 현실 사이를 곡예하듯 오가며 환상적인 마법의 왕국이 우리 삶의 일부임을 매혹적으로 증명해 낸다.

▶ 안개와 꿈으로 이루어졌으며 환상적 인물들이 등장하는 이 세상이 아닌 세계, 이것이
  호프만의 세계다. — **슈테판 츠바이크**
▶ 호프만은 문학에서의 섬뜩함에 있어서 타의 추종을 불허하는 대가다. — **지그문트 프로이트**
▶ 지하 세계와 지상 세계, 환상과 현실, 죽음과 삶, 과거와 현재가 다시금 하나가 되는
  것이다. 이러한 합일의 장면은 처연하면서도 더없이 아름답고 가슴 벅차다.
  — **신동화, 「작품 해설」에서**

397·398 검은 책

Kara Kitap Orhan Pamuk

● 노벨 문학상 수상 작가

오르한 파묵 이난아 옮김

20세기 이스탄불에서 사라진 여자와 그녀를 좇는 남자의 미스터리
이스탄불의 신화와 전설, 터키의 문화와 문학이 맞물린 독특한 대작

사라진 아내의 행방을 좇는 남자의 이야기와 그녀가 사랑하는 다른 남자의 칼럼이
한 장씩 교차하는 『검은 책』은 자아 정체성이라는 파묵의 주제 의식을 실험적 형식
으로 풀어내어 큰 파장을 일으킨 문제작이다. 또한 현대를 사는 세 남녀의 이야기에
이슬람 고전을 접목하고, 동서양이 만나는 도시 이스탄불에 얽힌 신화, 전설, 이야
기뿐 아니라 시대적 배경인 1980년대 터키의 대중문화와 언더그라운드 문화, 서양
문학을 서로 맞물려 얽히게 해 독자에게 독특한 독서 경험을 선사한다. 작가 자신이
"한마디로 내 정신 상태를 설명하는 내 영혼의 혼합체"라고 한, 오르한 파묵의 모든
것이 담겨 있는 작품이다.

▶ 한 편의 걸작. ―《리베라시옹》

▶ 움베르토 에코, 칼비노, 보르헤스, 마르케스의 최고 작품들과 어깨를 나란히 하는 아주
  특별한 소설. ―《옵서버》

"오르한 파묵"의 다른 책들

399 방랑자들

Bieguni Olga Nawoja Tokarczuk

● 노벨 문학상 수상 작가
● 부커 상 수상 작가

올가 토카르추크 최성은 옮김

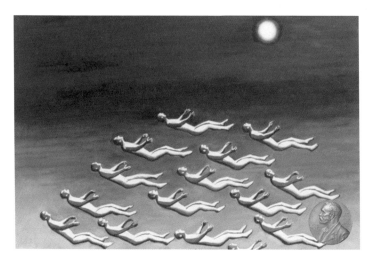

2018년 노벨 문학상 수상 작가, 올가 토카르추크의 대표작
형식의 경계를 허무는 21세기 오디세이, 방랑자들에게 바치는 찬가

『방랑자들』은 여행, 그리고 떠남과 관련된 100여 편이 넘는 다양한 에피소드를 기록한 짧은 글들의 모음집이다. 어딘가로부터, 무엇인가로부터, 누군가로부터, 혹은 자기 자신으로부터 도망치려는 사람들, 아니면 어딘가를, 무엇을, 누군가를, 혹은 자기 자신을 향해 다다르려 애쓰는 사람들 등 끊임없이 움직이고 이동하는 방랑자들을 기록한 작품이다. 2008년 폴란드 최고의 문학상인 니케 문학상을, 2018년 맨 부커 상 인터내셔널 부문을 수상한 『방랑자들』은 단선적 혹은 연대기적인 흐름을 따르지 않고, 단문이나 짤막한 에피소드를 촘촘히 엮어서 중심 서사를 완성하는 패치워크와도 같은 이야기 방식이 가장 절묘하고 효과적으로 활용된 작품이다. 조각보처럼 아름다운 영원을 갈망하는 방랑자들, 이들이 남기는 성좌를 따라가 보자.

▶ 삶의 한 형태로서 경계를 넘어서는 과정을 해박한 열정으로 그려 낸 서사적 상상력. 물리적인 이주(移住)와 문화의 이행에 초점을 맞춘 『방랑자들』은 위트와 기지로 가득하다.
　　— 스웨덴 한림원 노벨상 선정 이유
▶ 웅대한 스케일의 작가. — 스베틀라나 알렉시예비치
▶ W. G. 제발트와 비견되는 작가. — 애니 프루

400 시여, 침을 뱉어라

김수영 이영준 엮음

한국 현대시의 거대한 뿌리
김수영이 말하는 시와 예술의 정신

한국문학사의 새 장을 연 현대적 시인이었던 동시에 밀도 높은 사유와 날카로운 현실 감각을 지닌 산문가였던 김수영. 그가 쓴 시론과 예술을 선별해 수록한 이 책은 무한대의 혼돈에 접근하고자 모험을 감행했던 김수영의 정신이 지금 이 순간에도 이행되고 있는 거대한 뿌리임을 증명한다.

▶ 그의 글은 희망의 '내용'을 서술하지 않는다. 차라리 희망의 '형식'을 발생시킨다. 문자 그대로 '힘'을 만들어 내는 것이다. 김수영이 사랑했던 단어, '모험'. 그의 글을 읽으면 가슴이 두근거리고 머리가 뜨거워진다. 나는 다시 또 그의 글을 펼쳐 놓을 것이다.
   —**김행숙(시인)**

▶ 그는 위대한 시인의 제일 난제인 위대한 산문가였다. 그의 시는 시인들로 하여금 시에 대해 질문하는 것을 넘어서 시를 쓰고 싶게 만든다. 그의 산문은 사람들로 하여금 시를 읽는 것을 넘어서 세상 모든 것들 안에 시가 숨어 있음을 깨닫게 해 준다.
   —**이응준(시인·소설가)**

▶ 우리는 여전히 그가 정초한 시와 현실의 관계항 아래 시를 이해하고 있으므로, 21세기에 시를 읽고 쓴다는 것은 김수영이라는 정초석을 기준으로 하여 이뤄질 수밖에 없다. 우리에게 선택지는 두 가지뿐이라고 할 수도 있겠다. 김수영을 계승하여 다음을 향하거나, 김수영을 부정하고 다른 길을 찾아 떠나거나. —**황인찬(시인)**

민음사 세계문학전집

노벨 문학상 수상 작가

퓰리처 상 수상 작가

부커 상 수상 작가

《뉴스위크》 선정 100대 명저

《타임》 선정 현대 100대 영문소설

BBC 선정 꼭 읽어야 할 책

서울대 권장도서 100선

1	202	203	204	205	206	207	208	209	210
1	212	213	214	215	216	217	218	219	220
1	222	223	224	225	226	227	228	229	230
1	232	233	234	235	236	237	238	239	240
1	242	243	244	245	246	247	248	249	250
1	252	253	254	255	256	257	258	259	260
1	262	263	264	265	266	267	268	269	270
1	272	273	274	275	276	277	278	279	280
1	282	283	284	285	286	287	288	289	290
1	292	293	294	295	296	297	298	299	300
1	302	303	304	305	306	307	308	309	310
1	312	313	314	315	316	317	318	319	320
1	322	323	324	325	326	327	328	329	330
1	332	333	334	335	336	337	338	339	340
1	342	343	344	345	346	347	348	349	350
1	352	353	354	355	356	357	358	359	360
1	362	363	364	365	366	367	368	369	370
1	372	373	374	375	376	377	378	379	380
1	382	383	384	385	386	387	388	389	390
1	392	393	394	395	396	397	398	399	400

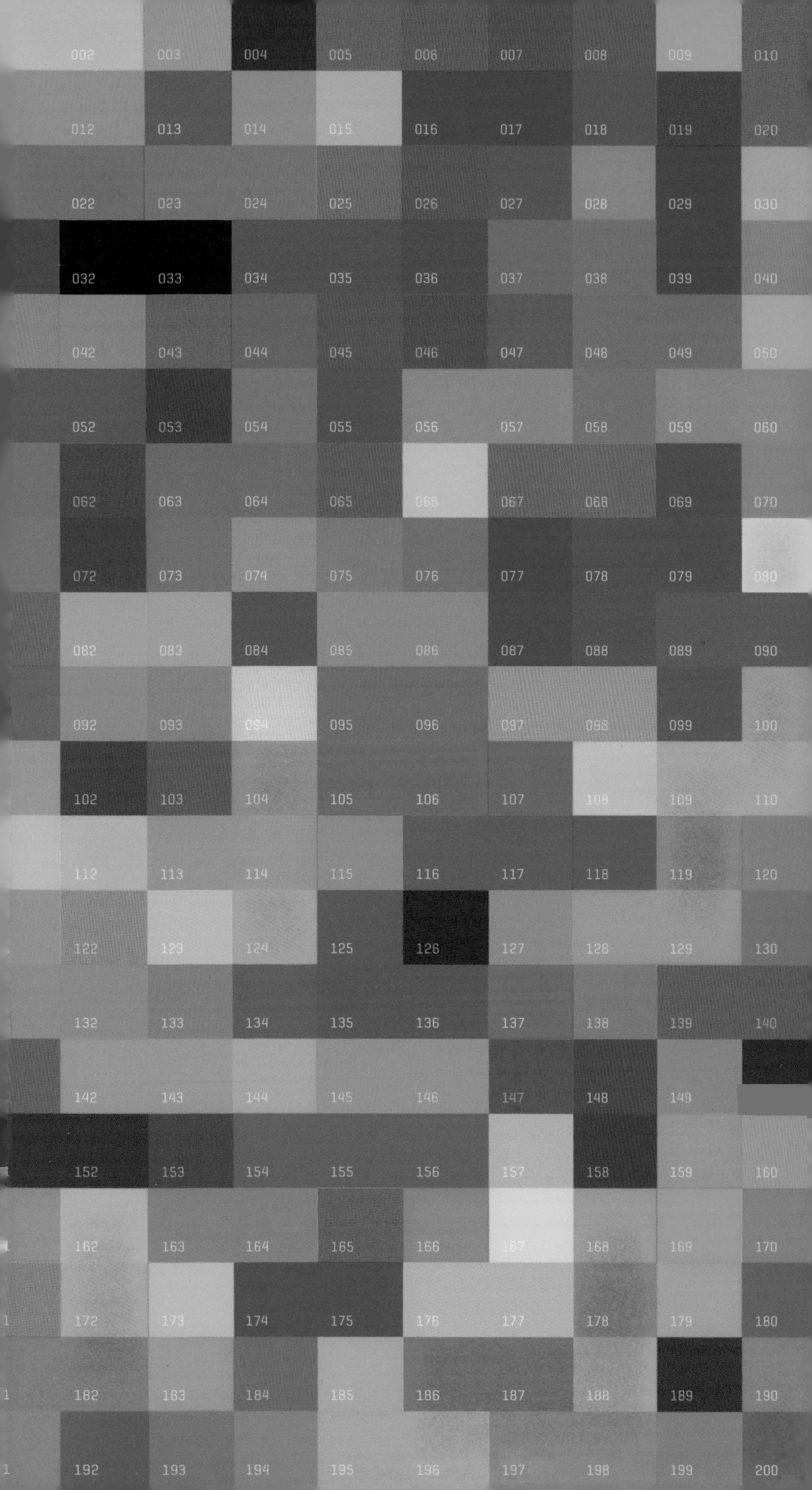
002 003 004 005 006 007 008 009 010
012 013 014 015 016 017 018 019 020
022 023 024 025 026 027 028 029 030
032 033 034 035 036 037 038 039 040
042 043 044 045 046 047 048 049 050
052 053 054 055 056 057 058 059 060
062 063 064 065 066 067 068 069 070
072 073 074 075 076 077 078 079 080
082 083 084 085 086 087 088 089 090
092 093 094 095 096 097 098 099 100
102 103 104 105 106 107 108 109 110
112 113 114 115 116 117 118 119 120
122 123 124 125 126 127 128 129 130
132 133 134 135 136 137 138 139 140
142 143 144 145 146 147 148 149
152 153 154 155 156 157 158 159 160
162 163 164 165 166 167 168 169 170
172 173 174 175 176 177 178 179 180
182 183 184 185 186 187 188 189 190
192 193 194 195 196 197 198 199 200